Le Quatrième Cavalier

Bernard CORNWELL

Le Quatrième Cavalier

Traduit de l'anglais par Pascal Loubet

Titre original : *The Pale Horseman*
© Bernard Cornwell, 2006
© Éditions Michel Lafon, 2007, pour la traduction française.
7-13, boulevard Paul-Émile-Victor – Île de la Jatte,
92521 Neuilly-sur-Seine Cedex

Ainsi commence la guerre,
avec le chant des charognards
et le hululement des loups gris.

1

Ces derniers temps, quand je vois des jeunes gens de vingt et un ans, je les trouve d'une jeunesse consternante, à peine sevrés du lait de leur mère, mais lorsque j'en avais vingt, je me considérais comme un homme adulte. J'étais père d'un enfant, j'avais combattu dans le mur de boucliers et ne m'en laissais conter par personne. En un mot, j'étais arrogant, sot et entêté.

Et c'est pourquoi, après notre victoire à Cynuit, je pris la mauvaise décision.

Nous avions guerroyé contre les Danes le long de l'océan, là où la rivière s'écoule du grand marais et où la mer de Sæfern lèche la vase du rivage, et nous les avions vaincus. Nous avions fait un grand carnage et moi, Uhtred de Bebbanburg, j'y avais pris ma part. Et plus encore, car à la fin de la bataille, lorsque le grand Ubba Lothbrokson, le plus craint de tous les chefs danes, avait enfoncé nos défenses de sa grande hache de guerre, je l'avais affronté et envoyé rejoindre les *einherjar*, l'armée des morts qui festoient et culbutent les femmes dans le palais d'Odin.

Dès lors, j'aurais dû écouter Leofric et rentrer à bride abattue sur Exanceaster, où Alfred, roi des Saxons de l'Ouest, assiégeait Guthrum. J'aurais dû arriver au cœur de la nuit, réveiller le roi et déposer à ses pieds la bannière de guerre d'Ubba ornée du corbeau noir et sa grande hache. Lui annoncer que l'armée dane était vaincue, que les quelques survivants avaient regagné leurs navires ornés de têtes de dragons, que le Wessex était sauvé et que moi, Uhtred de Bebbanburg, j'avais accompli tous ces exploits.

Au lieu de quoi je partis rejoindre mon épouse et mon enfant.

À vingt ans, je préférais labourer Mildrith plutôt que récolter le butin de ma bonne fortune, et ce fut une erreur ; mais, à y repenser, je n'ai que peu de regrets. Le destin est inexorable et Mildrith, que je n'avais pourtant point voulu épouser et que je finis par détester, était un champ bien agréable à travailler.

Aussi, en cette fin de printemps de l'an 877, je passai le samedi à cheval sur la route de Cridianton au lieu d'aller voir Alfred. Je pris vingt hommes avec moi, et promis à Leofric que nous serions à Exanceaster avant midi le dimanche et qu'Alfred saurait de ma bouche que nous avions remporté la victoire et sauvé son royaume.

– Odda le Jeune sera déjà arrivé, m'avertit Leofric. (Je ne répondis pas au guerrier endurci par des années de luttes contre les Danes, et deux fois mon aîné.) M'entends-tu ? répéta-t-il. Odda sera déjà arrivé et cette petite fiente d'oie se sera attribué tout le mérite.

– Nul ne peut dissimuler la vérité, répondis-je, hautain.

Leofric se gaussa. C'était une brute barbue qui aurait dû commander la flotte d'Alfred, mais, comme il n'était point bien né, c'était à moi qu'Alfred avait accordé à contrecœur le commandement des douze navires, car j'étais un ealdorman, un noble. Il n'était que justice qu'un homme de haute naissance commande la flotte des Saxons de l'Ouest, même si elle était bien trop chétive pour affronter l'immense armée que les Danes avaient lancée sur la côte sud du Wessex.

– Parfois, tu es un bout de cul.

C'était son insulte préférée. Nous étions amis.

– Nous verrons Alfred demain, dis-je.

– Et Odda le Jeune l'a vu aujourd'hui, répondit patiemment Leofric.

Odda le Jeune, fils d'Odda l'Aîné, l'ealdorman qui avait donné refuge à mon épouse, ne m'aimait pas, pour la bonne et simple raison qu'il voulait trousser Mildrith. En outre, comme le disait Leofric, ce n'était qu'une fiente d'oie, visqueuse et gluante, raison bien suffisante pour que je le déteste.

– Nous verrons Alfred demain, répétai-je.

Le lendemain matin, nous partîmes tous pour Exanceaster, mes hommes escortant Mildrith, notre fils et sa nourrice, et nous trouvâmes Alfred au nord de la ville, sa bannière au dragon blanc et vert flottant au-dessus des tentes. Dans le vent humide claquaient d'autres oriflammes multicolores ornées de bêtes, croix, saints et armes, annonçant que les preux du Wessex étaient là avec leur souverain. L'un d'eux, décoré d'un cerf noir, confirmait qu'Odda le Jeune se trouvait bien ici, dans le sud du Defnascir. Entre le camp et les murailles de la cité se dressait un grand pavillon fait de voiles tendues entre des mâts : je compris qu'Alfred, au lieu de combattre Guthrum, négociait une trêve. Le pavillon était vide en ce dimanche, car Alfred refusait de rien faire le jour du Seigneur. Je le trouvai agenouillé dans une autre tente qui tenait lieu de chapelle, entouré de ses vassaux et thanes. Odda le Jeune se trouvait de ceux qui se retournèrent au bruit de nos sabots, et je vis l'appréhension se peindre sur son visage en lame de couteau.

L'évêque qui officiait marqua un silence pour que les fidèles répondent, ce qui donna à Odda un prétexte pour se détourner. Il était agenouillé à côté d'Alfred, tout près, comme s'il était dans les bonnes grâces du roi. Sans nul doute il avait apporté à Exanceaster la bannière au corbeau et la hache de guerre du défunt Ubba en s'attribuant tout le mérite de la victoire.

– Un jour, dis-je à Leofric, je fendrai ce bâtard en deux de l'entrecuisse à la gorge et je danserai sur sa dépouille.

– Tu aurais dû le faire hier.

Agenouillé près de l'autel, l'un des nombreux prêtres qui accompagnaient Alfred me vit et recula le plus discrètement qu'il put pour pouvoir se relever et se précipiter vers moi. Il avait les cheveux roux et la main gauche infirme.

– Uhtred ! s'exclama-t-il en accourant, à la fois étonné et ravi. Nous te croyions mort !

– Je ne suis pas mort, mon père, dis-je au prêtre qui se nommait Beocca. Et je suis étonné que vous l'ignoriez.

– Comment pouvais-je le savoir ?

– Parce que j'étais à Cynuit, mon père, et qu'Odda le Jeune aurait pu vous dire que j'y étais et que j'avais survécu.

Je fixai Odda tout en parlant et Beocca perçut l'irritation dans ma voix.

– Tu étais à Cynuit ? demanda-t-il, inquiet.

– Odda le Jeune ne vous l'a point dit ?

– Il n'a rien dit.

– Rien ? (J'éperonnai mon cheval pour passer entre les hommes agenouillés et me rapprocher d'Odda. Beocca tenta de m'arrêter, mais je repoussai sa main. Plus sage que moi, Leofric me retint, mais je me rapprochai encore, fixant Odda tout en continuant d'interroger Beocca.) Il n'a pas raconté la mort d'Ubba ?

– Il a dit qu'Ubba était mort en combattant dans le mur de boucliers, répondit le prêtre, baissant la voix pour ne pas troubler la cérémonie. Et que beaucoup d'hommes avaient contribué à sa mort.

– Et c'est tout ce qu'il a dit ?

– Et aussi qu'il avait affronté Ubba lui-même.

– Alors, d'après lui, qui a occis Ubba Lothbrokson ? insistai-je.

Sentant que la situation se gâtait, Beocca tenta de me calmer :

– Nous pourrons parler de tout cela plus tard, mais pour l'heure, Uhtred, joins-toi à nos prières. C'est l'heure du recueillement et non des querelles.

Il m'avait appelé par mon prénom, car il me connaissait depuis mon enfance. Comme moi, Beocca était un Northumbrien, l'ancien prêtre de mon père, et lorsque les Danes s'étaient emparés de nos terres, il était parti pour le Wessex rejoindre les Saxons qui résistaient encore aux envahisseurs. Mais moi, j'étais d'humeur à me quereller.

– Qui a tué Ubba Lothbrokson, d'après tous ces hommes ? repris-je.

– Ils remercient Dieu de la mort du païen, éluda Beocca en me faisant signe de me taire.

– Et pour vous, qui a tué Ubba ? demandai-je. Odda le Jeune ? (Comme c'était ce qu'il croyait, la colère s'empara de moi.) Ubba m'a combattu d'homme à homme, m'emportai-je. D'homme à homme, lui et moi. Mon épée contre sa hache. Il était indemne au début de la bataille, mon père, et à la fin il est mort. Il a rejoint ses frères au banquet des guerriers défunts, criai-je.

Tous se retournèrent vers moi. L'évêque, celui d'Exanceaster, celui-là même qui m'avait marié à Mildrith, fronça des sourcils inquiets. Seul Alfred semblait encore impassible, mais il se leva à contrecœur et se tourna vers moi alors que son épouse, la revêche Ælswith, chuchotait à son oreille.

– Est-il ici un homme, m'écriai-je, qui niera que moi, Uhtred de Bebbanburg, j'ai occis Ubba Lothbrokson en combat singulier ?

Ce fut le silence. Je n'avais pas cherché à interrompre la cérémonie, mais un orgueil monstrueux et une fureur irrépressible m'avaient poussé.

– Qui a tué Ubba ? criai-je.

– Quelle impudence ! gronda Alfred.

– Voici ce qui l'a tué ! déclarai-je en dégainant Souffle-de-Serpent.

Et ce fut ma seconde erreur.

Au cours de l'hiver, alors que j'étais retenu en otage à Werham auprès de Guthrum, avait été édictée dans le Wessex une nouvelle loi disant que seuls les gardes royaux pouvaient tirer leur épée en présence du roi. C'était pour protéger Alfred, mais aussi pour empêcher que les querelles entre ses vassaux ne dégénèrent. En dégainant Souffle-de-Serpent, j'avais sans le savoir enfreint cette loi. Les gardes du roi se précipitèrent sur moi en brandissant lances et épées, quand Alfred, vêtu de sa cape rouge et tête nue, d'un signe arrêta tout le monde.

Il s'approcha de moi et je vis la colère envahir son visage étroit, au long nez et aux lèvres minces. Habituellement, il était glabre, mais il avait laissé pousser une courte barbe qui le vieillissait. À peine âgé de trente ans, il en paraissait à présent presque quarante. Il était d'une maigreur effrayante, et ses fréquentes maladies lui donnaient un air renfrogné. Il ressemblait moins au roi des Saxons qu'à un prêtre, car il avait le visage blême et agacé de celui qui passe trop de temps loin du soleil, penché sur des livres, mais on lisait une indiscutable autorité dans ses yeux impitoyables, gris comme l'acier.

Je rengainai Souffle-de-Serpent, car Beocca me répétait en murmurant de cesser de me conduire en sot.

– Il devrait être châtié, lança Ælswith, l'épouse d'Alfred, en posant sur moi un regard empli de mépris.

– Va, dit le roi en désignant l'une de ses tentes. Et attends mon jugement.

Je n'avais d'autre choix que d'obéir, car sa garde, casquée et revêtue de cottes de mailles, m'entourait. L'air sentait l'herbe sèche et écrasée. La pluie criblait la toile et des gouttes tombaient sur un autel portant un crucifix et deux chandeliers vides. C'était d'évidence la chapelle personnelle du roi, et j'y attendis fort longtemps. La

14

congrégation se dispersa, la pluie cessa et un soleil humide apparut entre les nuages. J'entendais jouer une harpe, sans doute pour distraire Alfred et son épouse durant leur déjeuner. Un chien entra dans la tente, me regarda et pissa contre l'autel avant de ressortir. Le soleil avait disparu et la pluie tombait de nouveau quand deux hommes entrèrent. L'un était Æthelwold, neveu du roi et héritier du trône de Wessex, qui avait été jugé trop jeune et dont la couronne avait été donnée à son oncle. Il me fit un sourire penaud et s'effaça devant l'autre, un gaillard barbu de dix ans son aîné. En guise de salut, l'homme éternua et se moucha dans ses doigts, qu'il essuya sur sa cotte de cuir.

– Parlez-moi d'un printemps, grommela-t-il en posant sur moi un regard féroce. Cette damnée pluie ne cesse jamais. Sais-tu qui je suis ?

– Wulfhere, ealdorman de Wiltunscir, répondis-je.

C'était un cousin du roi et l'un des plus puissants seigneurs de Wessex.

– Et tu sais qui est ce sot ? demanda-t-il en désignant Æthelwold, qui portait un ballot de linge blanc.

– Nous nous connaissons.

Æthelwold n'était que d'un mois mon cadet et il avait la chance que son oncle Alfred soit un bon chrétien, sans quoi il aurait été égorgé depuis longtemps. Il avait bien plus d'allure qu'Alfred, mais il était étourdi, désinvolte et souvent ivre, même s'il semblait sobre en ce dimanche matin.

– C'est moi qui m'occupe de lui désormais, dit Wulfhere. Et de toi. Et le roi m'a envoyé te punir. Son épouse demande que je t'arrache les tripes et que je les jette aux porcs, continua-t-il avec un regard noir. Sais-tu quel est le châtiment de quiconque dégaine son épée en présence du roi ?

– Une amende ?

– La mort, jeune sot, la mort. La loi a été promulguée le mois dernier.

15

– Comment pouvais-je le savoir ?

– Alfred est miséricordieux, poursuivit-il sans répondre. Tu ne connaîtras donc point le gibet. Du moins pas aujourd'hui. Mais il veut que tu jures de respecter la paix.

– Quelle paix ?

– La sienne, jeune sot. Il veut que nous combattions les Danes, et non point que nous nous égorgions entre nous. Aussi, pour l'heure, tu devras jurer de respecter la paix.

– Pour l'heure ?

– Pour l'heure, répéta-t-il sans s'émouvoir. (Je haussai les épaules et il en conclut que j'acceptais.) Alors, qui a occis Ubba ?

– C'est moi.

– C'est ce qu'il me semblait. Connais-tu Edor ?

– Certes.

Edor était l'un des chefs de bataille de l'ealdorman Odda, un guerrier du Defnascir qui avait combattu à nos côtés à Cynuit.

– Edor me l'a conté, dit Wulfhere, mais seulement parce qu'il me fait confiance. Par Dieu, cesse de gigoter ! cria-t-il à Æthelwold, qui tripotait la tapisserie de l'autel, cherchant sans doute quelque objet précieux.

Alfred, plutôt que de faire exécuter son neveu, semblait chercher à le faire périr d'ennui. Æthelwold n'avait pas le droit de se battre, de peur qu'il se taille une réputation. Il avait été contraint d'apprendre son alphabet, ce qu'il détestait ; il tuait donc le temps en chassant, en s'enivrant et en troussant les filles, dépité de n'être point roi.

– Edor te l'a dit parce qu'il a confiance en toi ? m'étranglai-je. Veux-tu dire que ce qui s'est passé à Cynuit est un secret ? Mille hommes m'ont vu occire Ubba !

– Odda le Jeune s'en est attribué le mérite, dit Wulfhere, et son père est grièvement blessé. S'il meurt, Odda le Jeune sera l'un des plus riches du Wessex, il conduira plus de troupes et paiera plus de prêtres que tu ne peux l'espérer. Aussi nul ne veut l'offenser, comprends-tu ? Tous feront semblant de le croire pour qu'il reste généreux. Et le roi le croit déjà : pourquoi ne le ferait-il pas quand il a vu arriver ici Odda avec la bannière et la hache de guerre d'Ubba Lothbrokson, les jeter à ses pieds, s'agenouiller en remerciant Dieu, et en promettant de bâtir une chapelle et un monastère à Cynuit ? Alors que toi, qu'as-tu fait ? Tu as interrompu une messe en arrivant à cheval et en agitant ton épée. Voilà qui n'est point sage devant Alfred.

Je souris : Wulfhere avait raison. Alfred était d'une piété peu commune et la plus sûre façon de lui plaire était de feindre la même ferveur, de l'imiter et d'attribuer toute bonne fortune à Dieu.

– Odda est un crétin, grogna Wulfhere, ce qui m'étonna. Mais c'est le crétin d'Alfred, désormais, et tu n'y pourras rien changer.

– Mais j'ai occis…

– Je le sais ! me coupa-t-il. Et Alfred se doute probablement que tu dis vrai. Peu lui chaut que ni lui ni toi n'ayez rien fait. Ubba est mort, voilà ce qui lui importe. Odda a annoncé cette bonne nouvelle et c'est lui qui a la faveur du roi. Quant à toi, si tu veux finir pendu à une branche, querelle-toi avec Odda. M'entends-tu ?

– Oui.

– Leofric m'avait bien dit que tu comprendrais si je te l'enfonçais bien dans le crâne, soupira-t-il.

– Je veux parler à Leofric.

– Tu ne le peux, répliqua Wulfhere. Il a été renvoyé à Hamtun, car telle est sa place. Mais tu n'iras point. La flotte sera confiée à un autre. Tu dois faire pénitence.

Je crus avoir mal entendu.

– Je dois faire quoi ?

– Ramper. (Æthelwold me sourit. Nous n'étions pas vraiment amis, mais nous avions assez souvent trinqué ensemble et il semblait m'apprécier.) Tu devras te vêtir comme une fille, continua-t-il, t'agenouiller et être humilié.

17

– Que je sois damné…

– Tu le seras de toute façon, gronda Wulfhere. (Il se saisit du ballot de linge et le jeta à mes pieds. C'était une robe de pénitent. Je n'y touchai pas.) Par Dieu, mon garçon, entends raison ! Tu as ici une épouse et des terres, n'est-ce pas ? Que se passera-t-il si tu n'obéis point au roi ? Tu veux donc être banni ? Que ta femme soit enfermée au couvent ? Que l'Église prenne ta terre ?

– Je n'ai fait qu'occire Ubba et dire la vérité.

– Tu es de Northumbrie, soupira Wulfhere, et j'ignore comment on procède là-bas, mais nous sommes dans le Wessex, chez Alfred. Tu as tous les droits ici, sauf de pisser sur son Église et c'est ce que tu viens de faire. Tu as pissé dessus, mon garçon, et maintenant l'Église va te pisser dessus. (Il fronça les sourcils et fixa la pluie qui tombait dehors. Il resta longtemps silencieux, puis il se tourna et me dévisagea curieusement.) Penses-tu donc que tout cela est si important ?

Je fus si surpris qu'il me pose cette question que je ne trouvai rien à répondre.

– Tu crois que la mort d'Ubba change quelque chose ? demanda-t-il. Et que même si Guthrum fait la paix, nous aurons gagné ? Combien de temps Alfred sera-t-il roi ? grimaça-t-il. Combien de temps faudra-t-il pour que les Danes gouvernent le pays ?

Je ne trouvais toujours rien à répondre. Je vis qu'Æthelwold l'écoutait avec attention. Il mourait d'envie de devenir roi, mais il n'avait nul partisan et Wulfhere avait été assigné à sa garde afin qu'il ne cause point d'ennuis. Mais Wulfhere pensait que les ennuis surviendraient tout de même.

– Contente-toi de faire ce que veut Alfred, continua l'ealdorman, ensuite, trouve le moyen de rester en vie. C'est tout ce que nous pouvons faire. Si le Wessex tombe, nous chercherons tous à rester en vie, mais, pour l'heure, enfile cette damnée robe et qu'on en finisse.

– Je le ferai aussi, dit Æthelwold.

Il ramassa le ballot et je vis qu'il y avait deux robes.

– Toi ? gronda Wulfhere. Es-tu ivre ?

– Je fais pénitence pour avoir été un ivrogne. J'étais un ivrogne, je fais pénitence, ironisa Æthelwold en enfilant la robe. J'irai à l'autel avec Uhtred.

Wulfhere ne put l'empêcher, mais il savait comme moi qu'Æthelwold se moquait ainsi du roi. Je savais qu'il agissait ainsi pour me rendre service, alors qu'il ne me devait rien, mais je lui en fus reconnaissant et enfilai la damnée robe pour faire pénitence, à côté du neveu du roi.

Je n'étais pas grand-chose pour Alfred. Il avait nombre de grands seigneurs dans le Wessex, tandis que de l'autre côté de la frontière, en Mercie, d'autres seigneurs et thanes vivant sous la coupe des Danes étaient prêts à se battre pour le Wessex si Alfred leur en donnait l'occasion. Tous ces grands seigneurs pouvaient lui apporter des soldats, rallier lances et épées à la bannière au dragon du Wessex, alors que je ne pouvais lui offrir que mon épée, Souffle-de-Serpent. Certes, j'étais un seigneur, mais loin de la Northumbrie, et comme je ne menais pas d'hommes, je n'avais de valeur pour lui que dans un lointain avenir. Je ne le comprenais pas encore. Plus tard, lorsque la domination du Wessex s'étendit vers le nord, ma valeur s'accrut, mais pour l'heure, en 877, âgé de vingt ans et révolté, j'ignorais tout sauf ma propre ambition.

Et j'appris l'humiliation. Même aujourd'hui, alors que j'ai vécu, je me rappelle combien je souffris de cette pénitence.

D'abord, ce fut solennel. Tous les soldats d'Alfred étaient venus voir, rassemblés sous la pluie en deux files remontant jusqu'à l'autel sous la toile tendue où nous attendaient Alfred, son épouse, l'évêque et une troupe de prêtres.

– À genoux, précisa Wulfhere. Vous irez à genoux et tu ramperas jusqu'à l'autel. Tu en baiseras le linge et tu t'allongeras à plat ventre.

– Et après ?

– Après, Dieu et le roi te pardonneront. Fais-le, gronda-t-il.

J'obéis donc. Je m'agenouillai et avançai avec Æthelwold dans la boue entre les deux files de soldats silencieux, puis Æthelwold se mit à geindre qu'il était un pécheur. Il agita les bras, s'aplatit sur le sol, hurla et piailla qu'il était un pénitent. D'abord gênés, les hommes se mirent à rire.

– J'ai connu des femmes ! hurlait Æthelwold sous la pluie. Et elles étaient de mauvaise vie ! Pardonne-moi !

Alfred était furieux, mais il ne pouvait empêcher un homme de se ridiculiser devant Dieu. Peut-être croyait-il au repentir de son neveu ?

– J'en ai connu tant que j'ignore combien, continuait celui-ci en martelant la boue à coups de poing. Oh, Seigneur, que j'aime leurs tétons ! Seigneur, j'aime les femmes nues. Pardonne-moi, mon Dieu ! (Les rires gagnèrent tous les hommes, qui devaient se rappeler qu'Alfred, avant de succomber sous la poigne moite de la piété, avait troussé bien des femmes.) Mon Dieu, aide-moi ! s'écria Æthelwold en continuant de ramper. Envoie-moi un ange !

– Pour que tu puisses le besogner ? cria quelqu'un dans la foule, qui fut secouée de rires.

Ælswith fut précipitamment emmenée, afin qu'elle n'entende rien de malséant. Les prêtres chuchotaient, mais la pénitence d'Æthelwold, malgré son extravagance, semblait assez sincère. Il pleurait. Je savais qu'il riait, en réalité, mais il hurlait comme une âme en proie aux tourments.

– Plus de tétons, mon Dieu ! criait-il. (Il faisait le pitre, mais comme tous le considéraient déjà comme un sot, peu lui importait.) Préserve-moi des tétons, mon Dieu !

Suivi des prêtres, Alfred quitta les lieux, comprenant que la solennité de la journée était gâchée, et Æthelwold et moi continuâmes en rampant jusqu'à l'autel quasi déserté, où il se redressa et s'adossa avec sa robe maculée de boue.

– Je le hais, souffla-t-il, parlant de son oncle. Je le hais et maintenant tu m'es redevable d'une faveur, Uhtred.

– Je le suis.

– Je trouverai laquelle.

Odda le Jeune semblait perplexe. Mon humiliation, qu'il pensait certainement savourer, avait tourné à la farce et, conscient que les hommes mettaient sa parole en doute, il se rapprocha d'un colosse, l'un de ses gardes du corps. L'homme était immense et large d'épaules, mais c'était son visage qui attirait l'attention, avec sa peau comme trop tendue, incapable de rien exprimer d'autre que haine et fureur. Il empestait la violence comme empeste un chien mouillé, et quand il posa sur moi le regard implacable d'un fauve je compris instinctivement qu'il me tuerait à la première occasion. Odda n'était rien de plus que le fils gâté d'un riche seigneur, mais sa fortune lui permettait d'avoir des assassins sous ses ordres. Il tira le garde par la manche et ils s'éloignèrent. Le père Beocca était resté près de l'autel.

– Baise l'autel, m'ordonna-t-il. Et allonge-toi face contre terre.

Je me relevai.

– Vous pouvez me baiser le cul, mon père, répondis-je d'un ton si furieux qu'il recula.

Mais j'avais agi selon la volonté du roi. J'avais fait le pénitent.

Le robuste gaillard qui accompagnait Odda le Jeune s'appelait Steapa. Steapa Snotor, le surnommait-on : Steapa le Rusé.

– C'est pour rire, m'expliqua Wulfhere tandis que j'ôtais ma robe de pénitent et revêtais ma cotte de mailles.

– Pour rire ?

– Car il est aussi sot qu'un âne, expliqua-t-il. Il a des œufs de grenouille au lieu de cervelle. Il est sot, mais pas au combat. Ne l'as-tu point vu à Cynuit ?

– Non, rétorquai-je.

– Alors pourquoi t'en soucies-tu ?

– Pour rien.

J'avais interrogé l'ealdorman pour connaître le nom de celui qui tenterait peut-être de me tuer, mais cet éventuel meurtre n'était pas l'affaire de Wulfhere.

Il hésita, voulant poursuivre, mais il comprit qu'il n'obtiendrait rien de plus.

– Quand viendront les Danes, tu seras le bienvenu parmi mes hommes, dit-il.

Æthelwold, qui portait mes deux épées, tira Souffle-de-Serpent de son fourreau et observa le motif entrelacé sur la lame.

– Si les Danes viennent, dit-il à Wulfhere, tu dois me laisser combattre.

– Tu ne sais pas te battre.

– Alors il te faudra m'apprendre, répondit-il en rangeant Souffle-de-Serpent dans son fourreau. Le Wessex a besoin d'un roi qui sache se battre plutôt que prier.

– Surveille ta langue, mon garçon, le reprit Wulfhere. Elle pourrait bien finir coupée. (Il prit les épées à Æthelwold et me les donna.) Les Danes viendront. Rejoins-moi le moment venu.

Je hochai la tête sans répondre. Quand les Danes viendraient, je serais avec eux. Ils m'avaient élevé après m'avoir capturé à l'âge de dix ans : ils auraient pu me tuer, au contraire ils m'avaient bien traité. J'avais appris leur langue et adoré leurs dieux au point de ne plus savoir si j'étais dane ou angle. Si le comte Ragnar l'Ancien avait vécu, je ne les aurais jamais quittés, mais il avait été assassiné en pleine nuit et j'avais fui vers le Wessex. À présent, je voulais m'en retourner. Dès que les Danes quitteraient Exanceaster, je rejoindrais le fils de Ragnar, Ragnar le Jeune, s'il était en vie. J'avais vu son vaisseau dans la flotte détruite durant la tempête. Des dizaines de navires avaient sombré et les rescapés étaient arrivés éclopés à Exanceaster, où l'on brûlait les bateaux sur la rive à côté de la ville. Je ne savais pas si Ragnar était en vie. Je l'espérais et priais pour qu'il puisse fuir Exanceaster, afin que je le retrouve et lui offre mon épée pour porter le fer contre Alfred de Wessex. Et un jour, je revêtirais Alfred d'une robe et le ferais venir à genoux à l'autel de Thor. Et là, je le tuerais.

Telles étaient mes pensées tandis que nous nous rendions à Oxton. C'était la terre que Mildrith m'avait apportée en mariage. Une bien belle terre, mais si criblée de dettes qu'elle en devenait moins un plaisir qu'une charge. Elle était située sur les flancs des collines auprès de l'estuaire de l'Uisc. D'épaisses forêts de chênes et de frênes entouraient des ruisseaux qui traversaient nos champs de seigle, de blé et d'orge. La maison – ce n'était pas un château –, bâtie en torchis, chêne et chaume, était si longue qu'elle ressemblait à un talus couvert de mousse verte d'où filait un ruban de fumée. Dans la cour, porcs et poulets couraient entre les énormes tas de fumier. Le père de Mildrith s'en occupait, secondé par un intendant nommé Oswald, une fouine qui n'arrangea pas les choses en ce pluvieux dimanche.

J'étais tenaillé par la rancœur et assoiffé de vengeance. Alfred m'avait humilié, malheureusement pour Oswald, qui avait choisi ce dimanche après-midi pour rapporter un chêne. Je ruminais les plaisirs de la vengeance en laissant mon cheval gravir le chemin entre les arbres, quand je vis huit bœufs traîner l'énorme tronc vers la rivière. Trois hommes les aiguillonnaient et le quatrième, Oswald, était

23

assis sur le tronc avec un fouet. Me voyant, il sauta à terre, prêt à s'enfuir dans la forêt, puis il se rendit compte qu'il ne pourrait m'échapper et attendit.

– Seigneur, me salua-t-il.

Je dus calmer mon cheval qui piaffait, effrayé par l'odeur du sang coulant sur le dos des bœufs. Je considérai le gros tronc, long de quarante pieds et large de six.

– Bel arbre, dis-je à Oswald.

Il jeta un regard à Mildrith, debout à vingt pas de là.

– Belle journée, ma dame, dit-il en retirant vivement le bonnet de laine qui couvrait sa tignasse rousse.

– Une journée humide, Oswald, dit-elle.

Son père avait nommé l'intendant et elle avait en lui une confiance aveugle.

– Je t'ai dit que c'était un bel arbre, dis-je en haussant le ton. Où donc a-t-il été abattu ?

– Au sommet de la crête, seigneur, répondit-il en glissant son bonnet dans sa ceinture.

– La crête située sur ma terre ?

Il hésita. Sans doute était-il tenté de prétendre qu'il venait de la terre du voisin, mais ce mensonge risquait d'être vite éventé.

– Sur ma terre ? répétai-je.

– Oui, seigneur, avoua-t-il.

– Et où l'emportais-tu ?

– À la scierie de Wigulf, fut-il forcé de répondre.

– Wigulf l'a acheté ?

– Il va le fendre, seigneur.

– Je ne t'ai point demandé ce qu'il en ferait, mais s'il l'avait acheté.

Sentant mon irritation, Mildrith intervint pour dire que son père envoyait parfois du bois à Wigulf, mais je la fis taire d'un geste.

– L'achète-t-il ?

– Nous avons besoin de bois pour des réparations, seigneur, et Wigulf se paiera en planches.

– Et tu transportes l'arbre un dimanche ? (Il ne trouva rien à répondre.) Dis-moi, si nous avons besoin de planches, pourquoi ne les fendons-nous pas nous-mêmes ? Manquons-nous d'hommes ? De coins ? De maillets ?

– Wigulf l'a toujours fait, maugréa Oswald.

– Toujours ? Wigulf habite à Exanmynster, je crois.

C'était le plus proche village d'Oxton, à une demi-lieue au nord.

– Oui, seigneur.

– Donc, si je me rends à l'instant à Exanmynster, Wigulf me dira combien d'arbres tu lui as livrés au cours de l'année ?

Il ne répondit pas. Je fis avancer mon cheval et répétai ma question en haussant la voix. Mildrith tenta de m'apaiser.

– Silence, femme ! m'écriai-je. Combien Wigulf t'a-t-il payé ? demandai-je à Oswald. Combien rapporte un tel arbre ? Huit shillings ? Neuf ?

La colère qui m'avait rendu si impétueux à la messe du roi me reprenait. Il était évident qu'Oswald volait du bois et le vendait à son profit. J'aurais dû l'accuser de vol et le traîner devant des juges qui auraient décidé de son sort, mais je n'étais pas d'humeur patiente. Je dégainai Souffle-de-Serpent et éperonnai mon cheval. Mildrith poussa un cri, mais je ne l'écoutai pas. Oswald se mit à courir et il eut bien tort, car je le rattrapai sans peine et d'un coup d'épée lui fendis le crâne.

– C'est un meurtre ! cria Mildrith.

– C'est justice ! rétorquai-je. (Je crachai sur le cadavre qui tressaillait encore.) Ce bâtard nous volait.

Mildrith éperonna son cheval et partit avec la nourrice qui portait notre enfant. Je la laissai s'en aller.

– Remontez le tronc à la maison, ordonnai-je aux serfs qui guidaient les bœufs. S'il est trop lourd, fendez-le sur place et rapportez les planches.

25

Ce soir-là, je fouillai la maison d'Oswald et découvris cinquante-trois shillings enfouis dans le sol. Je pris l'argent, confisquai ustensiles de cuisine, broche, couteaux et couverture de peau de daim, puis je chassai sa femme et ses trois enfants de ma terre. J'étais de retour chez moi.

2

Tuer Oswald n'apaisa pas ma colère. Le Wessex était à l'abri des Danes, mais seulement parce que j'avais occis Ubba Lothbrokson, et moi je n'avais eu pour toute récompense qu'humiliation.

Pauvre Mildrith ! Cette femme paisible, aimable envers tous, était désormais l'épouse d'un guerrier tourmenté par la rancœur et la colère. Elle craignait le courroux d'Alfred, elle était terrifiée que l'Église me châtie d'avoir troublé sa paix, et inquiète que la famille d'Oswald exige de moi le *wergild*. Ils le feraient. Le *wergild* était le prix du sang que vaut chacun, homme, femme ou enfant. Quiconque tue un homme doit en payer le prix ou mourir à son tour, et la famille d'Oswald se plaindrait certainement à Odda le Jeune. Il avait été nommé ealdorman de Defnascir en remplacement de son père grièvement blessé, et il donnerait certainement ordre au bailli de me poursuivre en justice, mais je ne m'en souciais guère. Je chassais cerf et sanglier, et je ruminais en attendant les nouvelles d'Alfred.

En attendant, je trouvai mon premier serviteur. C'était un serf, je le vis à Exanmynster par une belle journée de printemps, pendant une foire où des hommes proposaient leurs services pour les foins et les récoltes. Comme en toute foire, il y avait là jongleurs, baladins, acrobates et musiciens, ainsi qu'un grand homme à cheveux blancs, au visage grave et ridé, vendant des bourses enchantées censées changer le fer en argent. Il nous en fit la démonstration et je le vis placer deux clous ordinaires et les ressortir faits d'argent pur. Il déclara qu'il nous fallait placer un crucifix d'argent dans la bourse et dormir en la portant autour du cou avant que la magie n'opère. Je la lui payai trois shillings d'argent, et cela ne marcha jamais. Je passai des mois à rechercher en vain cet homme. Aujourd'hui, lorsque je croise de tels charlatans, je les fais fouetter et chasser de mes terres, mais je n'avais alors que vingt ans et je croyais tout ce que je voyais. Cet homme attirait la foule, mais elle était encore plus nombreuse devant l'église, où s'élevaient de grands cris. J'approchai mon cheval, m'attirant les regards mauvais de ceux qui savaient que j'avais occis Oswald, mais personne n'osa m'accuser, car je portais Souffle-de-Serpent et Dard-de-Guêpe.

À la porte de l'église se trouvait un jeune homme, torse et pieds nus, avec au cou une corde attachée à un poteau. Il tenait un gros bâton. Il avait de longs cheveux blonds hirsutes, des yeux bleus, un visage buté, et la poitrine, le ventre et les bras couverts de sang. Trois hommes le gardaient. Eux aussi avaient yeux et cheveux clairs, et ils criaient avec un accent étranger : « Venez combattre le païen ! Trois sous à celui qui le fera saigner ! Accourez ! »

– Qui est-ce ? demandai-je.

– Un Dane, seigneur. Un Dane païen, me répondit un homme en ôtant son chapeau avant de se retourner et de s'adresser à la foule. Venez le combattre ! Prenez revanche ! Faites saigner le Dane ! Soyez un bon chrétien et faites souffrir un païen !

Les trois hommes étaient frisons. Je me doutai qu'ils faisaient partie de l'armée d'Alfred et, maintenant que le roi parlementait avec les Danes plutôt que de les combattre, ils avaient déserté. Les Frisons viennent de l'autre côté de la mer pour une seule et unique raison, l'argent ; tous trois avaient capturé un jeune Dane et tiraient de lui profit pendant qu'ils le pouvaient. Et cela risquait de durer, car il était robuste. Un vaillant jeune Saxon paya ses trois sous et reçut une épée avec laquelle il s'acharna sur le prisonnier, mais le Dane para chaque fois, faisant voler des éclats de bois de son bâton, et à la première occasion il assena à son adversaire un coup qui le fit saigner à l'oreille. Le Saxon recula en titubant, à demi assommé, et le Dane lui enfonça sa massue dans le ventre. Les Frisons le retinrent juste à temps par la corde avant qu'il ne lui fende le crâne.

– Avons-nous un autre héros ? clama un Frison alors qu'on emmenait le Saxon. Allons, bonnes gens ! Montrez votre force et battez le Dane !

– Je le vaincrai, dis-je en sautant de cheval et en le confiant à un garçonnet. Trois sous ? demandai-je aux Frisons en dégainant Souffle-de-Serpent.

– Non, seigneur, répondit l'un d'eux.

– Et pourquoi cela ?

– Nous ne le voulons point mort.

– Que si ! rugit la foule.

Les gens de la vallée de l'Uisc ne m'aimaient pas, mais ils détestaient les Danes plus encore et se réjouissaient à l'idée de voir exécuter un prisonnier.

– Vous ne pourrez que le blesser, seigneur, annonça le Frison. Et vous devez user de notre épée.

– Moi, devoir ? répondis-je en crachant sur la lame émoussée.

– Vous ne pouvez que demander le premier sang, seigneur, concéda le Frison.

Le Dane repoussa ses cheveux en arrière et me toisa. Il semblait inquiet, mais nulle peur ne se lisait dans ses yeux. Il avait probablement combattu cent fois depuis sa capture, mais contre des hommes ordinaires, et d'après mes deux épées il devait voir que j'étais un guerrier. Il était couturé de cicatrices et ensanglanté, et s'attendait à recevoir une autre blessure de Souffle-de-Serpent, mais il était bien décidé à ne pas se laisser faire.

– Quel est ton nom ? demandai-je en danois. (Il me regarda, surpris.) Ton nom, mon garçon, répétai-je, alors qu'il n'était guère plus jeune que moi.

– Haesten.

– Haesten qui ?

– Haesten Storrison, dit-il, me disant ainsi le nom de son père.

– Bats-toi, ne lui parle pas ! cria une voix dans la foule.

Je me tournai pour toiser l'homme, qui baissa les yeux, puis me retournai aussitôt et, d'un geste vif comme l'éclair, j'abattis Souffle-de-Serpent sur Haesten, qui esquiva instinctivement, et je coupai son bâton comme s'il avait été de bois pourri.

– Tue-le ! cria une voix.

– Le premier sang seulement, seigneur, de grâce, dit un Frison. Il n'est point mauvais garçon, pour un Dane. Faites-le juste saigner et nous vous paierons.

Je poussai vers Haesten le bout de bois tombé à terre.

– Ramasse-le.

Le Dane me regarda avec inquiétude. Obéir l'aurait forcé à tirer sur sa corde, à s'accroupir et à exposer son dos à mon épée. Il m'observa d'un regard dur sous ses cheveux crasseux, et jugea que je ne l'attaquerais pas quand il se baisserait. Alors qu'il se penchait vers le bâton, je l'éloignai du bout du pied.

– Ramasse-le, ordonnai-je à nouveau.

Cette fois, il obéit et, alors qu'il tendait la corde en se baissant, je la tranchai d'un coup d'épée. Haesten s'affala face contre terre. Je posai le pied sur son dos et la pointe de Souffle-de-Serpent sur sa nuque.

– Alfred, dis-je à l'un des Frisons, a ordonné que tous les prisonniers danes lui soient amenés. (Ils me regardèrent sans mot dire.) Alors, pourquoi ne le lui avez-vous point amené ?

– Nous l'ignorions, seigneur, fit l'un d'eux. Nul ne nous l'a dit.

Ce n'était pas étonnant, car Alfred n'avait jamais rien ordonné de tel.

– Nous allons le lui amener dès à présent, m'assura un autre.

– Je vous épargnerai cette peine, dis-je en retirant mon pied. Lève-toi, ordonnai-je à Haesten en danois. (Je jetai une pièce au garçon qui gardait mon cheval et me hissai sur la selle en tendant la main au Dane.) Monte derrière moi, ajoutai-je.

Comme les Frisons protestaient et tiraient leurs épées, je donnai Dard-de-Guêpe à Haesten, qui était resté à terre. Puis je tournai bride et souris aux Frisons.

– Ces gens, dis-je en désignant la foule de la pointe de mon épée, pensent déjà que je suis un assassin. Je suis aussi l'homme qui a croisé le fer avec Ubba Lothbrokson sur la grève et qui l'y ai occis. Je vous le dis afin que vous puissiez vous vanter d'avoir tué Uhtred de Bebbanburg.

J'abaissai mon épée vers l'un des hommes, qui recula. Les autres, guère plus pressés de se battre, en firent autant. Haesten se hissa derrière moi et je fis avancer mon cheval dans la foule qui s'écarta à contrecœur. Une fois à l'écart, je fis descendre Haesten et repris ma spathe.

– Comment as-tu été capturé ? demandai-je.

Il était sur l'un des navires de Guthrum qui avaient sombré dans la tempête. Cramponné à des débris, il avait été rejeté sur le rivage où les Frisons l'avaient découvert.

– Nous étions deux, seigneur, mais l'autre est mort.

– Tu es un homme libre, désormais.

– Libre ?

– Tu es mon homme, tu me feras serment et je te donnerai une épée.

– Pourquoi ?

– Parce qu'un Dane me sauva naguère et que j'aime les Danes.

Et aussi parce que j'avais besoin d'hommes. Comme je ne faisais point confiance à Odda le Jeune et redoutais

Steapa Snotor, son guerrier, il me fallait des épées à Oxton. Mildrith, bien sûr, ne voulait pas de Danes armés chez elle. Elle voulait laboureurs et paysans, laitières et servantes, mais je lui dis que j'étais un seigneur et qu'un seigneur avait des épées.

Je suis en vérité un seigneur, et de Northumbrie. Je suis Uhtred de Bebbanburg et mes ancêtres, dont le lignage remonte jusqu'à Woden, que les Danes appellent Odin, étaient jadis rois du nord de l'Anglie. Si mon oncle ne m'avait pas volé Bebbanburg lorsque j'avais à peine dix ans, j'y vivrais encore comme un seigneur northumbrien, à l'abri dans son repaire battu par les vagues. Je rêvais souvent de retourner en Northumbrie pour réclamer mon dû. Mais comment ? Pour reprendre Bebbanburg, il me fallait une armée et je n'avais qu'un jeune Dane, Haesten.

Et j'avais d'autres ennemis en Northumbrie. Le comte Kjartan et son fils Sven, qui avait perdu un œil à cause de moi, auraient été heureux de m'abattre, et mon oncle les en aurait récompensés. Je n'avais donc pour l'heure aucun avenir là-bas, mais je voulais y retourner. C'était mon vœu le plus cher, comme de retrouver Ragnar le Jeune, mon ami, qui avait survécu, car son navire avait résisté à la tempête. Je l'appris d'un prêtre qui avait écouté les négociations à Exanceaster et était certain que Ragnar faisait partie de la délégation de Guthrum. « Un robuste gaillard, avait-il dit. Et fort bruyant. » Ces paroles me convainquirent que Ragnar était en vie et je m'en réjouis, car je savais que mon avenir était entre ses mains et non entre celles d'Alfred.

Lorsqu'elle apprit que nous allions quitter le Defnascir pour rejoindre Ragnar, que je serais son homme lige et que je me vengerais de Kjartan et de mon oncle sous la bannière à l'aigle de Ragnar, Mildrith fondit en larmes.

Je ne supporte pas les pleurs d'une femme. Mildrith était malheureuse et moi en colère, et nous nous querellâmes comme des chats sauvages. La pluie continuait de tomber et j'enrageais comme une bête en cage, attendant qu'Alfred et Guthrum terminent leurs négociations. Nous savions l'un comme l'autre que le roi laisserait aller Guthrum et qu'à peine celui-ci parti je pourrais rejoindre les Danes. Je me souciais bien peu que Mildrith m'accompagne, du moment que mon fils, qui portait mon nom, venait avec moi. Aussi, le jour je chassais, et le soir je buvais en rêvant de vengeance. Une nuit, je trouvai en rentrant le père Willibald qui m'attendait chez moi.

Cet homme de bien, qui avait été chapelain de la flotte d'Alfred quand j'en commandais les douze vaisseaux, m'apprit qu'il était en route pour Hamtun. Il pensait que je souhaitais connaître le résultat des longues négociations entre Alfred et Guthrum.

— Nous avons la paix, dit-il. Dieu soit loué ! Nous avons la paix.

— Dieu soit loué ! répéta Mildrith.

Je continuai de nettoyer sans un mot le sang sur ma lance de chasse. Ragnar avait dû partir et il était temps de le rejoindre.

— Le traité a été scellé par des serments solennels hier, ajouta Willibald. Nous avons donc obtenu la paix.

— Ils s'en sont fait d'aussi solennels l'an dernier, répliquai-je. (Alfred et Guthrum avaient signé la paix à Werham, mais le Dane avait brisé la trêve et massacré onze des douze otages en sa possession. J'avais été épargné parce que Ragnar m'avait protégé.) Qu'ont-ils conclu, alors ?

— Les Danes doivent céder tous leurs chevaux et retourner en Mercie.

Tant mieux, pensai-je, car c'était là que je voulais aller. Je ne m'en ouvris pas, et ironisai sur le fait qu'Alfred les laissait partir.

— Pourquoi ne les combat-il pas ? demandai-je.

— Parce qu'ils sont trop nombreux, seigneur. Trop d'hommes mourraient des deux côtés.

— Il devrait tous les tuer.

— La paix vaut mieux que la guerre.

— Amen ! fit Mildrith.

J'entrepris d'affûter la lance en passant la pierre à aiguiser sur la longue lame. Pour moi, Alfred s'était montré trop généreux.

— C'est la main de Dieu, observa Willibald.

Je levai les yeux. Bien qu'un peu plus âgé que moi, il avait toujours eu l'air plus jeune. Aussi empressé que bienveillant, il avait été un bon chapelain pour nos douze navires, malgré son mal de mer et son horreur du sang.

— C'est Dieu qui a fait la paix ? demandai-je, sceptique.

— Qui a envoyé la tempête et fait sombrer les bateaux de Guthrum ? répliqua-t-il avec ferveur. Et qui t'a livré Ubba ?

— Moi.

— Nous avons un roi pieux, seigneur, dit-il sans relever. Et Dieu récompense ceux qui le servent fidèlement. Alfred a vaincu les Danes ! Et ils le voient ! Guthrum peut reconnaître l'intervention divine ! Il a posé des questions sur le Christ. Notre roi pense que Guthrum n'est pas loin de voir la vraie lumière de Dieu. (Il se pencha et me toucha le genou.) Nous avons jeûné et prié, seigneur ; le roi pense que les Danes seront amenés au Christ et que ce jour-là nous connaîtrons la paix éternelle.

Il croyait fermement à toutes ces absurdités et, bien sûr, c'était une douce mélodie aux oreilles de Mildrith. Bonne chrétienne, elle avait une grande foi en Alfred : si le roi croyait que son dieu apporterait la victoire, elle était prête à le croire aussi. Pour moi, c'était folie, mais je ne répondis rien tandis qu'une servante nous apportait de l'ale, du pain, du maquereau fumé et du fromage.

— Nous aurons une paix chrétienne, dit Willibald en faisant le signe de croix sur le pain. Scellée par des otages.

— Nous lui avons encore donné des otages ? demandai-je, étonné.

– Non, mais il a accepté de nous en donner. Dont six comtes !

– Six comtes ? répétai-je en m'interrompant dans ma tâche.

– Dont ton ami Ragnar !

Willibald en semblait ravi, mais je fus consterné. Si Ragnar n'était pas avec les Danes, je ne pouvais les rejoindre. C'était mon ami, ses ennemis étaient les miens ; mais, sans sa protection, je me livrais quasiment à Kjartan et à Sven, le père et le fils qui avaient assassiné le père de Ragnar et voulaient ma mort. Sans Ragnar, je ne pouvais quitter le Wessex.

– Ragnar est parmi les otages ? En êtes-vous sûr ?

– Absolument. Il sera détenu chez l'ealdorman Wulfhere. Avec tous les autres.

– Combien de temps ?

– Autant que le voudra Alfred, ou jusqu'à ce que Guthrum se fasse baptiser. Guthrum comprend à présent que notre Dieu est puissant !

Je me levai et allai à la porte, écartant la tenture de cuir pour fixer l'immense estuaire de l'Uisc. J'étais écœuré. Je détestais Alfred, je ne voulais point rester dans le Wessex. Pourtant, je semblais voué à y demeurer.

– Et que ferai-je ? demandai-je.

– Le roi te pardonnera, seigneur.

– Me pardonner ? Et qu'est-il arrivé à Cynuit, pour le roi ? Vous y étiez, mon père. Le lui avez-vous dit ?

– Oui.

– Et ?

– Il sait que tu es un brave guerrier, seigneur, et que ton épée est une force pour le Wessex. Il te recevra de nouveau, j'en suis sûr, et ce sera plein de joie. Va à l'église, paie tes dettes et montre que tu es un homme de bien du Wessex.

– Je ne suis point un Saxon de l'Ouest, grondai-je. Je suis un Northumbrien !

Et c'était en partie la question. J'étais un étranger. Je parlais un anglais différent. Les hommes du Wessex étaient liés par la famille, et moi je venais de ce Nord étrange. On me prenait pour un païen, on me traitait d'assassin à cause de la mort d'Oswald, on se signait quand on me croisait. On m'appelait Uhtredærwe, ce qui signifie Uhtred le Mauvais : cela ne me blessait guère mais chagrinait Mildrith. Elle leur assurait que j'étais un chrétien, mais c'était mensonge, et notre malheur empoisonna tout cet été. Elle priait pour mon âme, je craignais pour ma liberté, et lorsqu'elle me suppliait de l'accompagner à l'église d'Exanmynster, je grondais que je ne mettrais plus jamais les pieds dans une église de toute ma vie. Devant ses larmes, je partais chasser et parfois mes courses me menaient jusqu'au bord de l'eau, où je contemplais l'*Heahengel*.

Le navire gisait sur la vase du rivage, abandonné et poussé par les marées. C'était l'un des douze de la flotte d'Alfred, qu'il avait construite pour chasser les bateaux danois qui pillaient les côtes du Wessex. Venus d'Hamtun sur l'*Heahengel*, Leofric et moi avions poursuivi la flotte de Guthrum et survécu à la tempête qui avait décimé les Danes. Nous avions abordé là et laissé l'*Heahengel* sans mât ni voile. Depuis, le navire pourrissait, comme oublié, sur le rivage de l'Uisc.

« Archange ». Alfred l'avait baptisé de ce nom que je détestais. Un navire aurait dû avoir un nom fier, et non ce terme pieux et pleurnichard ; sa haute proue aurait dû être ornée d'une tête de dragon pour défier la mer, ou d'une tête de loup menaçante pour terrifier l'ennemi. Parfois, je montais à bord de l'épave, constatais les pillages des villageois, l'eau qui en remplissait la coque, et je me rappelais le temps où il affrontait les flots et le vent, et le fracas des bateaux danes que nous éperonnions.

À présent, tout comme moi, l'*Heahengel* était à l'abandon. Parfois, je rêvais de le réparer, de le ragréer d'une voile neuve et de partir avec des hommes sur la mer. Je voulais être n'importe où sauf ici, être avec les Danes.

– Tu ne pourras me faire vivre avec ce peuple ! pleurait chaque fois Mildrith.

– Et pourquoi ? J'ai bien pu, moi.

– Ce sont des païens ! Mon fils deviendrait un païen !

– C'est le mien aussi. Et il adorera les dieux que je vénère.

Elle pleurait de plus belle et je repartais à la chasse avec mes chiens en me demandant pourquoi l'amour tournait aigre comme le lait. Après Cynuit, j'avais tant voulu la retrouver, et à présent je ne supportais pas plus sa piété et ses jérémiades qu'elle n'endurait mes colères. Elle voulait simplement que je laboure mes champs, traie mes vaches et engrange les récoltes pour payer l'énorme dette qu'elle m'avait apportée en dot : son père avait fait le serment de donner à l'Église le fruit de la moitié de ses terres. La promesse le liait comme ses héritiers, mais les pillages des Danes et les mauvaises récoltes l'avaient ruiné. Pourtant, l'Église, aussi venimeuse que serpents, tenait à ce que la dette fût payée, sans quoi elle saisirait notre terre. Odda le Jeune, fêté comme le héros du Wessex, avait reçu toute la terre où s'était déroulée la bataille de Cynuit et y avait ordonné l'édification d'une église. On disait qu'elle aurait un autel d'or pour remercier Dieu d'avoir sauvé le Wessex.

Mais pour combien de temps ? Guthrum était encore en vie et je ne voulais pas croire comme les chrétiens que Dieu avait accordé la paix au Wessex. Alfred retourna à Exanceaster, où il convoqua son *witan*, le conseil des grands thanes du royaume et du clergé ; Wulfhere de Wiltunscir en faisait partie. Un soir que j'étais en ville, j'appris que l'ealdorman et sa suite étaient logés à l'enseigne du Cygne, une taverne près de la porte est. Il n'y était pas, mais Æthelwold avait entrepris de boire à lui seul toute l'ale de l'auberge.

– Ne me dis pas que ce bâtard t'a convoqué au *witan* ?
me dit-il d'un ton aigre.

– Non, je suis venu voir Wulfhere.

– L'ealdorman est à l'église, et pas moi, ricana
Æthelwold en me désignant le banc en face de lui.
Assieds-toi et bois. Enivre-toi. Ensuite, nous irons cher-
cher deux filles. Trois si tu veux, ou même quatre.

– Tu oublies que je suis marié.

– Comme si cela retenait quiconque.

– Fais-tu partie du *witan* ? demandai-je alors qu'une
servante m'apportait de l'ale.

– À ton avis ? Penses-tu que ce bâtard d'Alfred a
besoin de mes conseils ? « Seigneur notre roi, je lui dirais,
et si tu sautais d'une falaise en priant Dieu qu'il te donne
des ailes ? » (Il poussa un plat de côtes de porc vers moi.)
Je suis ici pour qu'il puisse m'avoir à l'œil. On s'assure
que je ne fomente point de trahison.

– Et complotes-tu ?

– Bien entendu, sourit-il. Me rejoindras-tu ? Tu me dois
une faveur.

– Tu veux que mon épée soit à ton service ?

– Oui.

Il ne plaisantait pas.

– Alors nous ne serons que toi et moi contre tout le
Wessex. Qui d'autre est avec nous ?

Il réfléchit, mais ne trouva aucun nom à me donner et
baissa la tête en regardant fixement la table. J'eus de la
peine pour lui. Je l'avais toujours apprécié, mais personne
ne lui ferait jamais confiance, car il était aussi imprudent
qu'irresponsable. Alfred l'avait bien jugé. Livré à lui-
même, il s'abandonnait aux femmes et à la boisson
jusqu'à la déraison.

– Je devrais plutôt rejoindre Guthrum, dit-il.

– Pourquoi ne le fais-tu point ?

Il me regarda sans répondre. Peut-être savait-il
qu'en réalité Guthrum l'accueillerait, l'honorerait et

l'utiliserait, pour finalement le tuer. Mais peut-être cela aurait-il mieux valu que son existence présente. Il se redressa. C'était un jeune homme fort séduisant, et cela aussi le détournait du reste, car il attirait les filles comme l'or attire les moines.

– Wulfhere pense, dit-il d'une voix un peu pâteuse, que Guthrum va revenir nous tuer tous.

– Probablement.

– Et si mon oncle meurt, continua-t-il sans même baisser la voix malgré la foule dans la taverne, son fils est bien trop jeune pour être roi.

– Certes.

– Et ce sera mon tour !

– Ou celui de Guthrum.

– Alors bois, mon ami, car nous sommes tous dans un beau pétrin, dit-il avec son sourire charmeur... Si tu ne veux pas te battre pour moi, comment te proposes-tu de t'acquitter de ta dette ?

– Comment voudrais-tu que je la paie ?

– Pourrais-tu tuer l'abbé Hewald ? Très cruellement ? Lentement ?

– Je le pourrais.

Hewald était l'abbé de Winburnam, renommé pour la dureté de son enseignement.

– D'un autre côté, continua Æthelwold, je préférerais tuer ce gueux moi-même, ne le fais pas. Je trouverai quelque chose qui déplaira à mon oncle. Tu ne l'aimes point, n'est-ce pas ?

– Non.

– En ce cas, nous concocterons quelque méfait. Oh, mon Dieu ! (Il venait d'entendre la voix de Wulfhere au-dehors.) Il est furieux contre moi. L'une de ses laitières est grosse. Je crois qu'il voulait la trousser lui-même, mais je l'ai devancé, dit-il en vidant sa chope. Je vais aux Trois Cloches. Veux-tu venir ?

– Il faut que je parle à Wulfhere.

Æthelwold s'éclipsa par la porte de derrière alors que l'ealdorman entrait, accompagné d'une dizaine de thanes. M'apercevant, il me rejoignit.

– Ils renouvelaient la consécration de l'église de l'archevêque, grommela-t-il. Des heures et des heures à psalmodier et à prier, et tout cela pour effacer la souillure des Danes. As-tu vu Æthelwold ?

– Oui.

– Il voulait que tu rejoignes son complot, hein ?

– Oui.

– Quel crétin ! Alors, pourquoi es-tu là ? Pour m'offrir ton épée ?

– Je voudrais voir l'un des otages et j'ai besoin de ta permission.

– Damnés otages ! fit-il en s'asseyant. J'ai dû construire de nouveaux bâtiments pour les loger. Et qui paie ?

– Toi ?

– Bien sûr. Et il faut que je les nourrisse, aussi ? Que je les surveille ? Que je les enferme ? Et crois-tu qu'Alfred paierait ?

– Dis-lui que tu bâtis un monastère.

Il me regarda comme si j'étais fou, puis il comprit la plaisanterie et se mit à rire.

– As-tu entendu parler de celui que l'on construit à Cynuit ?

– On dit que l'autel sera d'or.

– C'est ce qu'il paraît, dit-il en riant. Je n'en crois rien, mais on le dit. Ce n'est pas à moi de t'autoriser à voir les otages, mais à Alfred, et il refusera.

– À Alfred ?

– Ce ne sont point de simples otages, mais des prisonniers. Je dois les enfermer et les surveiller jour et nuit. Sur ordre d'Alfred. Il pense peut-être que Dieu nous a accordé la paix, mais il s'est assuré que ses otages étaient de haute lignée. Six comtes ! Sais-tu combien de serviteurs ils possèdent ? Et de femmes ? Toutes ces bouches à nourrir !

– Si je vais à Wiltunscir, pourrai-je voir le comte Ragnar ?

– Le comte Ragnar ? Je l'aime bien, ce tapageur. Non, tu ne pourras, mon garçon, car nul n'est autorisé à les voir qu'un prêtre qui parle leur langue : Alfred l'a envoyé pour tenter de les convertir. Si tu y vas sans ma permission, Alfred l'apprendra et me demandera des explications. Personne n'a le droit de voir ces malheureux. Et il faut que je nourrisse le prêtre, et Alfred ne paie point pour cela non plus. Il ne me paie même pas pour nourrir ce rustre d'Æthelwold !

– Quand j'étais otage à Werham, expliquai-je, le comte Ragnar m'a sauvé la vie. Guthrum a massacré les autres, mais Ragnar m'a protégé. Il a dit qu'il faudrait lui passer sur le corps pour me tuer.

– Et il ne semble pas commode à tuer, dit Wulfhere. Mais si Guthrum attaque le Wessex, c'est ce que je devrai faire. Les occire tous. Peut-être pas les femmes. Et Guthrum attaquera, ajouta-t-il en fixant d'un air lugubre la cour où ses hommes jouaient aux dés sous la lune.

– Ce n'est pas ce que j'ai entendu dire.

– Et qu'as-tu entendu, mon jeune ami ? demanda-t-il d'un air soupçonneux.

– Que Dieu nous avait envoyé la paix.

Il éclata de rire à cette moquerie.

– Guthrum est à Gleawecestre, à une demi-journée de marche de notre frontière. Et l'on raconte que des navires danois arrivent chaque jour. Ils sont à Lundene, à Humber et dans le Gewaesc. D'autres navires, encore plus d'hommes, et voilà qu'Alfred bâtit des églises ! Et puis il y a ce Svein.

– Svein ?

– Il est venu d'Irlande avec ses navires. Il est en pays de Galles, à présent, mais il n'y restera point, n'est-ce pas ? Il viendra en Wessex. Et l'on dit que d'autres Danes d'Irlande le rejoignent. (Il rumina ces mauvaises nouvelles. J'ignore si elles étaient vraies, car de telles

41

rumeurs étaient courantes, mais lui y croyait.) Nous devrions marcher sur Gleawecestre et les massacrer tous avant qu'ils ne nous massacrent, mais nous avons un royaume dirigé par des prêtres.

C'était vrai, tout comme il était certain que Wulfhere ne me laisserait pas voir Ragnar.

— Donneras-tu un message à Ragnar ? demandai-je.

— Comment ? Je ne parle point danois. Je pourrais demander au prêtre, mais il parlera à Alfred.

— Est-il avec une femme ?

— Comme tous les autres.

— Une fille maigre, aux cheveux noirs et au visage de faucon ?

— Il me semble. Avec un chien ?

— Oui. Il s'appelle Nihtgenga.

Il haussa les épaules : peu lui importait le nom de l'animal. Puis il comprit ce que cela signifiait.

— Un nom anglais ? Une Dane qui appelle son chien « Gobelin » ?

— Elle n'est point dane. Elle se nomme Brida et est saxonne.

— La petite garce ! Quelle rusée ! Elle nous a écoutés, n'est-ce pas ?

Brida était en vérité rusée. Cette Estangle, ma première maîtresse, avait été élevée par le père de Ragnar et couchait maintenant avec son fils.

— Parle-lui, et salue-la de ma part. Dis-lui que si la guerre survient...

Je marquai une pause, hésitant. Ce n'était pas la peine de promettre que je m'efforcerais de sauver Ragnar, car en cas de guerre les otages seraient exécutés bien avant que je ne puisse arriver.

— Si la guerre survient ? me pressa Wulfhere.

— Si la guerre survient, repris-je, répétant les paroles qu'il m'avait dites avant ma pénitence, nous chercherons tous à rester en vie.

Il me dévisagea longuement et son silence me fit comprendre que je venais de faire passer un message à Wulfhere et non à Ragnar. Il but une gorgée d'ale.

– La drôlesse parle donc anglais, n'est-ce pas ?

– Elle est saxonne.

Tout comme moi, qui voulais retrouver Ragnar dès que possible, si je le pouvais, et peu importait Mildrith – du moins le croyais-je. Mais très loin sous la terre, où le serpent Faucheur-de-Cadavres ronge les racines d'Yggdrasil, l'arbre de vie, siègent les trois fileuses qui décident de notre destin. Nous avons beau croire que nous décidons, en vérité nos vies reposent entre leurs mains. Elles filent nos existences, et la destinée est tout. Les Danes le savent, et même les chrétiens. *Wyrd bið ful ãrœd*, disons-nous, nous autres Saxons : la destinée est inexorable et les fileuses avaient décidé de la mienne, car, une semaine après la réunion du *witan*, lorsque Exanceaster fut de nouveau calme, on m'envoya un navire.

Un serf accourut depuis les champs d'Oxton en disant qu'un navire dane se trouvait dans l'estuaire de l'Uisc. J'enfilai bottes et cotte de mailles, empoignai mes épées, criai qu'on me selle un cheval et galopai jusqu'au rivage où pourrissait l'*Heahengel*.

Se dressant au-dessus de la longue langue de sable qui protège l'Uisc du large, un autre navire approchait. Sa voile était repliée et les avirons ruisselants battaient la mer comme des ailes, tandis que la longue coque traçait un sillage argenté sous le soleil levant. À la haute proue se tenait un homme en cotte de mailles, avec casque et épée. Derrière moi, là où les pêcheurs vivaient dans des cabanes près de la vase, les gens se hâtaient vers les collines en emportant ce qu'ils pouvaient.

– Il n'est point dane ! criai-je à l'un d'eux.

– Seigneur ?

43

– C'est un navire saxon de l'Ouest !

Sans me croire, tous continuèrent de fuir avec leur bétail, comme depuis toujours. Dès qu'ils voyaient un navire, ils fuyaient, car les navires apportaient les Danes, et les Danes la mort ; mais celui-ci ne portait ni dragon, ni loup, ni aigle à sa proue. Je connaissais ce navire. C'était l'*Eftwyrd*, le mieux nommé de tous les bateaux d'Alfred, pieusement baptisés *Heahengel*, *Apostol* ou *Cristenlic*. *Eftwyrd* signifiait Jugement dernier, ce qui, malgré l'inspiration chrétienne, décrivait bien ce que le navire avait fait subir aux Danes.

L'homme de proue me fit un signe, et pour la première fois depuis mon humiliation devant l'autel d'Alfred, mon cœur se souleva. C'était Leofric.

– Quelle est la profondeur de la vase ? cria-t-il, les mains en porte-voix, lorsque la coque vint s'enfoncer dans le rivage.

– Rien du tout ! répondis-je. Une main, pas davantage !

– On peut marcher dessus ?

– Bien sûr !

Il sauta et, comme je l'avais prévu, s'enfonça jusqu'aux cuisses dans l'épaisse vase noire et gluante. J'éclatai de rire, courbé sur ma selle, tandis que l'équipage se joignait à moi et que Leofric se répandait en jurons. Il nous fallut un moment pour l'extirper de la boue puante, puis l'équipage, principalement composé de mes anciens rameurs et guerriers, débarqua ale, pain et lard, et nous déjeunâmes devant la marée montante.

– Tu es un bout de cul, grommela Leofric en considérant la vase collée dans les mailles de sa cotte.

– Je suis un bout de cul qui s'ennuie.

– Tu t'ennuies ? Nous aussi.

La flotte ne naviguait pas. Elle avait été confiée à un certain Burgweard, soldat valeureux mais terne qui était frère de l'évêque de Scireburnan et avait ordre de ne pas troubler la paix.

– Tant que les Danes n'approchent pas nos côtes, nous ne sortons pas, dit Leofric.

– Alors, que viens-tu faire ici ?

– Il nous a envoyés récupérer cette saleté, répondit-il en désignant l'*Heahengel*. Il veut avoir à nouveau ses douze navires.

– Je croyais qu'ils en construisaient d'autres ?

– Si fait, mais tout a été arrêté parce que des voleurs ont pris le bois pendant que nous nous battions à Cynuit, puis quelqu'un s'est rappelé l'*Heahengel* et nous voici. Burgweard ne peut pas se contenter de diriger onze navires.

– S'il ne sort pas, pourquoi en veut-il un autre ?

– Au cas où il devrait prendre la mer, il en veut douze. Pas onze, douze.

– Douze ? Pourquoi ?

– Parce qu'il est dit dans l'Évangile que le Christ a envoyé ses disciples deux par deux ; alors, c'est ainsi que nous devons sortir, deux navires ensemble, bien saintement, et si nous n'en avons que onze, nous n'en aurons que dix, si tu me suis bien.

Je le fixai, me demandant s'il plaisantait.

– Burgweard tient à ce que vous naviguiez deux par deux ?

– Oui, parce qu'il est dit ainsi dans le livre du père Willibald.

– L'Évangile ?

– Et si tu fais ce que dit l'Évangile, continua-t-il, toujours aussi sérieux, rien ne peut t'arriver, n'est-ce pas ?

– Bien entendu. Donc tu es venu réparer l'*Heahengel* ?

– Nouveaux mât, voile et cordages, rebouchage et calfatage, puis nous le remorquerons à Hamtun. Cela risque de prendre un mois.

– Au moins.

– Et je n'ai jamais été très doué pour réparer. Pour combattre, oui, et je tiens l'ale comme tout un chacun, mais je n'ai jamais été habile avec un maillet et un coin ou une herminette. Eux, si, dit-il en désignant un groupe d'hommes qui m'étaient inconnus.

— Qui sont-ils ?

— Des charpentiers.

— Ce sont eux qui feront le travail ?

— Ce n'est pas moi qui vais le faire ! Je suis le commandant de l'*Eftwyrd* !

— Tu envisages donc de boire mon ale et de manger mon pain pendant un mois, tandis que ces hommes travaillent ?

— Tu as une meilleure idée ?

Je contemplai l'*Eftwyrd*. C'était un beau navire, plus long que les bateaux danes, avec de hauts flancs qui en faisaient une bonne base de combat.

— Que t'a ordonné de faire Burgweard ? demandai-je.

— Prier, maugréa Leofric. Et aider les charpentiers.

— J'ai ouï dire qu'il y avait un nouveau chef dane dans la mer de Sæfern et je voudrais savoir si c'est vrai. Un certain Svein. Et il paraît que d'autres navires d'Irlande le rejoignent.

— Il est en pays de Galles, ce Svein ?

— À ce que l'on dit.

— Alors il viendra dans le Wessex.

— Si c'est vrai.

— Tu penses donc...

Il se tut, comprenant ce que j'avais en tête.

— Je pense qu'il n'est pas bon pour un navire ou pour son équipage de rester à terre pendant un mois et qu'il y a à piller dans la mer de Sæfern.

— Et si Alfred apprend que nous sommes partis là-bas, il nous étripera.

— Cent navires danes ont brûlé là-bas, dis-je en désignant Exanceaster du menton. Les restes des épaves y sont encore. Nous devrions bien pouvoir trouver au moins une tête de dragon à mettre à notre proue.

— Pour déguiser l'*Eftwyrd* ?

– Oui, car ainsi nul ne saura que c'est un navire saxon. On le prendra pour un bateau dane, un pilleur, le cauchemar de l'Anglie.

– Je n'ai pas besoin d'ordres pour partir en patrouille, n'est-ce pas ? sourit Leofric.

– Bien sûr que non.

– Et nous n'avons point combattu depuis Cynuit, regretta-t-il. Et sans combat, point de butin.

– Et l'équipage ?

– La plupart sont de méchants bougres, dit-il. Ils ne diront rien. Et ils ont tous besoin de ce butin.

– Et entre nous et la mer de Sæfern, ajoutai-je, il y a les Bretons.

– Qui sont tous des gueux et des bâtards. Alors, si Alfred refuse de faire la guerre, nous la ferons ? sourit-il.

– Tu as une meilleure idée ?

Leofric resta longtemps silencieux, comme s'il réfléchissait, tout en jetant distraitement des galets dans une flaque. Je regardais sans rien dire les ondes qu'ils dessinaient sur l'eau, comprenant qu'il cherchait un signe du destin. Les Danes jetaient les bâtons de runes, nous observions tous le vol des oiseaux, essayant d'entendre les murmures des dieux, et Leofric cherchait dans la chute des galets à discerner son destin. Le dernier qu'il lança ricocha sur un autre et dérapa dans la vase, traçant une ligne qui désignait la mer.

– Non, fit-il, je n'ai pas de meilleure idée.

Et l'ennui me quitta, car nous allions être des Vikings.

Nous dénichâmes une vingtaine de têtes sculptées au bord de la rivière, sous Exanceaster, parmi les vestiges détrempés des épaves entassées qui montraient où avait été brûlée la flotte de Guthrum. Nous en choisîmes deux des moins abîmées et les rapportâmes à bord de l'*Eftwyrd*. Nous dûmes couper et tailler les poteaux de proue et de poupe pour pouvoir y fixer les deux têtes sculptées. Celle de poupe, la plus petite, était un serpent à la gueule ouverte, qui devait représenter le Faucheur-de-Cadavres, ce monstre qui déchiquette les morts dans l'enfer dane, alors que celle de proue était une tête de dragon, mais si noircie et rongée par le feu qu'elle ressemblait plus à une tête de cheval. Nous creusâmes à l'emplacement des yeux et de la gueule pour découvrir du bois intact et lui donner un air féroce.

– On dirait un *fyrdraca*, à présent, dit Leofric d'un ton enjoué. Un dragon de feu.

Les Danes n'exposaient ces monstres que lorsqu'ils se trouvaient dans les eaux ennemies. Nous fîmes de même et cachâmes nos têtes de *fyrdraca* et de serpent dans les cales de l'*Eftwyrd*. Leofric ne voulait pas que les ouvriers sachent que nous fomentions de mauvais coups.

– Celui-ci, dit-il en me désignant un grand maigre à cheveux gris responsable du chantier, il est plus chrétien que le pape. Il irait bêler chez les prêtres s'il pensait que nous partons nous battre. Les prêtres le diraient à Alfred, et Burgweard me reprendrait l'*Eftwyrd*.

– Tu ne l'aimes point ?

– Heureusement qu'il n'y a point de Danes sur la côte.

– Il est couard ?

– Non. Il croit simplement que c'est Dieu qui combat dans les batailles. Nous passons plus de temps à genoux qu'aux rames. Quand tu commandais la flotte, nous gagnions de l'argent. À présent, même les rats du bord mendient leurs miettes.

Nous avions gagné de l'argent en capturant les navires danes et en prenant leur butin. Et si nul d'entre nous n'était devenu riche, nous avions tous de l'argent de côté. J'étais encore fortuné, car j'avais un trésor caché à Oxton, l'héritage de Ragnar l'Aîné, que l'Église et la famille d'Oswald auraient bien aimé faire leur, mais un homme n'a jamais assez d'argent. Si je devais devenir un seigneur et m'attaquer aux murailles de Bebbanburg, il me faudrait des hommes et un grand trésor pour acheter les épées, les boucliers, les lances et les cœurs des guerriers. C'est pourquoi nous devions prendre la mer et chercher de l'argent, mais nous racontâmes aux ouvriers que nous allions simplement patrouiller le long de la côte. Nous embarquâmes tonneaux d'ale, caisses de biscuits, fromages, tonneaux de maquereau fumé et lard. Je racontai à Mildrith le même mensonge : nous allions longer les côtes entre le Defnascir et Thornsæta.

– C'est d'ailleurs ce que nous ferions si des Danes arrivaient, dit Leofric.

– Les Danes se tiennent cois.

– Et c'est le signe que des ennuis ne vont pas tarder, opina-t-il.

Il avait raison. Après tout, les Danes gouvernaient les trois autres royaumes angles. Ils détenaient ma Northumbrie natale et implantaient des colons en Estanglie ; leur langue se répandait au sud par la Mercie, et ils n'avaient pas envie d'avoir au sud le dernier royaume angle. Ils étaient tels des loups qui rôdent et attendent qu'un troupeau de moutons soit bien gras.

Je recrutai onze jeunes gens de ma terre et les menai à bord de l'*Eftwyrd*, avec Haesten ; il me fut utile, car il avait passé presque toute sa jeunesse aux rames. Puis, un matin brumeux, alors qu'une forte marée descendait vers l'ouest, nous quittâmes le rivage et gagnâmes le large. Les rames grinçaient, la proue fendait les flots, drapant la coque d'écume blanche, et le gouvernail résistait sous ma poigne. Je sentis mon cœur se soulever dans la brise et je levai les yeux vers le Ciel couleur de perle pour remercier Thor, Odin, Njord et Hoder.

Quelques petits bateaux de pêche voguaient çà et là dans les eaux intérieures, mais lorsque nous mîmes cap au sud-ouest, la mer était déserte. Les collines d'un vert étincelant au bord des rivières laissèrent la place à un horizon gris, puis la terre ne fut plus qu'une ombre, et nous restâmes seuls avec les piaillements des mouettes. Alors, nous sortîmes nos têtes de serpent et de *fyrdraca* de la cale pour les fixer à leurs poteaux, avant de mettre le cap à l'ouest.

L'*Eftwyrd* n'était plus. À présent, le *Fyrdraca* faisait voile… et cherchait noise.

3

L'équipage de l'*Eftwyrd* devenu *Fyrdraca* avait combattu avec moi à Cynuit. Ces guerriers étaient offensés qu'Odda le Jeune ait recueilli les lauriers de la bataille que j'avais gagnée et s'ennuyaient depuis lors. Leofric me raconta que Burgweard les laissait parfois s'entraîner en mer, mais qu'ils restaient la majeure partie du temps à Hamtun.

– Mais on est sortis pêcher une fois, concéda-t-il.

– Pêcher ?

– Le père Willibald a prononcé un sermon où il racontait que cinq mille personnes avaient été nourries avec deux morceaux de pain et un panier de harengs. Alors, Burgweard a dit qu'il fallait sortir les filets et aller pêcher. Il voulait nourrir la ville, tu vois. Ils ont tous faim.

– Et vous avez attrapé quelque chose ?

– Des maquereaux. En quantité.

– Mais point de Danes ?

– Point. Et point de harengs, seulement des maquereaux. Ces misérable Danes ont disparu.

Nous apprîmes plus tard que Guthrum avait ordonné qu'aucun navire dane ne rompe la trêve en pillant la côte du Wessex. Comme il fallait faire croire à Alfred que la paix était venue, aucun pirate n'écumait les mers entre le Kent et le Cornwalum, et leur absence encourageait les marchands à venir dans le Sud vendre du vin ou acheter des peaux. Le *Fyrdraca* s'empara de deux de ces bateaux les quatre premiers jours. Ils étaient tous les deux francs, à la coque rebondie, avec seulement six rames de chaque côté. Ils crurent que le *Fyrdraca* était un navire viking en voyant les figures de proue et nos bracelets d'argent, et en m'entendant parler dane avec Haesten. Nous épargnâmes les équipages, mais nous leur prîmes argent, armes et tout ce que nous pûmes embarquer de marchandises.

Le soir, nous faisions halte dans une crique ou dans l'estuaire d'une rivière, et le jour nous partions en mer à la recherche d'une proie. Chaque jour, nous allions plus loin vers l'ouest, jusqu'à dépasser la côte du Cornwalum. Je sus que nous étions sur les terres de cet ancien ennemi qu'avaient affronté nos ancêtres venus par la mer du Nord envahir l'Anglie. Ces Bretons parlaient un étrange langage et habitaient tantôt au nord de la Northumbrie, tantôt en Galles ou dans le Cornwalum, des terres sauvages où nous les avions repoussés. C'étaient des chrétiens. D'ailleurs, selon le père Beocca, ils l'étaient depuis bien longtemps avant nous, et aucun chrétien ne pouvait être véritablement l'ennemi d'un autre chrétien. Quoi qu'il en soit, les Bretons nous haïssaient.

Au début, nous n'en vîmes aucun. Tous les endroits où nous accostions étaient déserts, sauf l'embouchure d'une rivière où une barque de peau quitta le rivage menée par un homme à demi nu brandissant des crabes qu'il voulait nous vendre. Nous lui en achetâmes un plein panier pour deux sous. Le soir suivant, nous échouâmes le *Fyrdraca* sur le rivage et nous ravitaillâmes en eau douce à une rivière. Leofric et moi gravîmes une colline pour inspecter les alentours. De la fumée s'élevait de vallées lointaines, mais il n'y avait nulle âme qui vive, pas même un berger.

– Que pensais-tu trouver ? demanda-t-il. Des ennemis ?

– Un monastère.

– Un monastère ! s'amusa-t-il. Tu veux prier ?

– Les monastères ont de l'argent.

– Pas ici. Ils sont aussi pauvres que belettes. D'ailleurs…

– D'ailleurs quoi ?

– Tu as une dizaine de bons chrétiens à ton bord, dit-il en désignant le navire. Et de mauvais, bien sûr, mais au moins une dizaine de bons. Ils n'iront point piller un monastère avec toi.

Il avait raison. Quelques-uns des hommes avaient eu des scrupules à jouer les pirates, mais je leur avais assuré que les Danes utilisaient des navires de commerce pour épier leurs ennemis. C'était assez vrai, même si je doutais que nos deux victimes aient servi les Danes. Mais leurs équipages étaient étrangers et, comme tout Saxon, nos hommes détestaient les étrangers, tout en faisant exception pour Haesten et notre dizaine de Frisons. Les Frisons étaient des pirates nés, aussi mauvais que les Danes, et ceux-là, venus s'enrichir dans le Wessex après la guerre, étaient heureux que le *Fyrdraca* se livre au pillage.

En continuant à l'ouest, nous trouvâmes des établissements côtiers, dont certains étonnamment vastes. Cenwulf, qui avait combattu avec nous à Cynuit et était un brave homme, nous apprit que les Bretons du Cornwalum extrayaient l'étain et le vendaient aux étrangers. Il le savait de son père qui était marchand et venait fréquemment ici.

– S'ils vendent de l'étain, dis-je, ils ont certainement de l'argent.

– Et des hommes pour le garder, répliqua Cenwulf.

– Ont-ils un roi ?

Nul ne le savait. C'était probable, mais nous ignorions qui il était et où il se trouvait. Peut-être étaient-ils plusieurs, comme l'avança Haesten. Ils avaient des armes, car une nuit, alors que le *Fyrdraca* pénétrait subrepticement dans une baie, je vis une flèche tirée d'une falaise s'enfoncer dans la mer près des rames. Comme elle ne fut suivie d'aucune autre, peut-être était-ce un avertissement. Cette nuit-là, nous jetâmes l'ancre. À l'aube, voyant deux vaches qui paissaient au bord d'une rivière, Leofric s'empara de sa hache.

– Les vaches sont là pour nous tuer, nous prévint Haesten dans son anglais maladroit.

– Comment cela ?

– J'ai déjà vu le faire, seigneur. Ils sortent les vaches pour nous faire débarquer à terre. Et ils attaquent.

Nous fîmes grâce aux vaches et quittâmes la baie. Un hurlement s'éleva derrière nous, et je vis une troupe d'hommes surgir des buissons et des arbres. Je retirai un de mes bracelets d'argent et le donnai à Haesten. C'était son premier, et, étant dane, il en fut extrêmement fier et le polit toute la matinée.

La côte était de plus en plus sauvage, et les abris de plus en plus difficiles à trouver, mais le temps était calme. Nous capturâmes un petit bateau à huit rames qui retournait en Irlande et le soulageâmes de seize pièces d'argent, trois coutelas, un tas de lingots d'étain, un sac de plumes d'oie et six peaux de chèvre. Nous ne devenions guère riches, même si le ventre du *Fyrdraca* était rempli de peaux et de lingots d'étain.

– Nous devons tout vendre, dit Leofric.

Mais à qui ? Nous ne connaissions personne faisant négoce ici. Je pensai qu'il fallait aborder près de l'un des plus vastes établissements et tout voler. Brûler les maisons, tuer les hommes, piller le château de leur chef et repartir en mer. Mais comme les Bretons postaient des veilleurs sur les côtes et nous voyaient toujours arriver, dès que nous approchions l'une de leurs villes, des hommes en armes nous attendaient. Ils avaient appris comment affronter les Vikings et c'est pourquoi, m'expliqua Haesten, les Norses naviguaient à présent par groupes de cinq ou six navires.

Être un Viking était plus ardu que je ne l'avais cru. Un jour, le vent d'ouest fraîchit, les vagues frangées d'écume enflèrent et des averses commencèrent à tomber d'un Ciel noir et bas. Nous dûmes remonter au nord nous abriter sur une côte protégée. Nous jetâmes l'ancre puis sentîmes le *Fyrdraca* tressaillir et s'agiter comme un cheval ombrageux tirant sur sa longe de cuir tressé.

Toute la nuit et le jour suivant, la tempête fit rage sur la côte. Les flots se fracassaient sur les hautes falaises. Nous étions à peu près à l'abri, mais les vivres diminuaient et j'avais plus ou moins décidé d'abandonner le projet de nous enrichir et de rentrer dans l'Uisc en prétendant que nous étions simplement partis en patrouille. Cependant, le deuxième jour, alors que le vent mollissait et que ne tombait plus qu'un crachin glacial, un navire apparut à l'est de la pointe.

— Boucliers ! s'écria Leofric.

Les hommes, maussades et gelés, s'armèrent et prirent place sur le plat-bord.

Le navire était beaucoup plus petit que le nôtre, bas, à haute proue, avec un mât court et une large vergue où était repliée une voile crasseuse. Une demi-douzaine de rameurs le manœuvraient, et le timonier mettait le cap droit sur le *Fyrdraca*. Lorsqu'il fut plus près, j'aperçus un rameau aux feuilles vertes accroché à la proue.

— Ils veulent parler, dis-je.

— Espérons qu'ils veulent acheter, grommela Leofric.

Un prêtre était à bord. Je ne m'en rendis tout d'abord pas compte, car il était aussi déguenillé que les autres, mais il nous cria en mauvais danois qu'il voulait parler. Je laissai le navire s'approcher puis Cenwulf et moi hissâmes le prêtre à bord. Deux autres voulurent le suivre, mais Leofric les menaça de sa lance.

Lorsqu'il s'assit sur un banc, je vis le crucifix à son cou. Il se nommait le père Mardoc.

– Je hais les chrétiens, dis-je, et je te donnerais bien en pâture à Njord.

Il ne releva pas, peut-être ignorait-il que Njord était l'un des dieux de la Mer.

– Je t'apporte un présent de mon maître, dit-il en sortant de sous sa cape deux bracelets abîmés.

Je les pris. C'étaient de pauvres anneaux de cuivre, vieux, encrassés de vert-de-gris et presque sans valeur, mais notre expédition nous avait si peu rapporté que même ces maigres trésors méritaient d'être gardés.

– Qui est ton maître ? demandai-je.

– Le roi Peredur.

Je faillis éclater de rire. Le roi Peredur ? Un roi est généralement célèbre : si je n'avais jamais entendu parler de Peredur, c'est probablement qu'il n'était qu'un petit chef local au titre pompeux.

– Et pourquoi ce Peredur m'envoie-t-il ces misérables présents ?

Le père Mardoc ignorait mon nom et était trop effrayé pour me le demander. Il pensait que nous étions tous des Danes, car j'avais ordonné à ceux qui portaient des crucifix de les cacher sous leurs vêtements. Seuls Haesten et moi parlions, et si le père Mardoc trouva cela curieux, il n'en dit rien. Il m'expliqua que son seigneur, le roi Peredur, avait été traîtreusement attaqué par un voisin nommé Callyn, dont les armées avaient pris une forteresse proche de la mer : Peredur était disposé à nous payer si nous l'aidions à récupérer cette place-forte ayant pour nom Dreyndynas.

J'envoyai le père Mardoc patienter à la proue pendant que nous discutions. Être bien payés ne nous rendrait pas riches pour autant, et Peredur essaierait de nous donner le moins possible et tenterait de tout nous reprendre en nous tuant.

– Nous devrions trouver ce Callyn et voir ce qu'il nous verserait, lui, suggéra Leofric.

Checkout Receipt

Miami-Dade Public Library System
Sunny Isles Library
www.mdpls.org
Renew Online or by Phone
(305) 682-0726 or (305) 416-4880

Customer ID: ************8021**

Items that you checked out

Title: Le quatrie`me cavalier
ID: 39081093283328
Due: Tuesday, February 14, 2017
Messages:
Item information ok.
Item checkout ok.

Total items: 1
Account balance: $0.00
1/17/2017 1:04 PM
Checked out: 1
Overdue 0
Hold requests: 0
Ready for pickup: 0
Messages:
***

Overdue Fines
Adult Materials $0.20/day
YA Materials $0.15/day
Children's Materials $0.10/day
Videos/DVDs $1.00/day
Laptops or Parts $10.00
Delinquent accounts may be
sent to a Collection Agency.

Thank you for using the
Miami-Dade Public Library System

C'était une bonne idée, mais nous ignorions où était ce Callyn. Nous apprîmes plus tard que c'était aussi un roi : cela ne signifiait pas grand-chose, car tout homme disposant de plus de cinquante soldats se disait roi en Cornwalum. J'allai donc retrouver le prêtre : il m'expliqua que Dreyndynas était une place-forte qui gardait la route de l'Est, et que, tant que Callyn la tiendrait, le peuple de Peredur serait prisonnier dans ses propres terres.

— Vous avez des navires, lui fis-je remarquer.

— Callyn aussi, et nous ne pouvons y embarquer le bétail.

— Le bétail ?

— Nous avons besoin de le vendre pour subsister.

Callyn avait donc encerclé Peredur, et nous pouvions faire pencher la balance dans cette petite guerre.

— Combien nous paiera donc ton roi ? demandai-je.

— Cent pièces d'argent.

— J'adore les vrais dieux, dis-je en dégainant Souffle-de-Serpent. Et je suis un serviteur zélé d'Hoder, l'assoiffé de sang, à qui je n'ai rien donné depuis de nombreux jours.

Le père Mardoc parut terrifié, et il y avait de quoi. C'était un jeune homme, aux cheveux et à la barbe noirs et si hirsutes qu'on ne voyait presque que son nez cassé et ses yeux. Il m'expliqua qu'il avait appris à parler danois après avoir été réduit en esclavage par un chef nommé Godfred puis qu'il avait réussi à s'échapper lors d'une expédition sur les îles Sillan, situées fort loin à l'ouest.

— Y a-t-il des richesses en ces îles ? demandai-je.

J'en avais entendu parler, bien que certains les tiennent pour un mythe, tandis que d'autres affirment qu'elles apparaissent et disparaissent selon les lunaisons. Le père Mardoc me certifia qu'elles existaient et avaient pour nom îles des Morts.

— Personne n'y habite donc ?

– Si, mais c'est là que les morts ont leur demeure.

– Ont-ils des richesses aussi ?

– Vos navires les ont toutes prises.

Il me promit que Peredur se montrerait plus généreux : le roi était prêt à verser plus de cent pièces d'argent. Nous lui fîmes crier à son équipage de nous guider vers les terres de Peredur. Je ne voulais pas le laisser remonter à son bord, car il me servirait d'otage au cas où il nous aurait menti et menés dans une embuscade.

Il avait dit vrai. Les possessions de Peredur étaient un groupe de bâtiments à flanc de colline auprès d'une baie, protégés par une muraille de buissons épineux. Son peuple vivait dans cette enceinte. Certains étaient pêcheurs, d'autres vachers, et aucun n'était riche. Le roi lui-même, en revanche, avait une grande demeure où il nous reçut, après que nous eûmes pris d'autres otages. Trois jeunes hommes, présentés comme ses fils, furent livrés au *Fyrdraca*, je donnai ordre à mon équipage de les occire si je ne revenais pas puis descendis à terre avec Haesten et Cenwulf. J'avais revêtu ma tenue de guerrier, cotte de mailles et casque étincelant, et le peuple de Peredur, déguenillé, nous regarda passer avec effroi devant les masures. Le village empestait le poisson et le crottin. La demeure de Peredur se dressait au sommet de la colline, accolée à une église au toit de chaume recouvert de mousse et portant une croix de bois flotté.

Peredur avait deux fois mon âge. C'était un homme trapu au visage rusé, portant une barbe noire à deux pointes. Il nous salua depuis son trône, une simple chaise à haut dossier, et se renfrogna en voyant que nous ne nous inclinerions pas comme il y comptait. Une dizaine d'hommes l'accompagnaient, d'évidence ses courtisans, qui pourtant ne semblaient guère riches et étaient tous fort âgés, sauf un seul, vêtu d'un froc de moine : il se distinguait dans l'assemblée comme un corbeau parmi des mouettes, car ses vêtements étaient noirs ; il était rasé et tonsuré de près. Un peu plus âgé que moi, maigre, l'air sévère et matois, il nous considéra avec un mépris non dissimulé. Le moine parlait danois, bien mieux que le père Mardoc.

– Le roi vous salue, dit-il d'un ton aussi pincé que ses lèvres et ses pâles yeux verts. Il voudrait connaître ton nom.

– Je suis Uhtred Ragnarson.

– Pourquoi es-tu là, Uhtred Ragnarson ?

Je le toisai d'un regard appuyé, comme un qui s'apprête à abattre un bœuf, comme si je supputais où j'allais porter le premier coup. Il comprit et n'attendit pas de réponse à sa question. Elle était évidente : nous étions là pour tuer et piller, bien sûr, puisque nous étions des Danes. Qu'imaginait-il d'autre ?

Peredur conféra à voix basse avec son moine, tandis que je balayais les lieux du regard, cherchant quelque preuve de richesse. Je ne vis rien en dehors de trois os de baleine dans un coin, mais Peredur avait manifestement quelque trésor, car il portait un lourd torque de bronze au cou et des anneaux d'argent à ses petits doigts boudinés, ainsi qu'une fibule d'ambre à sa cape pouilleuse et un crucifix d'or.

– Le roi souhaite savoir combien d'hommes tu peux mener contre l'ennemi, s'enquit le moine.

– Assez, répondis-je.

– Cela ne dépend-il pas, observa finement le moine, du nombre de l'ennemi ?

– Non, cela dépend de ceci, répondis-je en frappant la poignée de Souffle-de-Serpent.

C'était une réponse arrogante et habile, probablement celle qu'attendait le moine. Et en vérité, elle était convaincante, car j'étais large d'épaules et faisais figure de géant parmi ces gens que je dépassais d'une tête.

– Et qui es-tu, moine ? demandai-je.

– Je me nomme Asser, répondit-il.

C'était un nom angle, bien sûr, qui signifiait « âne », et ainsi le baptisai-je par la suite en mon for intérieur. Et la suite allait être longue, car cet homme allait hanter ma vie comme un pou, même si en ce jour il n'était pour moi qu'un moine angle inconnu se distinguant de ses compagnons parce qu'il se lavait. Il m'invita à le suivre par une petite porte. Faisant signe à Haesten et Cenwulf de m'attendre, je me retrouvai dehors près d'un tas de crottin, depuis lequel il me fit contempler l'est.

Nous dominions une vallée. Sur la pente la plus proche se trouvaient les petits toits noircis de suie du village, puis la muraille d'épineux longeant la rivière jusqu'à la mer. De l'autre côté de la rivière, s'élevaient de basses collines où se dressait sur l'horizon, comme un furoncle, un petit fort : Dreyndynas.

– L'ennemi, dit Asser.

– Combien d'hommes s'y trouvent ?

– Cela t'importe-t-il ? répondit aigrement Asser, me faisant payer mon refus d'avoir donné le nombre de mes hommes.

– Vous autres chrétiens, vous croyez aller au Ciel après la mort, n'est-ce pas ?

– Et quand bien même ?

– Tu dois être impatient de connaître ce destin et d'approcher ton dieu ?

– Me menacerais-tu ?

– Je ne menace point la vermine, m'amusai-je. Combien d'hommes gardent ce fort ?

– Quarante ou cinquante. Nous pouvons en rassembler quarante.

– Demain, ton roi pourra retrouver son fort.

– Ce n'est pas mon roi, répliqua-t-il, irrité de ma méprise.

– Qu'il soit ou non ton roi, il retrouvera son fort du moment qu'il nous paie comme il convient.

La négociation dura jusqu'au crépuscule. Peredur, comme l'avait dit le père Mardoc, était disposé à offrir plus de cent shillings. Cependant, redoutant que nous prenions l'argent sans combattre, il exigeait quelque assurance : des otages, que je refusai de lui donner. Au bout d'une heure, nous n'étions toujours pas d'accord. Peredur fit alors appeler sa reine. Cela ne me parut pas important, mais l'Âne se raidit comme s'il était offensé, puis je sentis l'assistance curieusement appréhensive. Asser protesta, mais le roi le coupa d'un geste impérieux : une porte s'ouvrit, et Iseult entra dans ma vie.

Iseult. La trouver ici fut comme de découvrir un joyau dans du fumier. En la voyant, j'oubliai Mildrith. Iseult la sombre, Iseult aux grands yeux. Elle était petite, mince comme un elfe, avec un visage lumineux et des cheveux aile-de-corbeau. Elle était vêtue d'une cape noire et portait des colliers, bracelets et anneaux d'argent qui tintaient à chacun de ses pas. Elle avait peut-être deux ou trois ans de moins que moi ; malgré sa jeunesse, elle parvenait à effrayer les courtisans de Peredur, qui reculaient devant elle. Le roi paraissait mal à l'aise, tandis qu'Asser, à mon côté, se signa et cracha pour éloigner le mal.

Moi, je la contemplais, ensorcelé. Elle avait une expression douloureuse, comme si elle trouvait la vie insupportable, et son mari eut l'air apeuré en s'adressant à elle d'une petite voix respectueuse. Elle haussa les épaules et je pensai qu'elle était peut-être folle, car la grimace tordant ses traits la défigurait. Puis elle se calma et me regarda tandis que le roi parlait à Asser.

– Tu diras à la reine qui tu es et ce que tu feras pour le roi Peredur, traduisit Asser d'un ton réprobateur.

– Elle parle danois ? demandai-je.

– Bien sûr que non, rétorqua-t-il. Contente-toi de le lui dire et qu'on en finisse avec cette mascarade.

Je plongeai mon regard dans ces grands yeux noirs et j'eus l'étrange impression qu'elle pouvait lire dans mes pensées les plus intimes. Au moins, elle ne grimaça pas en m'écoutant.

– Mon nom est Uhtred Ragnarson, dis-je, et je suis venu combattre pour ton mari s'il me paie à ma juste valeur. Et s'il ne paie pas, nous partirons.

Je croyais qu'Asser traduirait, mais il resta coi.

Iseult me fixa et je soutins son regard. Sa peau était claire et parfaite, et ses traits bien marqués, mais elle paraissait triste. Triste et belle. Implacable et belle. Elle me rappela Brida, l'Estangle qui avait été ma maîtresse et vivait désormais avec mon ami Ragnar. Brida était aussi féroce qu'une lame et je sentais semblable cette étrange reine à la fois si jeune et si sombre.

– Je suis Uhtred Ragnarson, m'entendis-je continuer sans qu'on m'ait rien demandé. Et je fais des miracles.

J'ignore pourquoi j'avais dit cela. J'appris plus tard qu'elle n'avait rien compris, car à l'époque elle parlait seulement la langue des Bretons, mais elle sembla me comprendre et sourit.

– Prends garde, Dane, s'offusqua Asser. C'est une reine.

– Une reine, demandai-je sans la quitter du regard, ou la reine ?

– Le roi a le bonheur de posséder trois épouses, répliqua le moine d'un ton réprobateur.

Iseult se détourna pour s'adresser à son époux. Il hocha la tête et fit un geste déférent vers la porte par laquelle elle était entrée. Manifestement, il la congédiait et elle obéit, s'arrêta un instant sur le seuil pour me considérer longuement d'un air pensif, puis elle disparut.

Et ce fut soudain plus facile. Peredur accepta de nous donner beaucoup d'argent. Il nous montra le trésor qu'il cachait dans une pièce dérobée. Il y avait là pièces, bijoux brisés, coupes cabossées et trois chandeliers pris à l'Église. Lorsque je les pesai sur une balance rapportée du marché, je découvris qu'ils valaient trois cents et seize shillings : ce n'était point négligeable. Asser divisa l'ensemble en deux piles, dont l'une moitié moins grosse que l'autre.

— Nous te donnerons la plus petite ce soir, dit-il, et le reste lorsque Dreyndynas aura été reprise.

— Tu me prends pour un sot ? demandai-je, sachant qu'après la bataille nous aurions du mal à récupérer le reste.

— Et toi donc ? rétorqua-t-il, conscient que le *Fyrdraca* disparaîtrait dès l'aube s'il nous donnait tout dans l'instant.

Nous convînmes finalement que j'en prendrais un tiers immédiatement et que le reste serait transporté sur le champ de bataille, afin de nous être rapidement remis. Peredur aurait voulu que je laisse la seconde part dans sa demeure : après le combat, j'aurais été contraint de le prendre d'assaut en passant par ses rues crottées et je n'en avais point envie. C'était probablement cette perspective qui avait retenu les hommes de Callyn d'attaquer Peredur : ils espéraient l'affamer, du moins était-ce là ce que pensait Asser.

— Parle-moi d'Iseult, dis-je quand l'affaire fut conclue.

— Je lis en toi comme dans un missel, ricana-t-il.

— Peu importe, j'ignore ce que c'est, mentis-je.

— Un livre de prières, et tu en auras besoin si tu la touches. Elle est le mal, s'écria-t-il en se signant.

— C'est une reine, et jeune. Comment pourrait-elle être le mal ?

— Que sais-tu des Bretons ?

— Qu'ils puent comme belettes et volent comme choucas.

Il me jeta un regard mauvais et je crus qu'il refuserait d'en dire plus, mais il ravala son orgueil de Breton.

— Nous sommes chrétiens, et Dieu soit remercié pour cette immense miséricorde, mais parmi notre peuple se trouvent d'anciennes superstitions. Des coutumes païennes. Et Iseult en est.

— De quoi est-elle ?

Il ne souhaitait pas en parler, mais il avait abordé le sujet et dut s'expliquer.

– Elle est née au printemps il y a dix-huit ans. À sa naissance, s'est produite une éclipse de soleil, et pour les sots et naïfs d'ici un enfant aux cheveux noirs né à la mort du soleil détient des pouvoirs. Ils en ont fait une... (Il marqua une pause, ignorant le mot danois)... une *gwrach*. (Je ne compris pas.) Une *dewines*, s'agaça-t-il avant de trouver finalement le terme : une enchanteresse.

– Une sorcière ?

– Et Peredur l'a épousée. Il en a fait sa reine de l'ombre. Ainsi les rois agissent-ils avec ces filles. Ils les prennent chez eux, afin d'user de leurs pouvoirs.

– Quels pouvoirs ?

– Ceux que le Diable donne aux reines de l'ombre, évidemment. Peredur croit qu'elle peut voir l'avenir. Mais elle ne le pourra qu'à condition de demeurer une vierge.

Cela me fit rire.

– Si tu l'aimes si peu, moine, je te rendrais service en la violant. (Il ne releva pas et se contenta de se renfrogner.) Peut-elle vraiment prévoir l'avenir ?

– À ton avis ? Elle a vu ta victoire et dit au roi qu'il pouvait te faire confiance.

– En ce cas, elle le peut voir assurément.

Le frère Asser eut un sourire méprisant.

– On aurait dû l'étrangler avec le cordon à sa naissance, gronda-t-il. C'est une garce païenne, une diablesse.

Le soir, un festin fut donné pour fêter notre pacte, mais Iseult n'y assista pas, hélas ! J'y vis la première épouse de Peredur, une femme maussade et crasseuse avec des furoncles purulents sur le cou, et parlant à peine. Mais le festin fut étonnamment bon. Il fut servi poisson, bœuf, mouton, pain, ale, hydromel et fromage, et Asser me conta qu'il venait du royaume de Dyfed, au nord de la mer de Sæfern, et que son souverain, au nom breton impossible à prononcer et ressemblant à un éternuement, l'avait envoyé dans le Cornwalum pour dissuader les rois bretons de soutenir les Danes.

Cela me surprit tellement que je cessai de lorgner les servantes ondulant des hanches sur la musique d'un joueur de harpe.

— Tu n'aimes point les Danes, dis-je.

— Vous êtes des païens, répliqua-t-il d'un ton méprisant.

— Alors pourquoi parles-tu la langue païenne ?

— Parce que mon abbé voulait nous envoyer comme missionnaires auprès des Danes.

— Tu devrais y aller. Ainsi, tu arriverais plus vite au paradis.

Il ne releva pas.

— J'ai appris le danois entre autres langues, dit-il, hautain, et je parle aussi la langue des Saxons. Et toi, je crois, tu n'es point né en Danemark.

— Comment le sais-tu ?

— À ta voix. Tu es de Northumbrie ?

— Je suis de la mer.

— En Northumbrie, dit-il d'un ton réprobateur, les Danes ont corrompu les Saxons au point qu'ils se croient eux-mêmes danes. (Il se trompait, mais j'étais mal placé pour rectifier.) Pire, ils ont éteint la lumière du Christ.

— Aurais-tu fait la connaissance d'Alfred de Wessex ? ironisai-je.

— J'ai hâte de la faire, dit-il avec ferveur, car j'ai ouï dire qu'il était bon chrétien.

— Moi aussi.

— Et que le Christ l'en récompense.

— Vraiment ?

— Le Christ a envoyé une tempête qui a détruit la flotte dane, et les anges de Dieu ont occis Ubba. C'est là preuve de la puissance du Seigneur. Si nous combattons Alfred, nous nous rangerons contre le Christ, nous ne le devons donc pas. Tel est mon message au roi de Cornwalum.

Je fus impressionné qu'un moine anglais du bout de la terre de Bretagne en sache tant sur ce qui se passait dans le Wessex, et je songeai qu'Alfred aurait été ravi d'entendre ces absurdités. D'ailleurs, il avait déjà envoyé en messagers bien des prêtres et moines : ils avaient fait savoir partout que leur Dieu avait massacré les Danes, une histoire qu'Asser s'était manifestement empressé de reprendre à son compte.

– Alors, pourquoi combattez-vous Callyn ? demandai-je.

– Il voulait s'unir aux Danes.

– Et comme nous allons vous vaincre, c'est qu'il a du bon sens.

– Dieu sera victorieux.

– Tu l'espères, dis-je en portant la main à mon marteau de Thor. Mais si tu te trompes, moine, nous prendrons le Wessex et Callyn aura sa part des dépouilles.

– Il n'aura sa part de rien, répliqua Asser, car tu le tueras demain.

Les Bretons n'avaient jamais appris à aimer les Saxons. En vérité, ils nous haïssaient, et durant les années où le dernier royaume d'Anglie avait été au bord de l'anéantissement, ils auraient pu faire pencher la balance en se joignant à Guthrum. Mais ils avaient préféré retenir leurs épées, et les Saxons peuvent bien en remercier l'Église. Des hommes comme Asser avaient décidé que les hérétiques danes étaient pires que les chrétiens d'Anglie. Si j'avais été un Breton, je leur en aurais voulu, car les Bretons auraient pu reprendre bien de leurs terres perdues en s'alliant aux Norses. La religion fait d'étranges alliances. Tout comme la guerre, car Peredur nous offrit, à Haesten et à moi, deux des servantes pour sceller

notre pacte. J'avais renvoyé sur le *Fyrdraca* Cenwulf prévenir Leofric qu'il fallait être prêt à la bataille au lendemain. J'hésitai à retourner avec Haesten sur le navire,
mais les servantes étaient jolies et nous restâmes. Point
n'était besoin de m'inquiéter, car personne ne tenta de
nous tuer dans la nuit, ni même lorsque nous rapportâmes
le premier tiers d'argent au bateau.

– Il en reste deux fois autant qui nous attend, dis-je à
Leofric.

– Et où étais-tu la nuit dernière ? demanda-t-il.

– Au lit avec une Bretonne.

– Bout-de-Cul ! Et qui combattons-nous donc ?

– Une bande de sauvages.

Nous laissâmes dix hommes garder le navire. Si les
soldats de Peredur tentaient de s'emparer du *Fyrdraca*,
ces dix hommes auraient fort à faire et seraient perdants.
Mais comme ils détenaient trois otages qui étaient peut-
être ou non les fils de Peredur, nous devions prendre ce
risque : cela semblait assez sûr, car Peredur avait rassemblé son armée à l'est de la ville. Je dis armée, mais ils
n'étaient que quarante, et j'en amenais trente de plus,
bien armés et d'allure féroce dans leurs cottes de cuir.
Leofric, comme moi, la portait de mailles, ainsi que
quelques-uns de mes hommes d'équipage, et comme
j'étais coiffé de mon beau casque à visière, j'avais au
moins l'air d'un seigneur des batailles.

Peredur, vêtu de cuir, s'était fait dans ses cheveux noirs
et sa barbe à deux pointes des tresses qui lui donnaient
l'air féroce. Ses hommes étaient surtout armés de lances,
mais lui possédait une bonne épée. Certains avaient des
boucliers et des casques, mais si je ne doutais point de leur
bravoure, je ne les trouvais guère redoutables. Mes hommes, eux, l'étaient. Ils avaient combattu des navires danes
au large du Wessex et s'étaient battus dans le mur de boucliers à Cynuit. J'étais certain qu'ils pouvaient anéantir les
troupes que Callyn avait postées à Dreyndynas.

C'est dans l'après-midi que nous gravîmes la colline. Nous aurions dû partir le matin, mais certains des hommes de Peredur cuvaient encore et les femmes du village ne cessaient de retenir les autres, refusant de les voir mourir. Puis Peredur et ses conseillers conférèrent entre eux de la façon de mener la bataille, même si je ne voyais guère là matière à discussion. Les hommes de Callyn étaient dans le fort et nous dehors : il n'y avait qu'à assaillir ces bâtards. Nulle ruse, attaquer ! Mais ils parlèrent longuement, puis le père Mardoc dit une prière, ou plutôt la beugla. Quant à moi, je refusai d'avancer car le reste de l'argent n'avait pas été apporté.

Il finit par arriver dans un coffre porté par deux hommes. Alors, sous le soleil, nous gravîmes la colline. Quelques femmes nous suivirent en piaillant des cris de guerre, mais c'était peine perdue, car l'ennemi était encore trop loin pour les entendre.

– Que faisons-nous, alors ? demanda Leofric.

– Nous formons un coin, à mon avis. Nos meilleurs hommes au premier rang, toi et moi devant, et nous tuons ces gueux.

– As-tu jamais assailli l'un de leurs forts ? grimaça-t-il.

– Jamais.

– Ce peut être difficile, m'avertit-il.

– Si ce l'est trop, nous tuerons Peredur et ses hommes, et nous prendrons quand même l'argent.

Le frère Asser, son froc noir souillé de boue, accourut vers moi.

– Tes hommes sont saxons ! m'accusa-t-il.

– Je hais les moines, grondai-je. Je les hais plus que les prêtres. J'aime à les tuer. Et leur fendre la panse. J'aime voir ces bâtards mourir. À présent, décampe et meurs avant que je ne t'égorge.

Il courut annoncer à Peredur que nous étions des Saxons. Le roi avait cru recruter un équipage de Vikings danes et découvrait à présent que nous étions des Saxons de l'Ouest. Comme il n'en était point heureux, je dégainai Souffle-de-Serpent et en cognai la lame contre mon bouclier en bois de tilleul.

– Veux-tu te battre ou non ? lui fis-je demander par Asser.

Peredur décida qu'il voulait se battre, ou plutôt que nous nous battions pour lui. Nous continuâmes donc, à flanc de colline : celle-ci comportant plusieurs crêtes successives, ce fut tard dans l'après-midi que nous arrivâmes enfin au sommet et pûmes voir les talus d'herbe de Dreyndynas se profiler sur l'horizon. Une bannière y flottait, un triangle d'étoffe arborant un cheval blanc piaffant dans une verte prairie.

Je m'arrêtai. La bannière de Peredur était une queue-de-loup accrochée à une perche. Je n'en portais aucune mais, comme tous les Saxons, la mienne aurait été un rectangle. Je ne connaissais qu'un peuple aux bannières en triangle. Je me tournai vers le frère Asser qui montait, en sueur.

– Ce sont des Danes ? l'accusai-je.

– Et alors ? demanda-t-il. Je te croyais dane, et tout le monde sait que les Danes combattent pour l'argent, même d'autres Danes. Mais serais-tu effrayé, Saxon ?

– Ta mère ne t'a point enfanté mais pété par son trou du cul ridé, répondis-je.

– Tu as pris l'argent de Peredur. Aussi dois-tu combattre.

– Un mot de plus, moine, et je coupe tes couilles inutiles.

Je levai les yeux vers le sommet. Tout avait changé depuis que j'avais vu la bannière au cheval blanc : au lieu de combattre des sauvages bretons à peine armés, nous allions nous en prendre à tout un équipage de redoutables Danes.

– Nous sommes dans le pétrin, me dit Leofric.

– Jusqu'au cou.

– Que faisons-nous ? Nous nous retournons contre eux et prenons l'argent ?

Je ne répondis pas, car les Danes avaient ouvert une partie de la palissade et trois hommes l'avaient franchie pour courir vers nous. Ils voulaient parlementer.

– Qu'est-ce donc que cela ? demanda Leofric.

Il regardait fixement le chef des Danes. C'était un homme de haute taille, aussi robuste que Steapa Snotor, vêtu d'une cotte de mailles polie au sable et étincelante. Son casque, aussi brillant qu'elle, portait une visière en forme de mufle de sanglier, et au sommet flottait le panache d'une queue de cheval. Il portait des bracelets par-dessus sa cotte, d'argent et d'or, qui le proclamaient comme un grand guerrier, un Dane à l'épée, un seigneur de guerre. Il marchait comme s'il possédait la colline, et en vérité elle était à lui puisqu'il tenait le fort.

Asser se précipita à la rencontre des Danes avec Peredur et deux de ses courtisans. Je les rejoignis et trouvai le moine en train de tenter de convertir les Danes. Il leur disait que Dieu nous avait envoyés pour les massacrer et qu'il valait mieux pour eux qu'ils se rendent et cèdent leurs âmes païennes à Dieu.

– Nous vous baptiserons, et les cieux en seront fort réjouis.

Le chef des Danes ôta son casque. Son visage était presque aussi effrayant que son masque de sanglier : large, tanné par le soleil et le vent, avec le regard vide et sans expression d'un tueur. Âgé d'une trentaine d'années, il portait une barbe très courte et une cicatrice barrait sa joue gauche. Il confia son casque à l'un de ses hommes et, sans un mot, souleva le bas de sa cotte pour pisser sur le froc du moine, qui recula.

– Qui es-tu ? me demanda l'homme sans s'interrompre.

– Uhtred Ragnarson. Et toi ?

– Svein du *Cheval-Blanc*, répondit-il d'un ton de défi, comme si je ne pouvais que le connaître.

Je ne répondis rien. Était-ce le Svein dont on disait qu'il rassemblait des troupes en pays de Galles ? Que faisait-il ici, dans ce cas ?

– Tu es Svein d'Irlande ?

– Svein de Danemark, dit-il. (Il laissa retomber sa cotte et jeta un regard noir à Asser qui menaçait les Danes de la vengeance divine.) Si tu souhaites vivre, lui dit-il, ferme ta répugnante bouche. Ragnarson, reprit-il. Le comte Ragnar ? Ragnar Ravson ? Le Ragnar qui servait Ivar ?

– Lui-même.

– Alors tu es son fils saxon ?

– Certes. Et toi, tu es le Svein qui a amené ses hommes d'Irlande ?

– Je le suis, avoua-t-il.

– Et qui rassemble des forces en pays de Galles ?

– Je fais ce que je fais, dit-il sans plus de précision.

Il jaugea mes hommes puis me toisa, remarquant ma cotte, mon casque et surtout mes bracelets. Puis il me fit signe de le suivre à l'écart.

Asser objecta que rien ne pouvait être dit hors de la présence de tous, mais je l'ignorai et suivis Svein.

– Tu ne peux prendre ce fort, dit-il.

– C'est vrai.

– Alors que fais-tu ?

– Je retourne au village de Peredur, bien sûr.

– Et si je l'attaque ?

– Tu le prendras, mais tu perdras des hommes, une douzaine peut-être.

– Cela fera autant de moins aux rames, dit-il, songeur. Est-ce là le prix de ton concours ? demanda-t-il en désignant les deux hommes qui portaient le coffre.

– Oui.

– Partageons, suggéra-t-il.

J'hésitai à peine.

– Partageons aussi ce que nous trouverons au village.

– Accordé. (Il regarda Asser qui chuchotait à l'oreille de Peredur.) Il sait ce que nous faisons, aussi va-t-il falloir le tromper.

71

Je n'avais toujours pas compris qu'il me frappa violemment en plein visage. Je portai la main à mon épée, et deux de ses hommes accoururent, lames au poing.

– Je viendrai te rejoindre, dit-il à voix basse. (Puis, plus fort :) Espèce de crotte de chèvre !

Je crachai sur lui tandis que ses hommes faisaient mine de m'entraîner, puis je revins vers Asser.

– Nous allons tous les tuer ! dis-je férocement. Tous !

– Que t'a-t-il dit ? demanda Asser. (Il craignait, légitimement, que Svein et moi ayons conclu une alliance, mais la petite comédie de Svein l'avait fait douter et je le rassurai encore en m'emportant et en criant à Svein qui s'en allait que je donnerais son âme en pâture à Hel, la déesse des Morts.) Vas-tu combattre ? demanda le moine.

– Mais bien sûr ! hurlai-je avant de rejoindre Leofric. Nous sommes du côté des Danes, lui dis-je à mi-voix. Nous tuons ces Bretons, nous nous emparons de leur village et nous partageons avec les Danes. Dis-le discrètement aux hommes.

Fidèle à sa parole, Svein fit une sortie avec ses hommes. Cela aurait dû mettre la puce à l'oreille d'Asser et de Peredur, car nul homme sensé n'abandonnerait une position si bien défendue pour se battre à découvert. Mais ils crurent à une arrogance de Dane : Svein fit parader ses hommes à cheval, laissant entendre qu'il voulait déchiqueter notre mur de boucliers avec ses épées et ses haches avant de lancer ses cavaliers sur les rescapés. Il dressa lui aussi un mur de boucliers devant ses chevaux. J'en fis autant sur le flanc gauche de Peredur, puis nous commençâmes à nous hurler des insultes. Leofric passait dans nos rangs en informant nos hommes, et j'envoyai Cenwulf et deux autres à l'arrière en faire autant. À cet instant, Asser accourut.

– Attaque ! exigea-t-il.

– Quand nous serons prêts, dis-je, attendant que Leofric ait donné ses ordres à tous.

– Attaque maintenant ! cracha le moine.

Je faillis l'éventrer, et cela m'aurait épargné bien des peines par la suite, mais je me retins et Asser retourna auprès de Peredur pour prier, les mains levées au Ciel, que Dieu envoie le feu divin consumer ces païens.

– Tu as confiance en Svein ? demanda Leofric en me rejoignant.

– Oui.

Pourquoi ? Parce qu'il était dane et que j'aimais les Danes. Peut-être Svein ne m'avait-il convaincu d'attaquer Peredur que pour pouvoir ensuite s'en prendre à nous, mais je n'y croyais pas. Et il y avait chez Peredur quelque chose que je convoitais : pour l'obtenir, je devais le trahir.

– *Fyrdraca* ! hurlai-je.

À ce signal, nous nous retournâmes et nous jetâmes sur les hommes de Peredur. Ce ne fut pas une bataille, mais un massacre. Deux des hommes de Peredur résistèrent un peu, mais Leofric écarta leurs lances d'un coup de hache puis les abattit. Peredur tomba sous mon épée sans résister, si résigné à mourir que je lui fis ce plaisir. Cenwulf et ses deux compagnons exécutèrent leurs ordres et s'emparèrent du coffre d'argent. Nous les rejoignîmes alors que les cavaliers de Svein chassaient les fuyards. Le seul à s'échapper fut le moine Asser. Voyant les cavaliers de Svein devant lui, il passa en courant devant nous, troussant son froc. Je criai à mes hommes de le tuer, mais ils le laissèrent aller.

– Je vous ai dit de le tuer ! aboyai-je.

– C'est un moine, répondit l'un d'eux. Veux-tu que je sois damné ?

Je vis Asser s'enfuir dans la vallée, et en vérité je ne me souciais guère de son sort. Je pensais que les cavaliers de Svein l'attraperaient, mais peut-être ne le virent-ils pas. Ils décapitèrent le père Mardoc d'un coup d'épée, et quelques-uns de mes hommes se signèrent.

Pendant ce temps, les autres Danes avaient fait le mur de boucliers devant nous ; au centre, sous sa bannière au

73

cheval blanc, se tenait Svein lui-même avec son casque. Son bouclier portait le cheval blanc et il brandissait la hache la plus grosse que j'aie jamais vue. Mes hommes frémirent.

– Ne bougez pas ! leur criai-je.

– Jusqu'au cou, te dis-je, fit Leofric.

Svein nous fixait et je voyais dans son regard la flamme de la mort. Il était d'humeur à tuer et nous étions saxons. Ses hommes frappèrent leurs boucliers et je lançai dans les airs Souffle-de-Serpent, si haut que sa lame brilla dans le soleil et que chacun se demanda si je pourrais la rattraper.

J'y parvins, fis un clin d'œil à Svein et la rengainai. Il éclata de rire et comprit qu'il ne pouvait se permettre de perdre des hommes en s'en prenant à nous.

– Pensais-tu vraiment que j'allais t'attaquer ? cria-t-il.

– Je l'espérais, rétorquai-je, ainsi je n'aurais pas eu à partager le butin avec toi.

Il lâcha sa hache et vint nous rejoindre. Je l'étreignis. De part et d'autre, les hommes abaissèrent leurs armes.

– Allons-nous nous emparer du village de ce gueux ? demanda-t-il.

Nous redescendîmes donc tous. Personne ne gardant le village, il fut facile d'y pénétrer. Quelques hommes, très peu, tentèrent de défendre leurs maisons. La plupart avaient couru vers la grève, mais ils ne disposaient pas d'assez de bateaux pour fuir. Les hommes de Svein les acculèrent et commencèrent à trier les personnes utiles et les morts : les premiers étaient les jeunes femmes et les adultes destinés à être vendus comme esclaves.

Je ne m'en mêlai pas. Avec tous mes hommes, je me rendis à la demeure de Peredur. Certains Danes, songeant que là se trouverait l'argent, nous suivirent, mais je fus le premier à pousser la porte et à y trouver Iseult.

Je jure qu'elle m'attendait, car son visage ne montra ni crainte ni surprise. Elle était assise sur le trône du roi et se leva comme pour me souhaiter la bienvenue. Puis elle ôta de son cou, de ses bras et de ses chevilles ses bijoux d'argent et me les tendit sans un mot.

– Partage avec Svein, dis-je à Leofric en les lui confiant.

– Et elle ? s'amusa-t-il. Tu comptes aussi la partager ?

Pour toute réponse, j'ôtai sa cape à Iseult. Elle portait une robe noire. De mon épée, je déchirai dans la cape une lanière dont je nouai une extrémité à son cou et l'autre à ma ceinture avant de lui rendre sa cape.

– Elle est mienne, dis-je.

D'autres Danes arrivaient et certains fixaient avidement Iseult quand Svein entra et leur ordonna de creuser à la recherche d'argent caché. Il sourit en voyant la laisse d'Iseult.

– Tu peux l'avoir, Saxon, dit-il. Elle est jolie, mais je les préfère avec plus de chair sur les os.

Je gardai Iseult auprès de moi lorsque nous festoyâmes cette nuit-là. Il y avait au village quantité d'ale et d'hydromel, et Svein et moi ordonnâmes à nos hommes de ne pas se battre entre eux. Cependant, quelques-uns se querellèrent pour les femmes capturées ; l'un des garçons que j'avais emmenés de mes terres prit un coup de couteau dans le ventre et mourut au matin.

– C'est Alfred qui t'envoie ? demanda Svein, amusé que nous soyons saxons.

– Non.

– Il ne veut point se battre, n'est-ce pas ?

– Il se battra, dis-je, mais il pense que son dieu se battra pour lui.

– Alors il est idiot. Les dieux ne font pas notre travail, hélas ! Que fais-tu ici, alors ?

– Je cherche de l'argent, tout comme toi.

– Je cherche des alliés.

– Des alliés ?

Il était assez ivre pour parler plus librement, et je compris que c'était bien le Svein dont on disait qu'il rassemblait des hommes en pays de Galles. Il l'admit, ajoutant qu'il ne disposait pas d'un nombre suffisant de guerriers.

– Guthrum peut mener deux mille hommes à la bataille. Je ne puis rivaliser.

Il était donc contre Guthrum, songeai-je.

– Penses-tu que les hommes de Cornwalum combattront avec toi ? demandai-je.

– Ils l'ont promis. C'est pourquoi je suis ici. Mais ces bâtards ont menti. Callyn n'est point roi, mais chef d'un village ! Je perds mon temps, ici.

– À nous deux, pourrions-nous battre Callyn ?

– Nous le pourrions, dit-il après réflexion.

Il fronça soudain les sourcils en fixant la pénombre, et je vis qu'il regardait un de ses hommes tenant une fille sur ses genoux. D'évidence, elle lui plaisait. Il frappa la table, la désigna et fit signe à l'homme qui la lui amena à contrecœur. Svein l'assit, dégrafa sa tunique pour voir ses seins et lui donna une chope d'ale.

– J'y songerai, me dit-il.

– Ou bien est-ce à m'attaquer que tu songes ?

– Tu es Uhtred Ragnarson, sourit-il. Et j'ai entendu le récit de la bataille à la rivière où tu as tué Ubba.

J'avais manifestement plus grande réputation chez mes ennemis que parmi mes prétendus amis. Sur l'insistance de Svein, je racontai la mort d'Ubba, disant la vérité : Ubba avait trébuché, était tombé, ainsi avais-je pu le tuer.

– Mais on dit que tu as bien combattu, déclara Svein.

Iseult écoutait tout cela. Elle ne parlait point notre langue, mais elle semblait comprendre chaque mot. Après le festin, je l'emmenai au fond de la demeure. Alors, elle m'entraîna en tirant sur sa laisse improvisée dans sa petite chambre aux murs de bois, où je fis une couche de nos capes.

– Quand ce sera fait, lui dis-je dans la langue qu'elle ignorait, tu auras perdu ton pouvoir.

Elle porta un doigt à mes lèvres, et comme elle était reine j'obéis et me tus.

Au matin, nous achevâmes le saccage de la ville. Iseult me montra quelles maisons recelaient des objets de valeur : nous dûmes les démolir, car les gens cachent leurs petits trésors dans le chaume. Rats et souris décampèrent tandis que nous arrachions la paille pour la fouiller, puis nous creusâmes chaque foyer et rassemblâmes tout ce qui était en métal, de la marmite à l'hameçon, et cela nous prit toute la journée. La nuit venue, nous partageâmes le butin sur la grève.

Une fois dégrisé, Svein avait d'évidence réfléchi à propos de Callyn.

– Nous pourrons le battre facilement, dit-il, mais nous perdrons des hommes. Et il n'a guère de biens, ajouta-t-il avec mépris.

– Il te paie ?

– Il me paie, tout comme Peredur t'a payé.

– J'ai partagé cela avec toi.

– L'argent qu'il t'a versé avant de combattre, tu ne l'as pas partagé.

– Quel argent ? demandai-je.

– Nous sommes donc quittes, dit-il.

Nous avions bien bénéficié de la mort de Peredur, car Svein avait des esclaves et nous possédions chacun plus de neuf cents shillings d'argent et de métal. Ce n'était pas une fortune, surtout après le partage entre tous les hommes, mais c'était ce que j'avais reçu de mieux durant ce voyage. Et j'avais Iseult. Je ne la tenais plus en laisse, mais elle restait à côté de moi et je la sentais heureuse. Elle avait pris un malin plaisir à voir détruite sa demeure, j'en déduisis qu'elle devait haïr Peredur. Il la craignait et elle le détestait. S'il était vrai qu'elle pouvait voir l'avenir, elle avait donc donné à son mari un mauvais conseil afin que cet avenir se réalise.

– Où vas-tu aller maintenant? demanda Svein, alors que nous marchions sur la grève et que les esclaves entassés nous regardaient avec reproche.

– J'ai dans l'idée d'aller en mer de Sæfern.

– Il ne reste rien, là-bas.

– Rien?

– Le lieu est exsangue. Danes et Norses ont pillé les côtes. Tu ne trouveras que les navires qui amènent nos hommes d'Irlande.

– Pour attaquer le Wessex?

– Non, sourit-il. J'ai dans l'idée de commencer à commercer avec les royaumes gallois.

– Et moi d'emmener mon navire dans la Lune et d'y construire un château.

Il éclata de rire.

– Mais puisque tu parles du Wessex, j'ai ouï dire qu'on bâtit une église là où tu as tué Ubba.

– Je l'ai ouï dire aussi.

– Une église à l'autel fait d'or.

– On le dit, concédai-je.

Je ne laissai pas transparaître ma surprise de le voir connaître les projets d'Odda le Jeune, mais je n'avais nul lieu de l'être. Rumeur d'or ne pouvait se répandre que comme mauvaise graine.

– On le dit, mais je ne le crois pas.

– Les églises sont riches, dit-il pensivement. Mais c'est un lieu étrange pour en bâtir une.

– Et pourquoi?

– Si proche de la mer? Si facile à attaquer?

– Peut-être veulent-ils que vous attaquiez et ont-ils des hommes pour la défendre.

– Un leurre, crois-tu?

– Guthrum n'a-t-il pas donné ordre que les Saxons ne soient pas provoqués?

– Guthrum peut ordonner ce qui lui chante, répondit-il durement. Je suis Svein du *Cheval-Blanc*, et je ne prends pas d'ordre de Guthrum.

Nous continuâmes notre marche devant les filets que les pêcheurs massacrés avaient tendus à sécher.

– On dit qu'Alfred n'est point sot.

– Et c'est vrai.

– S'il a déposé des biens de valeur près de la mer, il ne les laissera point sans garde.

C'était un guerrier, mais comme les meilleurs il n'était pas fou. En parlant des Danes, de nos jours, on dit d'eux qu'ils étaient des sauvages païens qui attaquaient sans réfléchir, mais la plupart étaient comme Svein et craignaient de perdre des hommes. Ce fut toujours la grande crainte des Danes et leur faiblesse. Le vaisseau de Svein, le *Cheval-Blanc*, possédait un équipage de cinquante-trois hommes ; si une dizaine étaient tués ou grièvement blessés, le navire aurait été affaibli. Dans la bataille, bien sûr, Svein était comme tous les Danes, terrifiant ; mais il réfléchissait beaucoup avant de se battre.

Nous attendîmes une journée que Svein ait réglé ses affaires avec Callyn, en profitant pour vendre peaux et étain aux marchands. Bien que nous n'en ayons pas tiré beaucoup, c'était mieux de se charger d'argent que d'une cargaison encombrante. Le *Fyrdraca* étincelait d'argent, désormais, et les hommes, sachant qu'ils en toucheraient leur part, étaient heureux. Haesten voulait partir avec Svein, mais je refusai.

– Je t'ai sauvé la vie, lui rappelai-je, et tu dois me servir encore pour m'en payer.

Il accepta et fut content de recevoir un autre bracelet en récompense pour les hommes qu'il avait tués à Dreyndynas.

Le *Cheval-Blanc* était plus petit que le *Fyrdraca*. Sa proue portait une tête de cheval, et sa poupe une tête de loup, tandis que le mât s'ornait d'une girouette à tête de cheval. Je lui en demandai la raison ; il éclata de rire.

– Quand j'avais seize ans, dit-il, j'ai joué l'étalon de mon père contre le cheval blanc de notre roi. J'ai dû battre le champion du roi à la lutte et à l'épée. Mon père m'a battu pour avoir fait ce pari, mais j'ai gagné ! Aussi le cheval blanc est-il mon porte-bonheur. Je n'en monte point d'autres.

– Nous restons avec lui ? demanda Leofric à notre retour, intrigué de nous voir partir vers l'ouest plutôt que vers le Defnascir.

– J'ai dans l'idée de voir où finit l'Anglie, dis-je.

Je n'avais aucun désir de retrouver l'Uisc et Mildrith.

Svein chargea les esclaves dans son bateau. Nous passâmes une dernière nuit dans la baie où s'élevait la fumée des incendies, et partîmes à l'aube. Alors que nous passions le cap ouest, vers le large, je vis un guetteur sur une falaise. Il portait un froc noir : bien qu'il se trouvât fort loin, il me sembla reconnaître Asser. Iseult le vit aussi, et siffla comme un chat en brandissant le poing, ouvrant les doigts comme pour lui jeter un sort.

Puis je l'oubliai, parce que le *Fyrdraca* avait retrouvé la mer et que nous allions au bout du monde. Et que j'avais une reine de l'ombre pour compagne.

4

J'aime la mer. J'ai grandi à côté d'elle, même si dans mes souvenirs la mer de Bebbanburg est grise, souvent maussade et rarement baignée de soleil. Elle n'est en rien comme les grandes vagues qui déferlent d'au-delà des îles des Morts et s'abattent en grand fracas sur les rochers de l'ouest de l'Anglie. Là-bas, la mer se soulève comme si les dieux de l'océan bandaient leurs muscles, les oiseaux blancs crient sans cesse et le vent projette des nuages d'embruns contre les falaises. Le *Fyrdraca*, filant dans ce vent, laissait un sillon dans les flots. La rame du gouvernail me résistait, vibrant sous la force de l'eau, les tressautements du navire et la joie du voyage. Iseult me regardait, étonnée de mon bonheur, mais je lui confiai la rame et regardai son frêle corps tressaillir sous la puissance de la mer. Comprenant alors la force de cette rame qui pouvait gouverner le navire, elle éclata de rire.

– Je voudrais vivre en mer, lui dis-je, bien qu'elle ne me comprît pas.

Je lui avais offert un bracelet pris dans le trésor de Peredur, un anneau d'orteil en argent et un collier de dents de monstre, longues, blanches et acérées, enfilées sur un fil d'argent.

Je me retournai pour suivre du regard le *Cheval-Blanc*
de Svein qui fendait l'eau. Parfois, sa proue brisait une
vague : alors, l'avant de la coque, verdie par les algues,
s'élevait vers le Ciel, la tête de cheval défiant le soleil,
avant de retomber dans une gerbe d'écume blanche. Ses
rames, comme les nôtres, étaient rentrées, et les écoutilles
bouchées. Nous voguions l'un et l'autre sous voile. Le
Fyrdraca était plus rapide, non parce qu'il était plus habilement construit mais en raison de sa coque plus longue.

Il y a vif plaisir dans un bon navire, et plus grand
encore lorsque son ventre est plein de l'argent volé aux
autres. Telle est la joie du Viking, qui mène une proue
couronnée d'une tête de dragon, dans une mer battue par
les vents, vers un avenir rempli de festins et de rires. Les
Danes me l'avaient enseigné et je les aimais pour cela,
même s'ils étaient des porcs païens. Pour l'heure,
devançant le *Cheval-Blanc*, j'étais le plus heureux des
hommes, libéré des clercs, des lois et des devoirs du
Wessex d'Alfred. Je donnai ordre d'affaler la voile.
Nous étions arrivés au bout de l'Anglie et j'allais faire
demi-tour. Je fis mes adieux à Svein qui nous dépassait.
Il me rendit mon salut tandis que le *Fyrdraca* se balançait dans la houle.

– Tu en as assez vu ? me demanda Leofric.

Je contemplais le bout de l'Anglie où les rochers subis-
saient l'assaut des vagues.

– Penwith, dit Iseult, me donnant le nom breton de
ce cap.

– Tu veux rentrer ? demandai-je à Leofric.

Il haussa les épaules. L'équipage repliait la voile. Les
rames étaient sorties pour retourner à l'est et le *Cheval-
Blanc* rapetissait en s'enfonçant dans la mer de Sæfern.
Je l'enviais.

– J'ai besoin de m'enrichir, répondis-je à Leofric, qui
éclata de rire. J'ai un chemin à suivre, qui va au nord.
Vers Bebbanburg, qui n'a jamais été prise, et j'ai besoin

de beaucoup d'hommes pour m'en emparer. Des hommes valeureux et de bonnes épées.

– Nous avons de l'argent.

– Pas assez, regrettai-je.

Le navire de Svein n'était maintenant plus qu'une petite voile sur la mer, et je fus de nouveau tenté de rejoindre les Danes, d'attendre que Ragnar soit libre pour lui offrir mon bras. Mais il m'aurait fallu me battre contre Leofric, et j'aurais toujours besoin d'argent et d'hommes pour rentrer au nord et réclamer mon dû. Je touchai le marteau de Thor, guettant un signe.

Iseult cracha. Ce n'était pas ce que j'attendais. Elle prononça un mot ressemblant à un raclement de gorge et tendit le bras. Je vis dans l'eau un étrange poisson qui sortait le dos des vagues : aussi gros qu'un chien, il avait une nageoire triangulaire.

– Un marsouin, dit Leofric.

– *Llamhydydd*, répéta Iseult, donnant au poisson son nom breton.

– Ils portent chance aux marins, reprit Leofric.

C'était la première fois que je voyais un marsouin, et soudain ils furent une dizaine. Leurs dos gris luisaient au soleil et ils nageaient tous vers le nord.

– Hissez de nouveau la voile, dis-je à Leofric.

Il me fixa, interdit. L'équipage sortait les rames pour les mettre en place.

– Tu veux qu'on la hisse de nouveau ? demanda-t-il.

– Nous partons vers le nord.

J'avais demandé un signe à Thor et il m'avait envoyé le marsouin.

– Il n'y a rien dans la mer de Sæfern, Svein te l'a dit.

– Il m'a dit qu'il n'y avait rien à piller, parce que les Danes ont tout pris. Il y a donc des Danes à piller. (Je sentis monter en moi une telle joie que je pris Leofric et Iseult par l'épaule.) Il m'a dit que leurs navires venaient d'Irlande.

– Et alors ?

– Des Danes venant d'Irlande pour attaquer le Wessex !
Si tu amenais un équipage de là-bas, que prendrais-tu
avec toi ?

– Tout ce que je possède, répondit-il sans s'émouvoir.

– Et ils ne savent pas que nous sommes ici ! Ils sont les
moutons, et nous le dragon de feu.

– Tu as raison, sourit-il.

– Bien sûr que oui ! Je suis un seigneur ! J'ai raison et je
vais être riche ! Nous allons tous l'être ! Nous mangerons
dans des plats d'or, nous pisserons dans la gorge de nos
ennemis et nous ferons nos putains de leurs femmes, continuai-je en m'élançant pour défaire les cordages de la voile.
Nous serons tous riches, avec des chaussures d'argent et
des bonnets d'or. Plus riches que rois ! Nous nagerons dans
l'argent, nous noierons nos putains dans l'or et nous chie-
rons boules d'ambre ! Remontez ces rames ! Nous partons
au nord et nous serons riches comme évêques, tous autant
que nous sommes !

Les hommes sourirent, ravis de mon enthousiasme, car
les hommes aiment être dirigés. Ils craignaient cependant
de partir vers le nord, car nous allions perdre de vue la
terre. Je ne m'étais jamais autant éloigné moi non plus et
j'avais peur, car Ragnar l'Ancien m'avait souvent raconté
les légendes de Norses tentés par la vaste mer, allant toujours plus loin à l'ouest. Il disait qu'il y avait des terres,
là-bas, au-delà des îles des Morts, des terres peuplées de
fantômes. Je ne sais s'il disait vrai. Je suis sûr, en revanche, de l'avoir entendu affirmer que bien des vaisseaux
n'étaient jamais revenus. Ils font voile vers le couchant et
continuent parce qu'ils ne supportent pas de faire marche
arrière, et ils arrivent là où les navires perdus meurent
dans les ténèbres du bout du monde.

Pourtant, le monde ne finissait pas au nord. Je le savais,
même si j'ignorais ce qui se trouvait là-bas. Il y avait
Dyfed, quelque part, et l'Irlande, et d'autres lieux aux

noms barbares peuplés de sauvages vivant comme des chiens affamés sur les côtes, mais aussi une vaste mer et d'énormes vagues à perte de vue. Aussi, quand la voile fut hissée et que le vent poussa le *Fyrdraca* vers le nord, je pesai sur la rame pour le garder à l'est, de peur de me perdre dans l'immensité de l'océan.

– Tu sais où nous allons ? demanda Leofric.

– Non.

– Tu t'en soucies ?

Je souris pour toute réponse. Le vent, jusque-là au sud, avait tourné au nord, et, la marée nous entraînant à l'est, dans l'après-midi j'aperçus la terre. Ce devait être celle des Bretons au nord de la Sæfern, mais quand nous approchâmes, je vis que c'était une île. Je découvris plus tard que les Norses l'appelaient Lundi, car c'est ainsi qu'ils appellent le puffin, qui peuplait en grand nombre les hautes falaises.

Je descendis à terre avec Iseult et nous fouillâmes les terriers des puffins pour y prendre des œufs. Comme ils étaient tous éclos, nous nous contentâmes de tuer deux chèvres pour notre dîner. Nul n'habitait plus l'île, mais nous trouvâmes les vestiges d'une petite église et des tombes. Les Danes avaient tout brûlé, abattu l'église et profané les tombes pour y trouver de l'or. Nous gravîmes une colline d'où je scrutai la mer, mais je ne vis nul navire et il me sembla distinguer une terre au sud. Difficile d'en être sûr, car l'horizon était couvert de nuages noirs, mais une bande plus sombre aurait pu signifier des collines, et je pensai qu'il s'agissait du Cornwalum ou de quelque partie occidentale du Wessex. Iseult fredonnait à mi-voix.

Je la regardai. Elle était en train de vider l'une des chèvres, maladroitement, car elle n'était pas accoutumée à une telle tâche. Elle était mince, si mince qu'elle ressemblait à l'*ælfcynn*, la race des elfes, mais elle était heureuse. Peredur avait fait d'elle une reine, mais il la gardait prisonnière dans son château afin que nul ne profite de ses pouvoirs. Des gens le payaient pour entendre les prophéties d'Iseult, et Callyn avait attaqué son voisin pour se l'approprier. Les reines de l'ombre étaient précieuses pour les Bretons, car elles étaient liées aux anciens mystères, aux forces qui avaient dominé le pays avant l'arrivée des moines, et Iseult était l'une des dernières. Elle était née dans l'ombre du soleil, mais elle était désormais libre. J'allais découvrir qu'elle avait une âme sauvage comme un faucon. La pauvre Mildrith désirait l'ordre et l'habitude. Que le château soit balayé, les vêtements propres, les vaches traites, que le soleil se lève et se couche sans que rien vienne à changer. Iseult était différente. Elle était étrange, née de l'ombre, pleine de mystère. Tout ce qu'elle put me dire ces premiers jours me fut incompréhensible, mais sur l'île, au couchant, alors que je terminais de vider la chèvre, elle prit des brindilles et tissa une petite cage. Elle me la montra, la brisa, puis, de ses longs doigts blancs, mima un oiseau qui s'envole avant de pointer l'index sur sa poitrine et de jeter les brindilles en riant.

Le lendemain, de la terre, je vis deux petits navires qui remontaient au nord. C'étaient probablement des marchands de Cornwalum poussés par le vent du sud-est vers le rivage caché où je pensais que se trouvait Svein.

Nous les suivîmes. Le temps que nous ayons regagné le *Fyrdraca*, remonté l'ancre et quitté l'île à la rame, ils avaient presque disparu. Mais une fois la voile hissée, nous les rattrapâmes. Ils durent être terrifiés en voyant un navire dragon surgir de derrière l'île, mais je baissai un peu la voile pour ralentir et nous les suivîmes presque toute la journée jusqu'à apercevoir une ligne gris bleu à l'horizon. La terre. Nous mîmes pleine voile et dépassâmes les deux petits navires ventrus. C'est ainsi que j'arrivai pour la première fois sur le rivage des Galles.

Nous jetâmes l'ancre dans une anse étroite. Des rochers en gardaient l'entrée, mais à l'intérieur nous étions abrités du vent et des vagues. Nous tournâmes le navire vers la mer et dormîmes à bord, hommes et femmes allongés sous les bancs de nage. Elles étaient une douzaine, toutes des captives de la tribu de Peredur, et l'une d'elles parvint à s'enfuir cette nuit-là. Ce n'était pas Iseult. Elle dormait avec moi dans le petit espace sous la plate-forme du gouvernail, l'ouverture masquée par une cape. Leofric me réveilla à l'aube, inquiet que la fuyarde donne l'alerte.

– Nous ne resterons pas longtemps, répondis-je en haussant les épaules.

Mais nous demeurâmes tout le jour. Je voulais prendre en embuscade les navires qui passeraient le cap et nous en vîmes deux, mais ils voyageaient de conserve et je ne pouvais en attaquer plus d'un à la fois.

Deux cavaliers vinrent nous observer dans l'après-midi. L'un portait une chaîne étincelante au cou, indiquant son haut rang, mais ils ne s'approchèrent pas du rivage. Ils restèrent à l'entrée de la petite vallée donnant sur la crique et partirent peu après. Le soleil était bas, mais c'était l'été et les journées étaient longues.

– S'ils amènent des hommes… commença Leofric.

Je levai les yeux vers les hautes falaises encadrant la crique. On pouvait projeter des rochers de là-haut et fracasser le *Fyrdraca* comme un œuf.

– Nous pourrions y poster des sentinelles, dis-je.

Au même moment, Eadric, celui qui menait les hommes des bancs de tribord, cria qu'il apercevait un navire. J'accourus.

C'était la proie rêvée. Un gros navire, pas aussi grand que le nôtre, si lourdement chargé qu'il était bas sur l'eau. Il avait tant de monde à bord que, malgré le vent léger, l'équipage n'avait pas osé hisser la voile, de peur de le faire périlleusement gîter. Il avançait à la rame et s'approchait du rivage, cherchant un ancrage pour la nuit, et venait de voir que nous occupions déjà la place. Une vigie nous aperçut tandis que nous nous armions et que je criais à Haesten de prendre la barre. Il savait quoi faire et j'avais confiance en lui, même si certains de ses compatriotes allaient trouver la mort. Nous coupâmes nos amarres et Leofric m'apporta cotte, casque et bouclier.

– En avant ! criai-je.

Les rames frappèrent l'eau et le *Fyrdraca* s'élança. Je fixai le navire désormais si proche, à la proue ornée d'une gueule de loup, et je vis des hommes et des femmes nous regarder, incrédules. Ils croyaient voir un navire dane, l'un des leurs, et pourtant nous les attaquions. Un homme cria, et tous cherchèrent leurs armes. Leofric encouragea nos rameurs et le *Fyrdraca* bondit de plus belle. Puis je criai aux hommes de lâcher les rames et de venir à la proue, où Cenwulf et ses douze hommes étaient déjà prêts, quand notre coque heurta les rames de l'ennemi et les brisa.

Haesten avait bien œuvré. Je sautai à bord du navire à gueule de loup, suivi de Cenwulf et de ses hommes, et nous commençâmes le carnage.

Ils étaient plus nombreux que nous, mais épuisés par toute une journée passée à ramer. Ils étaient pris de court, et nous avions soif d'or. Ce n'était pas notre premier abordage, l'équipage bien entraîné faisait tournoyer haches et épées. L'eau qui passait par-dessus bord et où nous pataugions jusqu'aux genoux se teinta de rouge. Certains sautèrent à la mer et s'agrippèrent aux débris de rames dans l'espoir de nous échapper. Un homme barbu, à l'œil féroce, nous attaqua de sa grande épée : Eadric lui planta sa lance en pleine poitrine et Leofric lui fracassa le crâne de sa hache. Le sang gicla sur la voile repliée. Un homme se jeta sur moi avec sa lance. Je parai de mon bouclier, l'écartai et lui plantai Souffle-de-Serpent en plein visage.

Deux chevaux attachés dans la cale hennirent en sentant l'odeur du sang. L'un d'eux rompit sa longe et sauta par-dessus bord pour s'enfuir à la nage vers le large.

– Tuez-les ! Tues-les ! m'entendis-je hurler.

C'était le seul moyen de prendre un navire, le vider de ses combattants, mais il se vidait tout seul : les survivants sautaient sur les rochers et s'enfuyaient dans les vagues rougies de sang. Une demi-douzaine d'hommes restés à bord du *Fyrdraca* le tenaient à l'écart des rochers à bout de rames. Je sentis une lame sur ma cheville : un homme tentait de me trancher les jarrets avec un couteau. Je le déchiquetai à coups d'épée et je crois qu'il fut le dernier Dane à mourir sur le bateau.

Je criai à mes hommes de rapprocher le *Fyrdraca* et nous jetâmes à son bord notre butin de sacs, caisses et tonneaux. Ils étaient lourds, et certains tintaient de pièces. Nous dépouillâmes l'ennemi de tous ses biens, prenant neuf cottes de mailles et une douzaine de casques. Je pris huit bracelets sur des cadavres. Nous jetâmes les armes à notre bord puis nous coupâmes les gréements du navire ennemi, et je libérai le deuxième cheval, qui resta tout tremblant dans l'eau qui montait. Nous nous emparâmes des cordages et de la voile sous les yeux des survivants réfugiés sur des rocs. Sous la plate-forme du gouvernail, je trouvai un splendide casque de guerre à la visière ornée, surmonté d'une tête de loup en argent. Je jetai le mien sur le *Fyrdraca* et enfilai celui-là avant de charger des sacs de pièces. Dessous, je découvris ce que je pris pour un petit bouclier, enveloppé d'un linge noir. Je jetai le tout à mon bord. Nous étions riches.

– Qui es-tu ? cria un homme depuis le rivage.

– Uhtred ! m'écriai-je.

Il cracha et éclata de rire. Nous remontions à bord du *Fyrdraca*. Des hommes ramassaient des rames qui flot-taient et Leofric dégageait le navire, craignant qu'il ne soit pris dans les rochers.

– Remonte ! me cria-t-il.

J'étais le dernier. J'empoignai la proue du *Fyrdraca*, pris appui sur une rame et me hissai à son bord.

– Nagez ! hurla Leofric.

Et nous abandonnâmes l'épave.

Je trouvai deux jeunes femmes capturées pleurant au pied du mât. L'une parlait une langue inconnue et je découvris qu'elle était d'Irlande, mais l'autre était une Dane qui me cracha au visage et chercha à me griffer quand je m'agenouillai auprès d'elle. Je la giflai et elle voulut riposter. Elle était grande, robuste, avec une tignasse blonde et des yeux bleus étincelants. Elle cherchait à passer les doigts par les trous de la visière de mon nouveau casque et je dus de nouveau la gifler, ce qui fit rire mes hommes. Certains l'encourageaient, mais elle éclata en sanglots et se cramponna au mât. J'ôtai mon casque et lui demandai son nom, mais elle geignit qu'elle voulait mourir. Je lui répondis qu'elle pouvait se jeter à la mer, mais elle ne bougea pas. Elle se nommait Freyja, avait quinze ans, et le bateau que nous venions de couler appartenait à son père. C'était lui le grand gaillard à l'épée. Il s'appelait Ivar et possédait des terres à Dyflin. Freyja pleura de plus belle en voyant le casque que je lui avais pris.

– Il est mort sans se couper les ongles, m'accusa-t-elle, comme si j'étais responsable de cette malchance.

C'était cependant un grand malheur, car les sinistres créatures souterraines allaient se servir des ongles d'Ivar pour bâtir le navire qui un jour amènerait la fin du monde.

– Où alliez-vous ? lui demandai-je.

Retrouver Svein, bien sûr. Attiré par la perspective de terres en Wessex, Ivar avait abandonné son fief irlandais, chargé tous ses biens à bord de ses navires et fait voile vers l'est.

– Ses navires ?

– Nous sommes partis à trois, expliqua-t-elle, mais nous avons perdu les autres durant la nuit.

Sans doute étaient-ce ceux que j'avais vus plus tôt, mais les dieux nous avaient été favorables, car elle me confirma que son père avait chargé ses biens les plus précieux sur son propre navire. Nous avions maintenant des tonneaux de pièces et des caisses d'argent, d'ambre, de jais et d'ivoire, ainsi qu'armes et armures. Nous fîmes nos comptes en chemin et eûmes peine à croire à notre bonne fortune. L'une des caisses contenait de petits lingots d'or en forme de briques, mais ce que j'avais pris pour un bouclier enveloppé d'un linge noir était un grand plat d'argent ciselé d'un Christ en croix. Tout autour étaient représentés des saints. Douze au total. Sans doute étaient-ce les apôtres, et ce plat le trésor de quelque église ou monastère irlandais qu'Ivar avait volé. Je le montrai à mes hommes.

– Ceci, dis-je avec révérence, ne fera point partie du butin. Il doit être rendu à l'Église. (Leofric croisa mon regard, mais ne rit pas.) À l'Église, répétai-je.

Et certains de mes hommes, les plus pieux, murmurèrent que j'agissais justement. J'enveloppai le plat et le rangeai sous la plate-forme.

– À combien se monte ta dette envers l'Église ? me demanda Leofric.

– Tu as l'esprit d'un cul de chèvre, répondis-je.

Il éclata de rire.

– Que faisons-nous à présent ? questionna-t-il.

Je pensais qu'il demandait ce que nous allions faire de notre vie, mais il contemplait le rivage où, dans le crépuscule, je vis s'aligner des hommes armés en haut des falaises. Les Bretons de Dyfed étaient arrivés, mais trop tard. Pourtant, leur présence signifiait que nous ne pouvions retourner dans notre crique ; aussi ordonnai-je de mettre le cap à l'est. Les Bretons nous suivirent le long du rivage. La femme qui avait fui dans la nuit avait dû leur dire que nous étions des Saxons, et ils devaient prier pour que nous cherchions un abri à terre afin de nous tuer. Peu de navires restaient en mer durant la nuit, sauf s'ils y étaient contraints, mais je n'osai chercher un refuge et nous nous éloignâmes du rivage alors que le soleil rouge luisait entre les nuages et les embrasait comme si un dieu avait saigné dans les cieux.

– Que feras-tu de la fille ? me demanda Leofric.

– Freyja ?

– Est-ce son nom ? La veux-tu ?

– Non.

– Moi, si.

– Elle te dévorera tout cru, l'avertis-je.

Elle le dépassait d'une bonne tête.

– C'est ainsi que je les aime.

– Elle est à toi.

Nous avions perdu deux hommes et trois étaient blessés, mais c'était peu cher payé. Après tout, nous avions tué vingt ou trente Danes, et les survivants réfugiés sur le rivage ne seraient peut-être pas mieux traités par les Bretons. Mais, mieux que tout, nous étions riches et ce fut une consolation quand la nuit tomba.

Hoder est le dieu de la Nuit et je le priai. Je jetai à la mer en offrande mon ancien casque, car nous avions tous peur des ténèbres qui nous entouraient et que des nuages avaient envahi le Ciel. Ni lune ni étoiles. Je restai sur le pont à scruter la nuit, Iseult blottie contre moi sous ma cape, et je me rappelai son air ravi lorsque nous nous étions lancés dans la bataille.

L'aube fut grise, et la mer striée d'écume. Le vent était froid et nulle terre n'était en vue, mais deux oiseaux blancs nous survolèrent. Je les pris pour un signe et mis le cap vers l'endroit d'où ils venaient. Plus tard dans la journée, sur une mer houleuse et sous une pluie glacée, nous vîmes la terre. C'était de nouveau l'île des puffins, où nous pûmes jeter l'ancre et allumer un feu à terre.

– Quand les Danes sauront ce que nous avons fait… commença Leofric.

– Ils nous chercheront, achevai-je.

– Ils seront nombreux à le faire.

– Il est donc temps de rentrer.

Les dieux avaient été bons et le lendemain, sur une mer calmée, nous ramâmes vers le sud en direction de la côte que nous suivîmes vers l'ouest. Nous allions contourner le cap où nageaient les marsouins et retrouver notre pays.

Bien plus tard, je découvris ce qu'avait fait Svein après nous avoir quittés, car cela changea ma vie et exacerba le conflit entre Alfred et moi. Je le raconterai ici.

Je pense que la perspective d'un autel fait d'or à Cynuit lui avait rongé le cœur, car Svein emporta ce rêve jusqu'à Glwysing, où se rassemblaient ses hommes.

Svein ordonna à un second vaisseau de l'accompagner et ils attaquèrent Cynuit. Ils arrivèrent à l'aube, dissimulés par le brouillard, et j'imagine leurs navires à tête de fauve surgissant comme monstres de cauchemar. Ils remontèrent la rivière à force de rames, échouèrent les navires et débarquèrent, en cotte de mailles et casque, des Danes à la lance et à l'épée, et trouvèrent l'église et le monastère en chantier.

Les Danes brûlèrent tout et abattirent la grande croix de bois désignant le monastère, que les ouvriers avaient élevée en premier.

Ces ouvriers étaient des moines, novices pour la plupart, et Svein les rassembla en exigeant qu'ils lui montrent où étaient cachées les richesses, promettant merci s'ils disaient la vérité. Ils s'exécutèrent. Il n'y avait guère de biens de valeur, et point d'autel fait d'or, mais pour acheter leur bois et leurs vivres les moines avaient une caisse de sous d'argent qui fut suffisante pour les Danes. Après avoir abattu le peu qui avait été construit puis égorgé quelques bêtes, Svein demanda où Ubba était enseveli et nul ne répondit. Les épées furent dégainées, et la question posée à nouveau. Les moines durent avouer que l'église était bâtie juste au-dessus de la sépulture du chef défunt. En apprenant que l'ancien tumulus avait été aplani et le corps jeté à la rivière, les Danes perdirent toute pitié.

Les moines furent contraints de patauger dans la rivière pour y repêcher quelques ossements, qui furent placés sur un bûcher funèbre fait des bois des bâtiments en chantier. On dit qu'il était immense et qu'une fois allumé avec les ossements en son cœur, les moines y furent jetés à leur tour. Tandis que leurs corps brûlaient, les Danes choisirent deux filles capturées dans les cabanes des soldats, les violèrent et les étranglèrent, puis envoyèrent leurs âmes tenir compagnie à Ubba au Walhalla. Nous l'apprîmes de deux enfants qui survécurent cachés dans un buisson d'orties et de gens de la ville voisine qui furent traînés là pour assister au spectacle. « Svein du *Cheval-Blanc* a fait cela », leur dit-on, en leur demandant de le répéter. C'était la coutume dane de laisser des témoins de leurs exactions, afin qu'ils répandent la crainte chez ceux qui risquaient d'être attaqués. Et certes, l'histoire des moines brûlés et des filles étranglées se répandit dans tout le Wessex comme le vent dans les herbes sèches. On l'exagéra, comme toujours. Le nombre de moines morts passa de seize à soixante, les filles violées de deux à vingt, et l'argent de la caisse devint un trésor digne des dieux. Alfred envoya message à Guthrum, lui disant qu'il aurait toute raison d'exécuter les otages qu'il détenait. Et Guthrum lui fit porter un tribut d'or, lui restitua deux évangiles volés, accompagnés d'une lettre soumise où il disait que les deux vaisseaux n'étaient point siens, mais de pirates venus d'au-delà des mers. Alfred le crut, et ainsi les otages furent épargnés et la paix préservée, mais il ordonna qu'une malédiction soit prononcée contre Svein dans chaque église du Wessex. Le chef dane était damné pour l'éternité, et ses enfants comme les enfants de ses enfants porteraient la marque de Caïn. Je demandai à un prêtre ce que c'était et il m'expliqua que Caïn, fils d'Adam et Ève, était le premier meurtrier, mais il ignorait quelle marque il portait. Pour lui, Dieu la reconnaîtrait.

Et ainsi, les deux vaisseaux de Svein s'en furent, laissant un panache de fumée sur le rivage du Wessex, sans que j'en sache rien. Je l'apprendrais plus tard, mais pour l'heure je rentrai chez moi.

Nous partageâmes d'abord le butin, et, bien que Leofric et moi ayons reçu la plus grosse part, chacun repartit plus riche. Je restai avec Haesten et Iseult, que j'emmenai à Oxton, où Mildrith pleura de soulagement car elle me croyait mort. Je lui racontai que nous patrouillions la côte, ce qui était assez vrai, et que nous avions capturé un navire dane rempli de richesses. Je déversai pièces et lingots sur le sol, lui donnai un bracelet d'ambre et un collier de jais. Ces cadeaux lui firent oublier Iseult qui la contemplait de ses grands yeux noirs. Si Mildrith vit les bijoux que portait la jeune Bretonne, elle n'en dit rien.

Nous étions revenus à temps pour la récolte, qui fut maigre, car il avait beaucoup plu durant l'été. Le seigle était mangé par le mal noir et ne pouvait être donné même aux bêtes, mais la paille fut assez bonne pour chaumer le château que je construisis. J'ai toujours aimé bâtir. Je le fis d'argile, de gravier et de paille mêlés pour consolider les murs. Des poutres de chêne les étayaient et des lambourdes de même bois soutenaient un haut et long toit qui paraissait d'or une fois chaumé de frais. Les murs furent peints de chaux mêlée de sang de bœuf, qui leur donna la couleur du soleil couchant de l'été. La grande porte d'entrée faisait face à l'est et à l'Uisc, et je payai un homme d'Exanceaster pour sculpter poteaux et linteaux de loups couchants, car la bannière de Bebbanburg, la mienne, porte une tête de loup. Mildrith voulait que les sculptures représentent des saints, mais elle dut se contenter des loups. Je payai bien les ouvriers, et quand d'autres hommes apprirent que j'avais de l'argent, ils vinrent demander de l'ouvrage. Bien qu'ils fussent venus pour bâtir, je pris seulement ceux qui avaient l'expérience du combat. Je les armai de piques, haches, herminettes et boucliers.

– Tu lèves une armée, m'accusa Mildrith.

Son soulagement à mon retour avait promptement tourné à l'aigre quand elle avait compris que je n'étais pas plus chrétien qu'à mon départ.

– Dix-sept hommes, une armée ?

– Nous sommes en paix, dit-elle.

Elle le croyait, car les prêtres le prêchaient, eux qui disent seulement ce que leur dictent les évêques, eux-mêmes aux ordres d'Alfred. Un prêtre errant qui demanda abri chez nous un soir prétendit que la guerre avec les Danes était finie.

– Nous en avons encore à nos frontières, répondis-je.

– Dieu a apaisé leurs cœurs, insista-t-il. (Il me raconta que Dieu avait tué les frères Lothbrok, Ubba, Ivar et Halfdan, et que le reste des Danes en étaient si impressionnés qu'ils n'osaient plus combattre les chrétiens.) C'est vrai, seigneur, dit-il avec sincérité. Je l'ai entendu prêcher à Cippanhamm, et le roi était là ; il a loué le Seigneur pour cette vérité. Nous devons faire de nos lames socs pour le labour et faux pour la moisson.

J'éclatai de rire à l'idée de fondre Souffle-de-Serpent en un instrument pour labourer les champs d'Oxton, mais il faut dire que je ne croyais pas à ces absurdités. Les Danes attendaient leur heure, voilà tout, et pourtant il sembla paisible, l'été qui glissa doucement dans l'automne. Nul ennemi ne franchissait la frontière du Wessex, nul vaisseau n'accablait nos côtes. Nous battions le blé, prenions des perdrix, chassions le cerf, posions des nasses dans la rivière et nous entraînions au combat. Les femmes filaient, glanaient noix, champignons et baies. Il y avait des pommes et des poires, car c'était le temps de l'abondance, celui où engraisser le bétail avant l'abattage d'hiver. Nous mangions comme rois et, quand le château fut achevé, je donnai un festin. Mildrith ne dit pas un mot en voyant au-dessus de la porte la tête de bœuf que j'offrais à Thor.

Elle détestait Iseult. Pourtant je lui avais dit qu'elle était une reine des Bretons et que je la détenais en leur demandant rançon. Je savais qu'il n'en viendrait aucune, mais cela justifiait la présence d'Iseult. Néanmoins, Mildrith n'aima point que la jeune fille reçoive sa propre maison.

– Elle est reine, répondis-je.

– Tu l'emmènes chasser.

Je faisais bien plus, mais Mildrith fermait les yeux. Elle ne désirait rien de plus que son Église, son bébé et des habitudes constantes. Elle était chargée des femmes qui trayaient les vaches, barattaient le beurre, filaient la laine et récoltaient le miel, et elle était fort fière que tout soit bien fait. Si un voisin venait en visite, elle s'empressait de faire nettoyer le château et se souciait beaucoup de l'opinion dudit voisin. Elle voulait que je paie le *wergild* d'Oswald. Peu lui importait que l'homme ait été pris en train de voler. Elle voulait même que je rende visite à Odda le Jeune.

– Vous pourriez être amis, plaida-t-elle.

– Avec ce serpent ?

– Et Wirken dit que tu n'as point payé la dîme.

Wirken était le prêtre d'Exanmynster et je le haïssais.

– Il la mange et la boit, grondai-je.

La dîme était l'impôt que tout propriétaire terrien devait à l'Église. Selon la loi, je devais envoyer à Wirken une partie de ma récolte, mais je ne l'avais point fait. Je savais que le prêtre était souvent à Oxton, venant quand il me croyait à la chasse ; il s'engraissait de mon pain et buvait mon ale.

– Il vient prier avec nous, dit Mildrith.

– Il vient se goinfrer.

– Et il dit que l'évêque prendra la terre si tu ne paies point la dette.

– Elle sera payée.

– Quand ? Nous avons l'argent ! dit-elle en désignant le château nouvellement bâti. Quand ?

– Quand je le voudrai, aboyai-je.

Je ne précisai ni quand ni comment, sinon Wirken l'aurait appris et l'évêque aussi. Il ne suffisait pas de payer la dette. Le père de Mildrith avait sottement fait don d'une partie des futurs fruits de nos terres à l'Église, et je voulais que cette charge me soit ôtée, afin que la dette ne dure point éternellement. Pour cela, je devais surprendre l'évêque. Aussi gardais-je Mildrith dans l'ignorance, et nos disputes se terminaient-elles toujours dans les larmes. J'étais las d'elle et elle le savait.

Ce ne furent pas des jours heureux... mais ceux où Iseult apprit à parler l'angle, du moins la version de Northumbrie que je lui enseignai.

– Tu es mon *honme*, disait-elle.

J'étais l'homme de Mildrith et l'*honme* d'Iseult. Elle disait qu'elle avait connu sa renaissance le jour où j'avais pénétré dans le château de Peredur.

– J'avais rêvé de toi, grand et aux cheveux d'or.

– Et tu ne rêves plus ? demandai-je, sachant que ses pouvoirs de devineresse lui venaient en rêve.

– Si fait, répondit-elle gravement. Mon frère me parle.

– Ton frère ? m'étonnai-je.

– Je suis née jumelle. Mon frère est venu le premier, et mort quand je suis née. Il est parti dans le monde des ombres et me parle de ce qu'il y voit.

– Et qu'y voit-il ?

– Il voit ton roi.

– Alfred, dis-je aigrement. Est-ce bon ou mauvais ?

– Je ne sais. Les rêves sont vagues.

98

Iseult n'était point chrétienne. Elle croyait que chaque lieu et chose abrite son dieu ou sa déesse. Une nymphe pour une rivière, une dryade pour une forêt, un esprit pour un arbre, un dieu pour le feu et un autre pour la mer. Le Dieu chrétien, comme Thor ou Odin, n'était qu'une divinité parmi cette foule de puissances invisibles, et ses rêves, disait-elle, étaient comme d'en écouter les chuchotements. Un jour qu'elle chevauchait avec moi dans les collines au-dessus de la mer déserte, elle me déclara brusquement qu'Alfred allait me donner du pouvoir.

– Il me déteste, il ne me donnera rien.

– Il te donnera du pouvoir, répéta-t-elle sans s'émouvoir. (Je la fixai et elle se tourna vers l'horizon où le Ciel rencontre les vagues. Ses cheveux dénoués flottaient au vent.) Mon frère me l'a dit. Alfred te donnera du pouvoir, et tu reprendras ta terre du Nord et ta femme sera une créature d'or.

– Ma femme ?

Elle me regarda avec tristesse.

– Voilà, tu sais.

Elle talonna son cheval et galopa sur la crête, cheveux au vent, les yeux embués de larmes. Je voulais en savoir davantage, mais elle répondit qu'elle m'avait raconté son rêve et que je devais m'estimer heureux.

À la fin de l'été, nous conduisîmes le verrat dans la forêt pour qu'il se nourrisse de glands et noix tombées. J'achetai des sacs de sel, car le moment de l'abattage était venu, et il faudrait saler la viande de nos porcs et bœufs dans les tonneaux pour nous nourrir à l'hiver. Une partie de nos vivres viendrait des hommes qui louaient de la terre en bordure de notre propriété. J'allai leur dire que j'attendais paiement en blé, orge et bétail. Pour leur montrer ce qui se passerait s'ils tentaient de me duper, j'achetai une dizaine de bonnes épées à un forgeron d'Exanceaster. J'en armai mes hommes et les y entraînai. Mildrith ne croyait peut-être pas à la venue de la guerre, mais je ne remerciais pas Dieu d'avoir apaisé le cœur des Danes.

La fin de l'automne, fort pluvieuse, amena le bailli à Oxton. Le nommé Harald, chargé de maintenir la paix en Defnascir, arriva à cheval avec six cavaliers, tous en cotte de mailles et casque, et armés de lances et d'épées. Je l'attendis dans mon château, le forçant à descendre de cheval et à pénétrer dans la pénombre enfumée. Il entra prudemment, craignant une embuscade. Puis il s'habitua à l'obscurité et me vit devant l'âtre.

– Tu es sommé à la cour de justice du comté, m'annonça-t-il.

– Tu apportes des épées en ma demeure ? dis-je en voyant les hommes qui l'avaient suivi.

Il se tourna et aperçut mes hommes armés de lances et de haches. Ayant vu approcher sa troupe, je les avais appelés.

Harald avait la réputation d'un homme de bien, sensé et juste. Il savait que des armes sous un toit peuvent mener au meurtre.

– Attendez dehors, dit-il à ses hommes, tandis que je faisais signe aux miens de poser leurs armes. Tu es sommé… reprit-il.

– Je t'ai entendu, répondis-je.

– Une dette doit être remboursée, dit-il, et la mort d'un homme payée.

Je ne répondis rien. L'un de mes chiens gronda doucement et je le fis taire d'un geste.

– La cour se réunira au jour de Tous les Saints. À la cathédrale.

– J'y serai.

Il ôta son casque, révélant un crâne dégarni frangé de cheveux bruns. Il avait bien dix ans de plus que moi et était fort robuste, avec deux doigts manquant à la main du bouclier. Il s'avança en boitillant. Je calmai les chiens et attendis.

– J'étais à Cynuit, me dit-il à voix basse.

– Et moi aussi, bien que certains prétendent que non.

– Je sais ce que tu y as fait.

– Et moi aussi.

Il ne releva pas ma maussaderie. Il me témoignait sa compassion, mais j'étais trop fier pour lui en savoir gré.

– L'ealdorman a envoyé des hommes, m'avertit-il, pour prendre cette demeure une fois rendu le jugement.

Il y eut un cri étouffé derrière moi et je vis que Mildrith était entrée dans la salle. Harald s'inclina.

– Le château nous sera pris ? demanda-t-elle.

– Si la dette n'est point payée, la terre sera donnée à l'Église, dit Harald.

Il contempla les lambourdes nouvellement taillées comme s'il se demandait pourquoi j'avais bâti un château sur une terre vouée à Dieu.

Mildrith s'approcha de moi. Les paroles d'Harald l'avaient ébranlée, mais elle s'efforçait de garder contenance.

– Je suis navrée, lui dit-elle, pour ton épouse.

Une expression peinée passa brièvement sur le visage d'Harald, qui se signa.

– Elle était malade de long temps, ma dame. Dieu a été miséricordieux de la prendre, je crois.

J'ignorais qu'il était veuf, et je m'en moquais.

– C'était une bonne femme, dit Mildrith.

– Certes, répondit Harald.

– Et je prie pour elle.

– Je t'en remercie.

– Tout comme je prie pour Odda l'Ancien, ajouta-t-elle.

– Dieu soit loué, il vit, dit Harald en se signant de nouveau. Mais il est faible et fort souffrant, ajouta-t-il en touchant son crâne, là où Odda l'Ancien avait été blessé.

– Qui est le juge ? coupai-je brusquement.

– L'évêque.

– Et non l'ealdorman ?

– Il est à Cippanhamm.

Mildrith tint à donner à Harald et ses hommes ale et nourriture. Elle parla longuement avec lui des voisins et de la famille. Comme ils étaient tous deux de Defnascir et moi non, je ne connaissais guère ceux dont ils parlèrent, mais je tendis l'oreille quand Harald annonça qu'Odda le Jeune épousait une fille de Mercie.

– Elle est en exil ici avec sa famille.

– Bien née ? demanda Mildrith.

– Excessivement.

– Je leur souhaite bien du bonheur, déclara-t-elle avec la plus grande sincérité.

Elle était heureuse, réconfortée par la compagnie d'Harald, et lorsqu'il partit elle me gronda d'avoir été si renfrogné.

– Harald est un homme de bien, soutint-elle, un homme bon. Il t'aurait donné conseil. Il t'aurait aidé !

Je l'ignorais, mais deux jours plus tard j'allai à Exanceaster avec Iseult et tous mes hommes. Avec Haesten, je possédais désormais dix-huit hommes armés, munis de cottes de cuir et boucliers, que je menai par le marché qui se tenait toujours lors des séances de la cour. Il y avait encore des jongleurs, un mangeur de feu et un montreur d'ours. Des chanteurs, harpistes, conteurs et mendiants, ainsi que des moutons, chèvres, bœufs, porcs, oies, canards et poules. Et beaux fromages, poissons fumés, vessies de lard, pots de miel, clayettes de pommes et paniers de poires. Iseult, qui n'était jamais venue à Exanceaster, s'extasia devant la taille et l'animation de la ville, ses maisons blotties les unes contre les autres. Je vis des gens faire le signe de croix en la voyant, car ils avaient entendu parler de la reine de l'ombre d'Oxton, et la savaient étrangère et païenne.

Des mendiants étaient attroupés à la porte de l'évêché. Une femme infirme avec un enfant aveugle, des soldats manchots ou culs-de-jatte, une bonne vingtaine à qui je jetai monnaie. Puis, comme j'étais à cheval, je me baissai pour franchir l'arche de la cour de la cathédrale, où une douzaine de criminels enchaînés attendaient leur sort. Un groupe de jeunes moines, effrayés par ces prisonniers, tressaient des ruches, et une vingtaine d'hommes en armes étaient réunis autour de trois feux. Ils lorgnèrent ma suite quand un jeune prêtre, agitant les bras, accourut en sautant entre les flaques.

– Les armes ne sont point admises en ce lieu ! me dit-il d'un ton sévère.

– Eux en portent, dis-je en désignant les soldats qui se réchauffaient.

– Ce sont les hommes du bailli.

– Alors plus vite on aura traité mon affaire, plus vite mes armes repartiront.

– Votre affaire ? demanda-t-il anxieusement.

– Avec l'évêque.

– L'évêque est en prière, répondit-il d'un ton réprobateur. Et il ne peut voir chaque homme qui vient ici. Vous pouvez me parler.

– À Cippanhamm, il y a deux ans, dis-je avec un sourire et en haussant le ton, ton évêque était ami d'Eanflæd. Elle avait des cheveux roux et faisait son commerce à l'enseigne de l'Épi. Et son commerce était de putain.

Le prêtre agita les mains comme pour me faire taire.

– J'ai été avec elle, continuai-je, et elle m'a tout raconté. Elle m'a dit...

Les moines tendirent l'oreille, mais le prêtre me coupa en hurlant presque :

– L'évêque aura peut-être un instant.

– Alors dis-lui que je suis là, répondis-je, gaillard.

– Vous êtes Uhtred d'Oxton ?

– Non, je suis le seigneur Uhtred de Bebbanburg.

– Oui, mon seigneur.

L'évêque, Alewold, était en fait celui de Cridianton, mais cette ville n'avait pas semblé aussi sûre qu'Exanceaster, et depuis des années les évêques de Cridianton vivaient dans cette ville plus vaste – comme Guthrum l'avait démontré, ce n'était pas des plus sages. Ses Danes avaient pillé la cathédrale et la demeure de l'évêque, encore chichement meublée, et je trouvai Alewold assis à une table qui avait dû être celle d'un boucher, tant elle était entaillée de coups de couteau et tachée de sang. Il me considéra avec indignation.

– Tu ne devrais point être ici, dit-il.

– Et pourquoi ?

– Tu as affaire devant la cour demain.

– Demain, vous serez juge. En ce jour, vous êtes évêque.

Il acquiesça. C'était un homme âgé aux bajoues pendantes et réputé sévère. Il était avec Alfred à Scireburnan quand les Danes étaient arrivés à Exanceaster. Voilà pourquoi il était encore en vie et, comme tous les évêques de Wessex, il soutenait avec ferveur le roi. Je ne doutais pas que l'inimitié d'Alfred lui fût connue ; cela signifiait que je ne pouvais en attendre guère de clémence au tribunal.

– Je suis occupé, dit-il en montrant des parchemins.

Deux clercs partageaient la table avec lui et une demi-douzaine de prêtres renfrognés étaient rassemblés derrière lui.

– Mon épouse, dis-je, a hérité d'une dette envers l'Église.

Alewold regarda Iseult, la seule à avoir pénétré dans la demeure avec moi. Elle était belle et fière, et avait riche allure, avec son collier et ses peignes d'argent, ses fibules de jais et d'ambre.

– Ton épouse ? demanda sournoisement l'évêque.

– Je rembourse la dette, dis-je sans relever.

Je jetai sur la table un sac dont glissa le grand plat d'argent que nous avions pris à Ivar. Il sonna lourdement et soudain, dans cette petite pièce éclairée par trois lanternes et une fenêtre grillée, ce fut comme si le soleil venait d'apparaître. L'argent luisait et Alewold avait les yeux rivés dessus.

Il est de bons prêtres. Beocca et Willibald en étaient, mais j'ai découvert au cours de ma longue vie que la plupart des hommes d'Église prêchent les vertus de la pauvreté tout en désirant les richesses. Ils aiment l'argent, et l'Église l'attire comme une chandelle les papillons de nuit. Je savais Alewold avide de richesses comme des délices de la putain rousse de Cippanhamm, et il ne pouvait plus détacher son regard du plat. Il en caressa l'épais rebord comme s'il en croyait à peine ses yeux, puis il l'approcha pour examiner les douze apôtres.

– Un ciboire, dit-il avec révérence.

– Un plat, dis-je d'un ton indifférent.

L'un des prêtres se pencha par-dessus l'épaule d'un clerc.

– De façon irlandaise, dit-il.

– Il semble bien, convint Alewold avant de me lorgner d'un air soupçonneux. Tu le rends à l'Église ?

– Si je le rends ? répétai-je innocemment.

– Ce plat a manifestement été volé, dit-il. Et tu fais bien, Uhtred, de le rendre.

– Je l'ai fait faire pour vous.

Il le retourna avec peine, car il était lourd, et désigna les entailles dans le métal.

– Il est ancien, dit-il.

– Je l'ai fait faire en Irlande, dis-je d'un air magnanime, et sans doute a-t-il été manié sans ménagement par les hommes qui me l'ont livré.

Il savait que je mentais, mais je ne m'en souciais guère.

– Des orfèvres du Wessex auraient pu te faire un tel ciboire, lâcha l'un des prêtres.

– Je pensais que vous le voudriez, dis-je en me penchant pour le reprendre. Mais si vous préférez la façon du Wessex, je peux…

– Rends-le ! dit Alewold, et comme je n'obéissais pas, il se fit suppliant. C'est un bel objet.

Il le voyait déjà en son église ou peut-être en sa demeure, et le convoitait. Il le fixa en silence. S'il avait su que le plat existait, si j'en avais parlé à Mildrith, il aurait eu une réponse toute prête, mais pour le coup il était subjugué par le désir de le posséder. Une servante entra avec un pichet, il la congédia d'un geste. Je remarquai qu'elle était rousse.

– Tu as fait faire ce plat… dit-il, sceptique.

– À Dyflin.

– Est-ce là que tu es allé avec le navire du roi ? demanda le prêtre qui était déjà intervenu.

– Nous patrouillions la côte, rien de plus.

– La valeur de ce plat… commença Alewold.

– Est bien supérieure à la dette dont a hérité Mildrith.

Ce n'était probablement pas le cas, mais je n'étais pas loin et je voyais bien qu'Alewold s'en moquait. J'allais obtenir ce que je voulais.

La dette fut levée. J'insistai pour que ce fût consigné par trois fois, et je les surpris en lisant le document et en découvrant que le premier parchemin ne mentionnait pas que l'Église renonçait à ses droits sur mes futures récoltes. Cela fut corrigé, et je laissai une copie à l'évêque en prenant les deux autres.

– Tu ne seras point inculpé pour dette, dit l'évêque en apposant son cachet dans la cire. Mais il reste la question du *wergild* d'Oswald.

– J'ai foi en votre bon et sage jugement, évêque, répondis-je. (J'ouvris ma bourse et en tirai un petit lingot d'or tout en lui laissant voir que j'en possédais encore plus, et le déposai sur le plat.) Oswald était un voleur.

– Sa famille fera serment qu'il ne l'était point.

– Et j'appellerai des hommes pour jurer qu'il l'était.

Les procès s'appuyaient beaucoup sur les serments, mais les deux parties amenaient autant de menteurs qu'elles le pouvaient et le jugement était généralement en faveur des plus doués ou, si les deux parties étaient tout aussi convaincantes, à celle qui avait la sympathie de l'assistance. Mieux valait, bien sûr, avoir la sympathie du juge. La famille d'Oswald avait de nombreux soutiens à Exanceaster, mais l'or est le meilleur argument devant une cour de justice.

Et j'avais raison. Au grand étonnement de Mildrith, la dette fut payée et la famille d'Oswald se vit refuser les deux cents shillings de *wergild*. Je ne pris pas la peine de me rendre au tribunal, me reposant sur le pouvoir persuasif de l'or. Comme prévu, l'évêque repoussa péremptoirement la demande, disant qu'il était de notoriété publique qu'Oswald était un voleur. Gagner ne me rendit pas plus populaire. Pour ceux qui vivaient dans la vallée de l'Uisc, j'étais un intrus de Northumbrie et, pire, connu comme païen. Mais personne n'osa m'affronter, car je n'allais nulle part hors de mes terres sans mes hommes, et mes hommes ne se séparaient jamais de leurs épées.

La récolte était engrangée. Le temps était venu pour les Danes d'attaquer, quand ils seraient sûrs de trouver des vivres pour leurs armées. Pourtant, ni Guthrum ni Svein ne franchirent la frontière. L'hiver vint à leur place, et pour nous le moment d'abattre le bétail, saler la viande, tanner les peaux et faire de la gelée de pieds de veau. Je guettai les cloches : si elles sonnaient à une heure inhabituelle, cela aurait signalé la venue des Danes. Elles ne retentirent point.

Mildrith priait pour que la paix continue et moi, jeune et plein d'ennui, je priais pour le contraire. Elle priait le dieu chrétien, moi j'emmenais Iseult dans la forêt faire un sacrifice à Hoder, Odin et Thor. Tous écoutaient, car dans les ténèbres sous l'arbre du gibet, là où les trois vieilles femmes filent notre existence, un fil rouge se mêla à ceux de ma vie. La destinée est tout, et juste après Yule, les fileuses envoyèrent à Oxton un messager royal qui m'apportait une convocation. Il sembla possible que les rêves d'Iseult fussent justes et qu'Alfred me donne du pouvoir, car j'étais mandé auprès de lui à Cippanhamm. J'étais sommé au *witan*.

5

Mildrith fut tout excitée par les convocations. Le *witan* conseillait le roi, et son père n'avait jamais été assez riche ou important pour y être mandé. Elle fut transportée que le roi y requière ma présence. Le *witanegemot*, comme on appelait cette assemblée, se déroulait toujours à la Saint-Étienne, le lendemain de Noël, mais il m'était ordonné d'y être le douzième jour de Noël. Cela donna le temps à Mildrith de me laver quelques vêtements. Il fallait les bouillir, les frotter, sécher et brosser. Trois femmes s'en chargèrent durant trois jours avant qu'elle soit sûre que je ne la disgracierais point en paraissant à Cippanhamm avec l'allure d'un vagabond. Elle n'était pas convoquée ni ne comptait m'accompagner, mais elle n'oublia pas d'informer tous nos voisins que j'allais donner conseil au roi.

– Tu ne dois point porter cela, me dit Mildrith en montrant mon amulette de Thor.

– Je la porte toujours.

– Alors cèle-la, et ne sois point belliqueux !

– Belliqueux ?

– Écoute ce que disent les autres. Sois humble. Et n'oublie pas de féliciter Odda le Jeune.

– Pourquoi ?

– Il doit se marier. Dis-lui que je prie pour lui et son épouse.

Elle était de nouveau heureuse, certaine qu'en ayant payé la dette à l'Église j'avais regagné la faveur d'Alfred, et sa bonne humeur ne fut pas gâchée quand j'annonçai que j'emmenais Iseult.

– Si elle est reine, elle se doit d'être à la cour d'Alfred. Ici, ce n'est point fait pour elle.

Elle tint à aller distribuer des pièces aux pauvres devant l'église d'Exanceaster et à y remercier le Ciel de m'avoir remis dans les bonnes grâces du roi. Elle remercia également Dieu pour la bonne santé de notre fils Uhtred. Je ne le voyais guère, car il était encore bébé, et je n'ai jamais eu de patience envers les petits, mais les femmes d'Oxton m'assuraient constamment que c'était un garçon robuste et gaillard.

Nous prîmes deux jours pour le voyage. J'emmenai Haesten et six hommes en escorte, car si les hommes du bailli patrouillaient les routes, il y avait nombre de lieux isolés où les brigands attaquaient les voyageurs. Nous portions cottes de mailles et de cuir, épées, lances, haches et boucliers. Nous étions tous à cheval. Iseult montait une petite jument noire que je lui avais achetée, et un manteau en loutre que je lui avais offert. Lorsque nous passions dans les villages, les gens la regardaient, car elle chevauchait comme un homme, ses cheveux noirs liés d'une chaîne d'argent. Ils s'agenouillaient devant nous en réclamant l'aumône. Elle n'emmena pas sa servante. Sachant combien les auberges et tavernes étaient bondées lors du *witan*, je lui avais dit que nous aurions déjà bien du mal à nous loger seuls.

– Que veut le roi? demanda-t-elle alors que nous traversions la vallée de l'Uisc.

La pluie luisait dans les sillons sous le soleil d'hiver, et dans les bois luisaient les feuilles de houx et les baies de sorbier, aubépine, sureau et if.

– N'est-ce pas toi qui es censée me le dire ? lui demandai-je.

– Voir l'avenir, sourit-elle, est comme cheminer sur une route inconnue. On ne voit guère devant soi et seulement un instant. Et mon frère ne m'envoie pas des rêves sur tout.

– Mildrith pense que le roi m'a pardonné.

– Vraiment ?

– Peut-être.

Je l'espérais, non parce que j'avais besoin du pardon d'Alfred, mais parce que je voulais retrouver le commandement de la flotte et Leofric. Je voulais le vent sur mon visage et la pluie de la mer sur mes joues.

– Cependant, il est étrange, continuai-je, qu'il ne veuille pas de moi durant tout le *witanegemot*.

– Peut-être, suggéra-t-elle, qu'ils discuteront d'abord de questions religieuses ?

– Il ne voudrait point de moi alors.

– C'est donc cela. Ils parlent de leur dieu, mais à la fin ils parleront des Danes, c'est pourquoi il t'a mandé. Il sait qu'il a besoin de toi.

– Ou peut-être ne me veut-il que pour le festin.

– Le festin ?

– Le festin de la Douzième Nuit, expliquai-je.

Il me semblait plus probable qu'Alfred eût décidé de me pardonner ; pour me montrer qu'il m'approuvait désormais, il m'autorisait à assister au festin d'hiver. Curieusement, j'espérais que c'était cela. Moi qui étais prêt à tuer Alfred quelques mois plus tôt à peine, désormais, alors que je le détestais encore, je cherchais son approbation. Telle est l'ambition. Si je ne pouvais m'élever avec Ragnar, ce serait avec Alfred que je forgerais ma renommée.

– Ta route, Uhtred, continua Iseult, est comme une lame brillante dans une lande obscure. Je la vois clairement.

– Et la femme d'or ? (Elle ne répondit pas.) Est-ce toi ?

– Le soleil s'est obscurci à ma naissance, je suis donc une femme de ténèbres et d'argent, et non d'or.

111

– Alors qui est-elle ?

– Quelqu'un de lointain, Uhtred, lointain.

Elle n'en dit pas plus. Peut-être n'en savait-elle pas davantage, ou devinait-elle simplement.

Nous atteignîmes Cippanhamm à la fin du onzième jour de Yule. Il y avait encore du givre dans les ornières et le soleil était une grossière boule rouge très bas au-dessus des branches noires. Nous entrâmes par la porte ouest dans la cité bondée, mais j'étais connu à l'enseigne de l'Épi, où la putain rousse appelée Eanflæd travaillait. Elle nous trouva logis dans une étable à demi effondrée où étaient parqués une vingtaine de chiens. Ils appartenaient à Huppa, ealdorman de Thornsæta, mais elle jugea qu'ils pourraient survivre à une ou deux nuits dans la cour.

– Huppa ne le pense peut-être pas, mais il peut pourrir en enfer, dit-elle.

– Il ne paie point ? demandai-je.

Elle cracha et me dévisagea avec curiosité.

– Il paraît que Leofric est là.

– Vraiment ? demandai-je, réjoui par cette nouvelle.

– Je ne l'ai point vu, mais quelqu'un l'a dit. Au château royal. Peut-être est-ce Burgweard qui l'a amené ? (Burgweard était le nouveau commandant de la flotte, celui qui voulait que ses navires voguent deux par deux pour imiter les disciples du Christ.) Mieux vaudrait qu'il n'y soit pas.

– Pourquoi ?

– Parce qu'il n'est point venu me voir, s'indigna-t-elle, voilà !

Elle avait cinq ou six ans de plus que moi, un large visage, le front haut et des cheveux frisés. Elle était appréciée de tous, et avait grande liberté dans cette taverne qui devait ses profits bien plus à ses talents qu'à la qualité de son ale. Je la savais amie de Leofric, mais je soupçonnai à son ton sa volonté qu'ils soient plus que cela.

– Qui est-ce ? demanda-t-elle en désignant Iseult.

– Une reine.

– C'est sans doute ainsi qu'on les appelle ailleurs. Comment va ton épouse ?

– Elle est restée au Defnascir.

– Tu es comme tous les autres, hein ? Si tu as froid cette nuit, rentre les chiens pour vous tenir chaud. Je retourne travailler.

Nous eûmes froid, mais je dormis assez bien. Le lendemain matin, douzième jour après Noël, je laissai mes six hommes à l'Épi puis emmenai Iseult et Haesten à la demeure du roi, protégée par une palissade, au sud de la ville, près de la rivière. Un homme devait assister au *witanegemot* avec une suite, mais pas avec un Dane et une Bretonne. Toutefois, Iseult souhaitait voir Alfred et je voulus lui faire plaisir. Par ailleurs, il y avait grand festin ce soir-là et, bien que je l'aie prévenue que les festins d'Alfred étaient bien chiches, elle voulut quand même venir. Haesten, avec sa cotte de mailles et son épée, était là pour la protéger, car je craignais qu'elle ne soit pas admise dans la salle durant les débats du *witanegemot* et doive attendre jusqu'au soir pour apercevoir Alfred.

À la porte, le garde exigea que nous laissions nos armes. J'obéis de mauvaise grâce, mais nul homme, hormis les soldats du roi, ne pouvait être armé en présence d'Alfred. Les discussions avaient déjà commencé, m'informa-t-il, et nous courûmes, dépassant les écuries et la nouvelle chapelle royale à deux clochers. Dans le groupe de prêtres blotti devant la grand-porte, je reconnus Beocca, le vieux prêtre de mon père. Je lui souris, mais c'est les traits tirés qu'il vint me retrouver.

– Tu es en retard, dit-il vivement.

– Vous n'êtes point heureux de me voir ? plaisantai-je.

Il leva les yeux vers moi. Malgré ses yeux louches, ses cheveux roux et sa main infirme, Beocca était devenu une autorité. Il était désormais chapelain royal, confesseur et confident du roi, et les responsabilités avaient creusé ses rides.

– J'ai prié pour ne jamais voir ce jour, dit-il en se signant. Qui est-elle ?

– Une reine de Bretagne.

– Quoi donc ?

– Une reine. Elle m'accompagne et désire voir Alfred.

Je ne sais s'il me crut, mais il sembla ne pas s'en soucier. Il paraissait inquiet, distrait, et comme il vivait dans le monde étrange des privilèges et des pieuses obsessions royales, je pensai que sa peine était due à quelque mesquine dispute théologique. Il était le prêtre de Bebbanburg quand j'étais enfant et, après la mort de mon père, avait fui le Northumberland parce qu'il ne supportait point de vivre parmi les Danes païens. Il avait trouvé refuge à la cour d'Alfred, où il était devenu l'ami du roi. Il était aussi mon ami, celui qui avait protégé les parchemins prouvant la légitimité de mes droits sur la seigneurie de Bebbanburg. En ce douzième jour de Yule, pourtant, il n'était point heureux de me voir.

– Nous devons entrer, dit-il, et puisse Dieu te protéger dans sa miséricorde.

– Me protéger ?

– Dieu est miséricordieux, et tu dois implorer sa merci.

Les gardes ouvrirent la porte et nous entrâmes dans la grande salle. Nul n'arrêta Iseult, et d'ailleurs une vingtaine de femmes se tenaient dans un coin de la salle.

Il y avait plus d'une centaine d'hommes réunis là, bien que seuls une cinquantaine composent le *witane-gemot*. Tous ces thanes et grands hommes d'Église étaient assis sur des sièges et des bancs en demi-cercle devant l'estrade où Alfred trônait avec deux prêtres et Ælswith, son épouse, grosse de leur enfant. Derrière eux, drapé d'étoffe rouge, se dressait un autel où brillaient de grosses chandelles et une lourde croix d'argent, tandis que le long des murs se trouvaient les plates-formes où, d'ordinaire, on dormait ou mangeait à l'abri des courants d'air. Ce jour-là, elles étaient occupées par les suites des thanes et des nobles du *witan* parmi lesquels, bien sûr, se trouvaient beaucoup de prêtres et de moines, car la cour d'Alfred ressemblait plus à un monastère qu'à un château royal. Beocca fit signe à Iseult et à Haesten d'aller les rejoindre, puis il me guida vers le demi-cercle des conseillers privilégiés.

Personne ne remarqua mon arrivée. Il faisait sombre dans la salle, car le soleil hivernal pénétrait à peine par les hautes et minuscules fenêtres. Les brasiers tentant d'apporter vainement un peu de chaleur ne faisaient qu'épaissir la fumée qui envahissait le plafond. Il y avait un vaste âtre central, mais il avait été vidé pour laisser la place au cercle d'escabeaux, sièges et bancs du *witanegemot*. Un homme de haute taille vêtu d'une cape bleue, debout, parlait de la nécessité de réparer les ponts et de la réticence des thanes locaux à s'acquitter de la tâche ; il suggérait que le roi nomme une autorité chargée de dresser la carte des routes du royaume. Un autre le coupa pour se plaindre qu'une telle autorité empiéterait sur les privilèges des ealdormen. Un concert de voix confuses s'éleva, certaines pour la proposition, la plupart contre. Deux prêtres, assis à une petite table auprès de l'estrade royale, tentèrent de noter les commentaires. Je reconnus Wulfhere, l'ealdorman de Wiltunscir, qui bâillait à s'en décrocher la mâchoire. À côté de lui était assis Alewold, l'évêque d'Exanceaster, drapé dans des fourrures. Personne ne m'avait encore remarqué. Beocca me retenait comme s'il attendait un répit dans les débats pour me trouver une place. Deux serfs apportèrent des corbeilles de bûchettes pour alimenter les brasiers. C'est alors qu'Ælswith me vit et se pencha pour chuchoter à l'oreille d'Alfred. Jusque-là occupé par le débat, celui-ci regarda dans ma direction.

Un silence tomba sur la grande salle. Quelques-uns avaient murmuré en voyant le roi distrait, et tous s'étaient retournés vers moi. Le silence fut brisé par l'éternuement d'un prêtre, puis tous les hommes les plus proches de moi s'écartèrent d'un côté. Ils ne me laissaient pas de la place, ils m'évitaient.

Ælswith souriait. Je compris alors que je me trouvais dans une situation délicate. Je portai instinctivement la main à ma ceinture, mais, privé de mon épée, je ne pus la toucher pour qu'elle me porte chance.

— Nous parlerons des ponts plus tard, dit Alfred en se levant.

Il portait un anneau de bronze comme couronne et une robe bleue bordée de fourrure, assortie à celle de sa femme.

— Que se passe-t-il ? demandai-je à Beocca.

— Te tairas-tu !

C'était Odda le Jeune qui avait parlé. Il était vêtu dans toute sa gloire guerrière, d'une cotte de mailles étincelante, d'une cape noire et de hautes bottes. Ses armes pendaient à son ceinturon de cuir rouge, car Odda, commandant des troupes du roi, était autorisé à venir en armes dans le château royal. Je lus dans son regard le triomphe que je voyais sur le visage pincé de Dame Ælswith. Je n'avais pas été mandé pour recevoir les faveurs du roi, mais pour affronter mes ennemis.

On appela un jeune prêtre au visage empâté et renfrogné qui se précipita comme s'il n'avait pas assez d'heures dans la journée pour faire tout son travail. Il s'inclina devant le roi, prit un parchemin sur la table et se plaça au centre du *witan*.

— Nous avons une affaire urgente, dit Alfred, que nous allons régler sur-le-champ avec la permission du *witan*.

(Personne ne risquant de le contredire, un murmure géné-ral approuva cette interruption dans un débat fastidieux.) Le père Erkenwald lira l'acte d'accusation, conclut le roi en se rasseyant.

D'accusation ? J'étais pris de court, comme un sanglier acculé entre les chiens et les lances. Je restai pétrifié tan-dis que le prêtre déroulait le parchemin.

– Uhtred d'Oxton, dit-il d'une voix haute et claire, tu es en ce jour accusé du crime d'avoir pris un navire du roi sans le consentement royal, de l'avoir mené en pays de Cornwalum et d'y avoir fait la guerre contre les Bretons, toujours sans le consentement royal. Cela sera attesté sous serment. (Des murmures s'élevèrent dans la salle, et le roi les fit taire d'un geste.) Tu es aussi accusé, poursuivit Erkenwald, d'avoir fait alliance avec le païen nommé Svein, et d'avoir avec son aide massa-cré des chrétiens de Cornwalum, qui vivaient en paix avec notre roi, et cela aussi sera attesté sous serment. (Il marqua une pause et le silence se fit encore plus lourd.) Tu es enfin accusé, continua le prêtre, baissant la voix comme s'il n'en croyait pas ses yeux, de t'être allié au païen Svein pour attaquer notre saint royaume en commettant d'ignobles meurtres et le vol impie des biens de l'église de Cynuit. (Cette fois, les murmures laissèrent la place à une bruyante indignation générale qu'Alfred ne tenta pas de réprimer. Le prêtre haussa la voix pour terminer sa lecture.) Et cela aussi sera attesté sous serment, conclut-il avant de reposer le parchemin et de quitter l'estrade.

– Il ment, grondai-je.

– Tu parleras en ton temps, dit un clerc à l'air féroce, assis auprès d'Alfred.

Il portait un froc de moine, couvert d'une demi-cape de prêtre, richement brodée de croix. Il avait les cheveux blancs, une voix grave et austère.

– Qui est-ce ? demandai-je à Beocca.

– Le très saint Æthelred, répondit-il à voix basse, précisant devant mon ignorance : l'archevêque de Contwaraburg, voyons.

L'archevêque se pencha pour parler à Erkenwald. Ælswith me fixait. Elle ne m'avait jamais aimé, et à présent elle assistait avec un immense plaisir à mon anéantissement. Pendant ce temps, Alfred contemplait les poutres du toit comme s'il les voyait pour la première fois. Je compris qu'il n'avait nulle intention de prendre part à ce procès, car c'en était un. Il allait laisser à d'autres le soin de prouver ma culpabilité, mais sans doute prononcerait-il la sentence, et pas seulement la mienne, car l'archevêque demanda :

– L'autre prisonnier est-il là ?

– Il est détenu à l'écurie, dit Odda le Jeune.

– Il devrait être ici, s'indigna l'archevêque. Un homme a le droit d'entendre ses accusateurs.

– Quel autre homme ? demandai-je.

C'était Leofric, qui fut amené enchaîné. Personne ne le hua, car pour tout le monde je l'avais contraint à me suivre dans mon crime et il allait en pâtir. Je vis qu'il avait la sympathie de tous alors qu'on l'amenait auprès de moi. Tous le connaissaient, il était du Wessex, alors que j'étais un intrus de Northumbrie.

– Jusqu'au cou, te disais-je, murmura-t-il.

– Silence ! siffla Beocca.

– Aie foi en moi, dis-je.

– Foi en toi ? ironisa-t-il.

Car j'avais jeté un coup d'œil à Iseult et elle m'avait fait un imperceptible signe de tête. Elle avait vu l'issue de cette journée et la savait heureuse.

– Aie foi en moi, répétai-je.

– Que les prisonniers se taisent, dit l'archevêque.

– Jusqu'au cou, et royalement, insista Leofric.

– As-tu les témoins ? demanda l'archevêque au père Erkenwald.

118

– Oui, seigneur.

– Qu'ils soient entendus les premiers.

Erkenwald fit signe à un autre prêtre d'ouvrir la porte au fond de la salle. Une mince silhouette vêtue d'une cape noire entra. Je ne vis pas sa tête sous son capuchon. Elle s'avança précipitamment devant l'estrade, s'inclina devant le roi et s'agenouilla devant l'archevêque, qui lui tendit à baiser sa main lourdement baguée. Alors seulement l'homme se releva, ôta son capuchon et se tourna vers moi.

C'était l'Âne, Asser, le moine gallois. Il me fixa tandis qu'un autre prêtre apportait l'Évangile, sur lequel il posa la main.

– Je fais serment, dit-il sans me quitter les yeux, de dire la vérité. Dieu me vienne en aide en cette entreprise et me condamne aux feux éternels de l'enfer si je faux.

Il se pencha et baisa l'Évangile avec une tendresse d'amant.

– Bâtard, murmurai-je.

Asser était un bon témoin. Il décrivit clairement comment j'étais arrivé en Cornwalum à bord d'un navire orné de têtes de fauve à la proue et la poupe. Il expliqua que j'avais accepté d'aider le roi Peredur, attaqué par un voisin allié au païen Svein, et comment je l'avais trahi en concluant une alliance avec le Dane.

– Ensemble, ils ont fait grand massacre, et j'ai moi-même vu un saint prêtre être mis à mort.

– Tu as décampé comme une poule mouillée, lui dis-je. Tu n'as rien vu.

Asser se retourna vers le roi et s'inclina.

– J'ai couru, notre seigneur et roi. Je suis un moine et non un guerrier. Lorsque Uhtred a rougi de sang chrétien la colline, j'ai pris la fuite. Je n'en suis point fier, notre seigneur et roi, et j'ai demandé avec ferveur à Dieu de me pardonner ma couardise.

Alfred sourit et l'archevêque balaya d'un geste la remarque d'Asser comme si elle n'avait aucune importance.

– Et après que tu eus fui le carnage ? interrogea Erkenwald.

– J'ai tout observé du haut de la colline, et vu Uhtred d'Oxton quitter les lieux en compagnie du navire païen. Ils sont partis vers l'ouest.

– L'ouest ? répéta Erkenwald.

– L'ouest, confirma Asser.

– Et tu n'en sais pas plus ?

– Je sais que j'ai aidé à ensevelir les morts, et dit des prières pour leurs âmes. J'ai vu les braises fumantes de l'église incendiée, mais ce qu'Uhtred a fait après avoir quitté le lieu du massacre, je l'ignore. Je sais seulement qu'il est parti vers l'ouest.

Alfred faisait exprès de ne pas participer, mais il était évident qu'il appréciait Asser : quand le Gallois en eut terminé, il lui fit signe d'approcher et lui remit une pièce après avoir brièvement conversé avec lui. L'assistance discutait en me regardant de temps en temps avec la curiosité accordée à ceux qui sont condamnés d'avance.

– As-tu quelque chose à dire ? me demanda Erkenwald quand Asser fut sorti.

– J'attendrai que tous les mensonges aient été dits.

La vérité, bien sûr, c'était Asser qui l'avait dite, simplement et de manière convaincante. Les conseillers du roi avaient été impressionnés, tout comme ils le furent par le deuxième témoin.

C'était Steapa Snotor, le guerrier qui n'était jamais bien loin d'Odda le Jeune. Droit comme un I, les épaules carrées, une expression féroce et sinistre, il me jeta un coup d'œil, s'inclina devant le roi, posa la main sur l'Évangile pour prêter serment... et mentit. Il débita ses mensonges d'une voix calme et monocorde. Il déclara qu'il commandait les soldats gardant le chantier de l'église de Cynuit. Deux navires arrivés à l'aube avaient débarqué des guerriers. Il avait combattu et il en avait tué six. Cependant, ils étaient bien trop nombreux, tant qu'il avait dû battre en retraite, mais il les avait vus massacrer les prêtres. Puis le chef des païens avait clamé son nom.

– Il s'appelait Svein.

– Et il est venu sur deux navires ?

Steapa fronça les sourcils comme s'il avait peine à compter jusqu'à deux, puis il acquiesça.

– Il avait deux navires.

– Il commandait les deux ?

– Svein commandait l'un, et lui commandait l'autre, dit-il en tendant le bras vers moi.

Une clameur s'éleva dans l'assistance, Alfred frappa l'accoudoir de son siège pour rétablir le silence. Steapa restait de marbre, solide comme un chêne. Bien qu'il n'eût pas été aussi convaincant que le frère Asser, son témoignage était accablant. D'un ton calme et posé, il s'en était tenu aux faits, mais rien n'était vrai.

– Uhtred menait le deuxième navire, dit Erkenwald, mais a-t-il participé au massacre ?

– Participé ? répéta Steapa. Il a pris la tête !

– Notre seigneur et roi, dit Erkenwald, il doit mourir.

– Et que ses terres et biens soient confisqués ! s'écria l'archevêque avec une telle passion qu'il en postillonna sur le brasier. Au profit de l'Église !

L'assistance tapa du pied pour signifier son approbation. Ælswith opinait énergiquement, mais l'archevêque réclama le silence.

– Il n'a point parlé, rappela-t-il. Dis ce que tu as à dire, m'ordonna-t-il d'un ton sec.

– Implore merci, me conseilla Beocca à voix basse.

Quand on est dans la fange jusqu'au cou, il n'y a qu'une chose à faire. Attaquer. Aussi avouai-je avoir été à Cynuit, ce qui suscita des cris étouffés dans la salle.

– Mais ce n'était point à l'été, continuai-je. J'y étais au printemps, lorsque j'ai occis Ubba Lothbrokson, et il se trouve dans cette salle des hommes qui m'ont vu !

Pourtant Odda le Jeune m'en a dérobé le mérite. Il a pris la bannière d'Ubba, que j'avais déposée, et l'a apportée à son roi en prétendant avoir vaincu Ubba. Et maintenant, de peur que je ne dise la vérité, qu'il est un couard et un menteur, il veut m'accabler de mensonges. De ses mensonges, dis-je en désignant Steapa.

Celui-ci cracha avec mépris. Odda le Jeune était furieux, mais il se tut et certains le remarquèrent. Être traité de couard et de menteur, c'est être provoqué en duel. Pourtant, Odda ne bougea pas.

– Tu ne peux prouver ce que tu avances, dit Erkenwald.

– Je peux prouver que j'ai tué Ubba.

– Nous ne sommes point ici pour en discuter, déclara Erkenwald avec hauteur, mais pour déterminer si tu as rompu la paix du roi par une attaque impie sur Cynuit.

– Faites alors mander mon équipage, dis-je. Qu'on les amène, qu'ils prêtent serment et disent ce que nous avons fait cet été. (Erkenwald ne répondit pas. Il chercha du regard l'assistance du roi, mais Alfred avait les yeux clos.) Ou bien êtes-vous si pressés de me tuer que vous n'osez attendre d'ouïr la vérité ?

– Nous avons le témoignage sous serment de Steapa, s'offusqua Erkenwald, comme si cela suffisait.

– Et tu peux avoir le mien, et celui de Leofric et de tous les hommes alors présents. (Je me tournai et fis signe à Haesten qui parut effrayé, mais s'avança, poussé par Iseult.) Qu'il prête serment, exigeai-je.

Erkenwald ne savait que faire, mais dans l'assistance des hommes déclarèrent que j'avais le droit de mander des témoins. On apporta donc l'Évangile. J'écartai le prêtre.

– Il prêtera serment sur ceci, dis-je en brandissant l'amulette de Thor.

– Il n'est point chrétien ? s'étonna Erkenwald.

– Il est dane.

– Comment pouvons-nous avoir foi en la parole d'un Dane ? demanda le prêtre.

– Notre roi a foi, lui, rétorquai-je. S'il a foi en la paix que lui promet Guthrum, pourquoi ne l'aurions-nous pas en ce Dane ?

Certains sourirent. Beaucoup jugeaient qu'Alfred était bien trop confiant envers Guthrum, et je sentis la sympathie pencher de mon côté. Mais l'archevêque intervint pour déclarer que le serment d'un païen n'avait nulle valeur.

– Aucune ! aboya-t-il. Qu'il soit congédié.

– Alors faites prêter serment à Leofric et mandez notre équipage pour écouter leur témoignage.

– Et vous mentirez tous d'une seule voix, dit Erkenwald. Et ce qui s'est passé à Cynuit n'est point la seule chose dont on t'accuse. Nies-tu avoir pris un navire du roi ? Être allé en Cornwalum trahir Peredur et tuer son peuple chrétien ? Nies-tu qu'Asser ait dit la vérité ?

– Et si la reine de Peredur vous disait qu'Asser ment ? répondis-je. (Erkenwald me dévisagea. Tous me regardèrent et je fis signe à Iseult, qui s'avança, grande et délicate, le cou et les poignets scintillants d'argent.) La reine de Peredur, annonçai-je, que je vous demande d'entendre sous serment, et qui vous dira que son époux fomentait de s'allier aux Danes pour assaillir le Wessex.

Ce n'étaient qu'absurdités, bien sûr, mais je ne trouvai rien d'autre sur le moment, et Iseult, je le savais, jurerait que c'était la vérité. Pourquoi Svein aurait-il combattu Peredur si le Breton avait l'intention de le soutenir, là résidait la périlleuse faiblesse de mon argument. Peu importait, pourtant, car j'avais répandu la confusion, si bien que personne ne sut que faire. Erkenwald restait sans voix. Des hommes se levèrent pour regarder Iseult qui les considéra sans émotion. Le roi et l'archevêque se penchèrent l'un vers l'autre. Ælswith, une main posée sur son gros ventre, leur siffla un conseil. Nul ne voulait mander Iseult, craignant ce qu'elle dirait. Alfred devait deviner que ce procès, déjà criblé de mensonges, ne pouvait qu'empirer.

– Tu es doué, Bout-de-Cul, murmura Leofric. Fort doué.

Odda le Jeune considéra le roi, puis ses confrères du *witan*, et dut comprendre que j'échappais à son traquenard. Il attira Steapa auprès de lui et lui chuchota à l'oreille. Le roi fronçait les sourcils, l'archevêque semblait perplexe, Ælswith était rouge de fureur et Erkenwald ne savait que faire. Steapa vint à leur secours.

– Je ne mens point ! cria-t-il.

Il ne semblait savoir que dire de plus, mais il avait attiré l'attention de tous. Le roi lui fit signe de continuer, et Odda le Jeune lui murmura à l'oreille.

– Il dit que je mens, reprit Steapa en me désignant. Et moi je dis que non, et mon épée dit que non.

Il se tut, ayant probablement prononcé plus long discours que jamais dans sa vie, mais ce fut suffisant. Tout le monde tapa du pied en criant qu'il avait raison. C'était faux, mais il venait de réduire cet amas visqueux de mensonges à un combat singulier et cela leur plut. L'archevêque semblait troublé, mais Alfred réclama le silence d'un geste.

– Alors ? demanda-t-il en me regardant. Steapa dit que son épée défend la vérité. Et la tienne ?

J'aurais pu répondre non. J'aurais pu exiger qu'Iseult parle puis laisser le *witan* déclarer au roi qui avait dit vrai, mais j'étais impétueux et l'invitation au combat simplifiait les choses. Si j'étais victorieux, Leofric et moi étions innocents de tout.

Je n'imaginais même pas perdre et regardai Steapa.

– Mon épée, lui dis-je, soutient que je dis la vérité et que tu n'es qu'un sac de pets, un menteur de l'enfer, un traître et un parjure méritant la mort.

– Et nous y revoilà jusqu'au cou, fit Leofric.

Des vivats s'élevèrent. Tout le monde adorait les combats à mort, bien plus distrayants que le harpiste d'Alfred chantant des psaumes. Le roi hésita et je vis le regard d'Ælswith aller de Steapa à moi. Elle devait le considérer meilleur guerrier, car elle se pencha vers son époux et lui chuchota à l'oreille. Il opina.

— Accordé, dit-il d'un ton las, comme fatigué par ce déballage de mensonges et d'insultes. Vous vous battrez demain. Épées et boucliers, rien de plus. (Il leva la main pour rétablir le silence.) Seigneur Wulfhere ?

— Sire ?

— Tu organiseras le combat. Et que Dieu accorde la victoire à la vérité.

Sur ces mots, il se leva, releva sa robe et sortit.

Et pour la première fois depuis que je le connaissais, je vis Steapa sourire.

— Tu n'es qu'un fichu sot ! me dit Leofric.

Il avait été libéré et autorisé à passer la soirée avec moi. Nous étions avec Haesten, Iseult et mes hommes qui nous avaient rejoints. Nous étions logés chez le roi dans une étable empestant le crottin, mais je ne remarquais point la puanteur. Nous étions à la Douzième Nuit, il y avait un grand festin chez le roi, et nous étions abandonnés dans le froid sous la garde de deux soldats du roi.

— Steapa est fort, m'avertit-il.

— Et moi aussi.

— Plus que toi. Il va te massacrer.

— Point, dit calmement Iseult.

— Dieu me damne, il est fort ! insista Leofric.

J'étais de son avis.

— C'est la faute de ce damné moine, fulminai-je. Il est allé geindre auprès d'Alfred, hein ?

En fait, Asser avait été envoyé par le roi de Dyfed pour assurer les Saxons de l'Ouest qu'il ne fomentait point la guerre, mais Asser avait profité de cette ambassade pour raconter l'histoire de l'*Eftwyrd*. Il n'avait plus fallu grand-chose pour conclure que nous étions restés avec Svein quand il avait attaqué Cynuit. Alfred n'avait nulle preuve de notre culpabilité, mais Odda le Jeune avait vu là l'occasion de m'anéantir et persuadé Steapa de mentir.

– Et elle a beau dire, Steapa va t'occire, grommela Leofric.

Iseult ne prit pas la peine de lui répondre. Elle frottait ma cotte de mailles avec de la paille. On était allé la chercher à l'Épi, mais je devais attendre le lendemain pour récupérer mes armes. Je ne pourrais donc point les affûter. Comme Steapa était un homme d'Odda le Jeune, il faisait partie des gardes du roi et aurait tout le temps d'aiguiser les siennes. Les cuisines royales nous avaient apporté à manger, mais je n'avais nul appétit.

– Reste calme demain matin, me conseilla Leofric.

– Calme ?

– Tu te bats toujours dans la fureur, et Steapa est toujours calme.

– Alors autant être en fureur.

– C'est ce qu'il cherche. Il va t'esquiver et t'esquiver jusqu'à t'épuiser, puis il t'achèvera. C'est ainsi qu'il se bat.

Harald nous le confirma. C'était le bailli du Defnascir, le veuf qui m'avait mandé à la cour de justice d'Exanceaster, mais il avait aussi combattu avec nous à Cynuit et cela créait un lien. Dans la nuit, il traversa la cour embourbée sous la pluie pour nous rejoindre autour du petit feu qui éclairait l'étable sans la réchauffer.

– Étais-tu avec Svein à Cynuit ? me demanda-t-il depuis le seuil.

– Non.

– C'est bien ce que je pensais.

Il vint s'asseoir auprès du feu, sans prêter attention aux deux soldats qui gardaient la porte, et cela me mit la puce à l'oreille. Ils servaient Odda, et le jeune ealdorman ne serait point heureux d'apprendre qu'Harald était venu nous voir. Pourtant, Harald semblait juger qu'ils n'en

diraient rien, ce qui laissait supposer des mécontente-
ments dans les rangs d'Odda.

– Steapa est assis à la table du roi, dit-il en posant à
terre un pichet d'ale.

– Il mangera donc fort mal, dis-je.

Harald acquiesça sans sourire.

– Ce n'est guère un festin, admit-il. Comment va
Mildrith ?

– Bien.

– C'est une bonne fille, dit-il en fixant un instant la
sombre beauté d'Iseult. Il y aura un office à l'aube, puis
tu combattras Steapa.

– Où ?

– Dans un champ de l'autre côté de la rivière, dit-il en
poussant le pichet vers moi. Il est gaucher.

Je ne me rappelais pas avoir jamais combattu un
homme gaucher, mais je ne voyais pas non plus l'incon-
vénient. Nos boucliers seraient face l'un à l'autre plutôt
qu'à nos armes, mais le problème serait le même pour les
deux. Je haussai les épaules.

– Il a l'habitude, pas toi. Et sa cotte de mailles descend
jusqu'aux mollets. Et il a une bande d'acier dans sa botte
gauche.

– Parce que c'est son pied le plus faible ?

– Il le tend en avant pour t'inciter à attaquer, et c'est là
qu'il te tranche le bras de l'épée.

– C'est donc un homme difficile à tuer.

– Personne n'y est encore parvenu, dit Harald d'un ton
lugubre.

– Tu ne l'aimes point ?

Il prit le temps de boire une gorgée d'ale et de passer
le pichet à Leofric.

– J'aime le vieux Odda. Il a mauvais caractère, mais il
est juste. Son fils ? Je crois qu'il n'a pas fait ses preuves.
Steapa ? Je ne le déteste point, mais il est comme un
chien. Il ne sait que tuer.

Je fixai le pauvre feu, cherchant un signe des dieux dans les petites flammes. Je ne vis rien.

– Il doit tout de même s'inquiéter, dit Leofric.

– Steapa ? demanda Harald. Que redouterait-il ?

– Uhtred a occis Ubba.

– Steapa ne réfléchit pas assez pour s'inquiéter. Il sait seulement qu'il tuera Uhtred demain.

Je repensai à mon combat contre Ubba. C'était un grand guerrier, dont la réputation était connue partout où allaient les Norses, et je l'avais tué, mais en vérité il avait posé le pied sur les tripes d'un homme éventré et avait glissé, perdu l'équilibre. J'avais alors pu lui couper les tendons du bras. Je portai la main à mon amulette et songeai que les dieux m'avaient finalement envoyé un signe.

– Une bande d'acier dans sa botte ? répétai-je.

– Oui. Peu lui chaut que tu l'attaques. Il sait que tu viendras de sa gauche et il parera tous tes coups de son épée. Elle est grosse et lourde. Si quelques-uns portent, il s'en souciera peu. Tu t'épuiseras sur l'acier. Cotte de mailles, casque, botte, peu importe. Ce sera comme de frapper un chêne, et tu finiras par commettre une faute. Lui aura quelques bleus, et toi tu seras mort.

Il avait raison. Frapper un homme en armure avec une épée ne donnait jamais que des bleus, car le coup était amorti par la maille ou le casque. Une lame ne peut entailler la maille, c'est pourquoi tant d'hommes étaient armés d'une hache sur le champ de bataille. Les règles du combat singulier, elles, prescrivaient l'usage de l'épée. Sa pointe pouvait percer la maille, mais Steapa n'allait point s'y prêter aussi facilement.

– Est-il vif ? demandai-je.

– Assez, mais moins que toi, concéda-t-il. Pas lent pour autant.

– Que dit l'argent ? demanda Leofric, connaissant sans doute la réponse.

– Personne ne parie un sou sur Uhtred.

– Tu devrais, rétorquai-je.

Il sourit, mais je savais qu'il ne suivrait pas mon conseil.

– La grosse somme, c'est celle que donnera Odda à Steapa quand il t'aura tué. Cent shillings.

– Uhtred ne les vaut point, plaisanta Leofric.

– Pourquoi veut-il tant ma mort ? me demandai-je à haute voix.

Ce ne pouvait être Mildrith, et la dispute concernant la mort d'Ubba était chose du passé, mais Odda le Jeune continuait de comploter contre moi.

Harald baissa la tête et je crus qu'il priait.

– Tu le menaces, dit-il finalement.

– Je ne l'ai vu depuis des mois, protestai-je. Comment le pourrais-je menacer ?

– Le roi est fréquemment souffrant, répondit Harald en pesant ses mots. Qui sait combien il vivra encore ? Et si, Dieu le garde, il devait mourir bientôt, le *witan* ne choisirait pas son petit enfant comme roi. Il choisirait un noble dont la réputation s'est faite sur le champ de bataille. Un homme capable d'affronter les Danes.

– Odda ? m'esclaffai-je en l'imaginant en roi.

– Qui d'autre ? Mais si tu venais devant le *witan* affirmer sous serment la vérité sur la bataille où Ubba a trouvé la mort, ils pourraient ne le point choisir. C'est pourquoi il te craint.

– Et il paie Steapa pour te découper en morceaux, conclut Leofric.

Harald s'en alla. C'était un homme de bien, honnête et dur à la tâche. Il avait pris un risque en venant me voir, et moi j'avais été bien piètre compagnie en ne reconnaissant pas ce geste. Il pensait que j'allais mourir le lendemain, et avait fait de son mieux pour me préparer au combat. Malgré la prédiction favorable d'Iseult, je ne dormis pas bien. J'étais inquiet et il faisait froid. La pluie céda à la neige fondue dans la nuit et le vent s'infiltrait dans l'étable. À l'aube, neige et pluie avaient cessé. Un brouillard nimbait les bâtiments, tandis qu'une eau glacée gouttait du toit de chaume. Je mangeais chichement du pain trempé lorsque le père Beocca arriva pour m'informer qu'Alfred désirait me parler.

— Vous voulez dire qu'il veut prier avec moi ? répondis-je aigrement.

— Il veut te parler, insista Beocca. (Voyant que je ne bougeais pas, il tapa de son pied boiteux.) Ce n'est pas une requête, Uhtred. C'est un ordre royal !

J'enfilai ma cotte de mailles, non parce qu'il était temps de s'armer pour le combat mais parce que sa doublure de cuir me protégeait du froid matinal. Elle n'était guère propre, malgré les efforts d'Iseult. La plupart des hommes avaient les cheveux courts, mais j'aimais la coutume dane de les porter longs. Je les nouai d'un lacet, tandis qu'Iseult m'en ôtait les fétus de paille.

— Il faut nous hâter, dit Beocca.

Je le suivis jusqu'à de petits bâtiments de bois qui n'avait point encore viré au gris. Le père d'Alfred avait utilisé Cippanhamm comme pavillon de chasse, mais Alfred l'agrandissait. L'église avait été bâtie en premier, avant même la palissade ; cela en disait long sur ses priorités. Ce jour-là encore, alors que la noblesse du Wessex était rassemblée à une journée de marche des Danes, il semblait y avoir plus de clercs que de soldats ici. Cela aussi en disait long sur la manière dont Alfred entendait protéger son royaume.

— Le roi est de bonne humeur, me souffla Beocca alors que nous arrivions. Aussi, sois humble.

Il me fit signe d'entrer et referma la porte derrière moi, me laissant dans la pénombre.

À la lumière des deux cierges de cire tremblotant sur un autel, je distinguai deux hommes agenouillés devant la croix de bois dépouillée qui se dressait devant eux. Ils me tournaient le dos, mais je reconnus Alfred à sa cape bleue bordée de fourrure. L'autre homme était un moine. J'attendis qu'ils aient fini de prier. La pièce, petite, à l'évidence une chapelle privée, n'était meublée que de l'autel et d'un prie-Dieu où reposait un livre fermé.

– Au nom du Père, dit Alfred, brisant le silence.

– Du Fils, dit le moine.

Je reconnus la voix d'Asser.

– Et du Saint-Esprit, conclut Alfred. Amen.

– Amen, répéta Asser.

Les deux hommes se relevèrent, le visage rempli de l'extase des chrétiens dévots qui ont bien dit leurs prières. Alfred cligna des paupières comme s'il était surpris de me voir. Pourtant, il avait dû entendre la porte s'ouvrir et se refermer.

– Je suppose que tu as bien dormi, Uhtred, dit-il.

– Je suppose que vous avez bien dormi, seigneur.

– Les douleurs me tiennent éveillé, dit-il en touchant son ventre.

Il alla ouvrir des volets et la chapelle s'emplit d'une faible clarté brumeuse. Les fenêtres donnaient sur une cour où étaient rassemblés des hommes. Le roi frissonna, car il régnait un froid glacial dans la chapelle.

– Nous sommes à la Saint-Cedd, me dit-il. (Je ne répondis rien.) As-tu entendu parler de saint Cedd ? me demanda-t-il. (Comme mon silence trahissait mon ignorance, il sourit avec indulgence.) C'était un Estanglien, n'est-il pas vrai, mon frère ?

– Le très saint Cedd était en vérité d'Estanglie, seigneur, opina Asser.

– Cedd est-il donc célèbre dans ta contrée natale ?

– Je n'ai jamais entendu parler de lui, seigneur.

– Je le vois comme un symbole, dit Alfred. Un homme né en Estanglie, qui a œuvré toute sa vie en Mercie et est mort en Northumbrie. (Il joignit ses longues mains fines et pâles.) Les Saxons d'Anglie, Uhtred, se sont rassemblés devant Dieu.

– Et unis dans la joie de la prière avec les Bretons, ajouta pieusement Asser.

– Je remercie le Tout-Puissant pour cette heureuse issue, sourit le roi.

Je compris alors ce qu'il me disait. Il était là, si humble, sans couronne ni collier ni bracelets, une petite agrafe de grenat retenant sa cape à son cou, et il parlait d'une heureuse issue : le peuple saxon rassemblé sous un seul roi. Le roi du Wessex. La piété d'Alfred dissimulait une monstrueuse ambition.

– Nous devons apprendre des saints, poursuivit-il. Leurs vies sont un guide dans les ténèbres qui nous entourent, et le bel exemple de saint Cedd nous enseigne que nous devons être unis. Aussi je répugne à répandre le sang saxon en ce jour de la Saint-Cedd.

– Il n'est point besoin que du sang soit répandu, seigneur, dis-je.

– Je suis heureux de l'entendre.

– Si les accusations proférées à mon encontre sont retirées.

Son sourire disparut et il alla à la fenêtre contempler la cour nimbée de brume. Je suivis son regard et vis une petite scène s'y déroulant à mon intention. Steapa était en train d'être équipé. Deux hommes lui passaient son énorme cotte de mailles, tandis qu'un troisième attendait avec un bouclier et une épée démesurés.

– J'ai parlé avec Steapa hier soir, reprit le roi. Il m'a dit qu'il y avait du brouillard lorsque Svein a attaqué à Cynuit. Par un matin comme celui-ci.

– Je ne pourrais le savoir, mon seigneur.

– Il est donc possible, continua le roi, que Steapa se soit trompé en croyant te voir. (J'esquissai un sourire. Le roi savait que Steapa avait menti, mais il n'allait pas le dire.) Le père Willibald a aussi parlé à l'équipage de l'*Eftwyrd*, et nul n'a confirmé le récit de Steapa.

132

L'équipage étant encore à Hamtun, le rapport de Willibald devait venir de là. Cela signifiait que le roi me savait innocent du massacre de Cynuit avant même qu'on m'en accuse.

– Aurais-je donc été faussement inculpé ? demandai-je d'un ton brusque.

– Tu as été accusé, corrigea le roi, et les accusations doivent être prouvées ou réfutées.

– Ou retirées.

– Je puis retirer les charges, concéda Alfred. (Dehors, Steapa s'assurait que sa cotte était bien ajustée en faisant tournoyer son épée. Elle était énorme. Immense. Puis le roi referma les volets, dissimulant Steapa à ma vue.) Je puis retirer l'accusation de Cynuit, dit-il, mais je ne crois pas que le frère Asser nous ait menti.

– Une reine dit le contraire.

– Une reine de l'ombre, siffla Asser. Une païenne ! Une sorcière ! Elle est le mal, seigneur. C'est une ensorceleuse ! *Maleficos non patieris vivere !*

– Tu ne permettras point à sorcière de vivre, traduisit pour moi Alfred. C'est un commandement de Dieu, Uhtred, issu des Saintes Écritures.

– Votre réponse à la vérité, persiflai-je, est de menacer de mort une femme ?

Alfred frémit.

– Le frère Asser est un bon chrétien, affirma-t-il. Et il dit la vérité. Tu es allé en guerre sans mon ordre. Tu as usé de mon navire, de mes hommes, et tu t'es conduit en traître ! C'est toi le menteur, Uhtred, s'emporta-t-il. Je crois savoir que tu as payé ta dette envers l'Église avec des biens volés à d'autres bons chrétiens.

– C'est faux, répliquai-je.

J'avais payé ma dette avec des biens volés à un Dane.

– Reprends ta dette, dit le roi, et nous n'aurons nulle mort en cette journée bénie de la Saint-Cedd.

On m'offrait la vie. Alfred attendit ma réponse en souriant. Il était certain que j'accepterais, car son offre lui paraissait raisonnable. Il n'aimait point les guerriers, les armes et les tueries. Le destin avait voulu qu'il passe son règne à se battre, mais ce n'était point de son goût. Il voulait civiliser le Wessex, y apporter ordre et piété. Deux hommes se battant jusqu'à la mort en un matin d'hiver, ce n'était point ainsi qu'il voyait un royaume bien gouverné.

Mais je haïssais Alfred. Je lui en voulais de m'avoir humilié à Exanceaster en me forçant à revêtir une robe de pénitent et à me traîner à genoux. Je ne le voyais point comme mon roi. Il était saxon de l'Ouest et j'étais northumbrien. Pour moi, tant qu'il était roi, le Wessex avait peu de chances de survivre. Il croyait que Dieu le protégerait des Danes, moi je croyais qu'ils devaient être vaincus par l'épée. J'avais aussi ma petite idée sur la manière de vaincre Steapa, une simple idée, et je ne souhaitais point endosser de nouveau une dette dont je m'étais déjà acquitté. Et puis, j'étais jeune, sot et arrogant. Je n'avais jamais su résister à un coup de tête.

– Tout ce que j'ai dit est vrai, mentis-je, je suis prêt à le défendre par l'épée.

Alfred frémit au ton que j'avais pris.

– Dis-tu que le frère Asser a menti ?

– Il tord le cou à la vérité comme une femme à une poule.

Le roi rouvrit les volets, me montrant le puissant Steapa dans toute sa splendeur guerrière.

– Veux-tu vraiment mourir ?

– Je veux combattre pour la vérité, mon seigneur et roi, répondis-je, buté.

– Alors tu es un sot, s'emporta Alfred. Tu es un menteur, un sot et un pécheur. (Il alla à la porte et cria à un serviteur d'avertir l'ealdorman Wulfhere que le combat aurait lieu.) Va, ajouta-t-il, et puisse ton âme recevoir juste récompense.

Wulfhere avait été chargé d'organiser le combat, mais il y avait du retard car il était introuvable. On fouilla en vain la ville et les bâtiments royaux. Enfin, un serf rapporta, gêné, que Wulfhere et ses hommes avaient quitté Cippanhamm avant l'aube. Nul ne savait pourquoi, même si certains le soupçonnèrent de ne pas vouloir se mêler de ce jugement de Dieu ; cela ne me parut guère logique, car l'ealdorman ne m'avait jamais semblé homme pusillanime. L'ealdorman Huppa de Thornsæta fut nommé à sa place. C'est à près de midi qu'on m'apporta mes épées et que nous fûmes escortés jusqu'à la prairie de l'autre côté du pont, à l'est de la ville.

Une vaste foule s'était déjà rassemblée sur la rive. Infirmes, mendiants, jongleurs, femmes vendant des tourtes, prêtres et enfants excités, et bien sûr toute la noblesse guerrière du Wessex, impatiente de voir Steapa Snotor faire montre de ses talents renommés.

– Tu es un fichu sot, me dit Leofric.

– Parce que j'ai tenu à combattre ?

– Tu aurais pu te retirer.

– Et me faire traiter de couard.

C'était vrai, un homme ne pouvait demeurer homme en se retirant d'un combat. Nous amassons enfants, fortune et terres, nous bâtissons châteaux, rassemblons armées et donnons festins, mais une seule chose nous survit : la réputation. Je ne pouvais me dérober.

Alfred ne vint pas au combat. Accompagné d'Ælswith et de leurs deux enfants, escorté de vingt gardes et d'autant de prêtres et courtisans, il était parti vers l'ouest. Il accompagnait le frère Asser sur une partie de son voyage de retour à Dyfed et faisait ainsi comprendre qu'il préférait le commerce d'un clerc breton au spectacle de deux de ses guerriers se battant comme chiens enragés. Mais personne dans le Wessex ne voulut manquer le combat. Tout le monde l'attendait avec impatience. Huppa, voulant que tout fût en ordre, exigea que la foule recule pour nous laisser de la place. Finalement, tout le monde se massa sur le talus dominant la prairie et Huppa alla voir si Steapa était prêt.

Il l'était. Sa cotte scintillait dans le faible soleil. Son casque luisait. Son bouclier, énorme, à bosse et bordure d'acier, devait peser autant qu'un sac de grain et ferait une arme en soi s'il parvenait à me frapper. Mais sa grande arme était l'immense épée, longue et lourde comme je n'en avais jamais vu.

Huppa vint à moi, suivi de deux gardes. Ses pieds s'enfonçaient dans l'herbe. Le sol devait être traître.

– Uhtred d'Oxton, es-tu prêt ? me demanda-t-il.

– Mon nom est Uhtred de Bebbanburg.

– Es-tu prêt ? répéta-t-il.

– Non.

Un murmure s'éleva parmi les spectateurs les plus proches de moi et se répandit dans la foule qui commença à me huer. On me prenait pour un couard, et d'autant plus lorsque je lâchai bouclier et épée puis me fis aider par Leofric pour ôter ma lourde cotte. À côté de son champion, Odda le Jeune se mit à rire.

– Que fais-tu ? me demanda Leofric.

– J'espère que tu as misé sur moi.

– Bien sûr que non.

– Refuses-tu de te battre ? demanda Huppa.

– Non.

Une fois débarrassé de mon armure, je repris Souffle-de-Serpent. Rien d'autre. Ni casque, ni bouclier, rien que ma chère épée. À présent, j'étais libéré de tout fardeau. Le sol était lourd, Steapa caparaçonné, mais moi j'étais léger, et vif.

– Je suis prêt, dis-je à Huppa.

Il alla au centre de la prairie, leva le bras, l'abaissa, et la foule exulta.

J'embrassai mon amulette, confiai mon âme au grand Thor et m'avançai.

Steapa vint à ma rencontre, bouclier levé, épée dans la main gauche. Il n'avait nullement l'air inquiet. C'était un ouvrier attelé à sa tâche et je me demandai combien d'hommes il avait occis. Il devait penser que m'abattre serait facile, car je n'avais aucune protection, pas même un bouclier. Arrivé à une dizaine de pas, je courus vers lui, feintai à droite vers son épée, obliquai à gauche et le dépassai sans cesser de courir. Je sentis son énorme lame siffler tandis qu'il se tournait, mais j'étais derrière lui, je m'agenouillai, esquivai, me redressai et poussai mon épée en avant.

Elle perça sa cotte derrière l'épaule gauche, mais il fut plus rapide que je ne pensais. Il se retourna, je reculai vivement de deux pas. J'attaquai de nouveau à gauche et il se jeta sur moi, espérant m'écraser sous son bouclier. Mais j'esquivai à droite et nos épées s'entrechoquèrent en sonnant comme le glas du Jugement dernier. Le sol était spongieux. Je craignais de glisser, mais la vitesse était mon arme. Je devais continuer de le faire tourner dans le vide en saisissant chaque occasion de le frapper de la pointe de Souffle-de-Serpent. Si je le saignais assez, il se fatiguerait. Devinant ma tactique, il entreprit de faire de brefs écarts pour m'agacer, tout en donnant des coups d'épée. Il voulait m'obliger à parer et espérait briser mon arme. Je le craignais : si elle était bien forgée, même les meilleures épées se peuvent briser.

Steapa me força à reculer jusqu'à la foule, espérant m'y coincer et me déchiqueter devant les spectateurs. Je le laissai faire, et au dernier instant je me baissai en feignant de glisser. Une femme poussa un cri en le voyant abattre son épée. J'esquivai, mais je pris un coup de bouclier à l'épaule. J'enfonçai la pointe de Souffle-de-Serpent dans son dos entre les côtes. Il se retourna, mais je m'étais déjà relevé et reculais.

Je m'arrêtai à dix pas. Il en fit autant et me considéra, perplexe. Pas inquiet, seulement intrigué. Il avança son pied gauche, comme m'en avait prévenu Harald, espérant que je l'attaquerais. Je souris et changeai mon épée de main. Cela l'intrigua plus encore. Peut-être étais-je de ceux qui peuvent se battre indifféremment d'une main ou de l'autre...

– Pourquoi te nomme-t-on Steapa Snotor ? demandai-je. Tu n'es point malin. Tu as autant de cervelle qu'un œuf gâté.

J'essayais de l'enrager en espérant que la colère lui ferait perdre prudence, mais il resta impassible. Il marcha calmement vers moi, fixant l'épée dans ma main gauche. Il frappa un peu trop tard, pensant que j'allais esquiver, mais je ripostai et entendis ma lame racler la cotte de mailles de son bras. Je changeai de nouveau Souffle-de-Serpent de main, me jetai sur lui et l'évitai au dernier instant, si bien qu'il me manqua de nouveau.

Il était toujours aussi perplexe. On aurait dit un chien combattant un taureau. Le taureau, c'était lui, et il cherchait à me mettre dans une position où il pourrait utiliser toute sa force. J'étais le chien qui l'agace, le harcèle et le mord jusqu'à ce qu'il faiblisse. Il pensait que je viendrais revêtu de ma cuirasse et que je finirais par me fatiguer après quelques assauts, mais il n'avait même pas réussi à me toucher. Je ne l'avais pas affaibli non plus. Mes deux entailles l'avaient fait saigner, mais ce n'était rien pour lui. Une femme poussa un cri alors qu'il se jetait sur moi. Je pensai qu'elle cherchait à l'encourager, mais il s'arrêta tout net, laissa retomber son bouclier et son épée pour regarder derrière moi. Je n'avais qu'à me jeter sur lui. Je pouvais plonger Souffle-de-Serpent dans sa poitrine, sa gorge ou son ventre, mais je n'en fis rien. Steapa n'était pas un sot au combat et je devinai qu'il feintait. Si j'attaquais, il abattrait son épée ou son bouclier sur moi. Il voulait que je le croie sans défense. Je ne mordis pas à l'hameçon. J'écartai les bras et l'invitai à attaquer, tout comme lui.

138

Mais il m'ignora. Il continuait de regarder derrière moi. La femme criait toujours, et maintenant des hommes hurlaient, Leofric m'appelait et plus personne ne nous regardait. Ils s'enfuyaient tous, paniqués.

Je me retournai et regardai la ville sur la colline.

Cippanhamm brûlait. La fumée noircissait le Ciel d'hiver et l'horizon était empli d'hommes à cheval, armés d'épées, de lances, boucliers et bannières, et d'autres cavaliers sortaient par la porte est et s'élançaient vers le pont.

Car les prières d'Alfred n'avaient pas été exaucées et les Danes attaquaient le Wessex.

6

Steapa recouvra ses esprits avant moi. Bouche bée, il fixa les Danes franchissant le pont, puis il courut vers son maître Odda le Jeune qui réclamait ses chevaux. Les Danes se répandaient au galop dans la prairie, épées et lances brandies. La fumée de la ville incendiée montait vers les nuages d'hiver. Certains des bâtiments royaux étaient en feu. Un cheval sans cavalier, secouant ses étriers, galopait dans l'herbe. Leofric me prit alors par le bras et m'entraîna vers le nord. La plupart des gens ayant fui dans la direction opposée, poursuivis par les Danes, c'est par là que nous serions le plus en sûreté. Je pris ma cotte de mailles des mains d'Iseult, lui laissant Dard-de-Guêpe. Derrière nous, les cris enflèrent alors que les Danes commençaient à abattre leurs haches dans la cohue. Les fuyards se dispersèrent. Des cavaliers nous dépassèrent en faisant gicler des gerbes de boue. Je vis Odda le Jeune décamper avec trois autres cavaliers, dont Harald le bailli. Steapa n'était pas avec eux et je crus qu'il me cherchait, puis je l'oubliai pendant qu'un groupe de Danes s'élançaient derrière Odda.

– Où sont nos chevaux ? criai-je à Leofric.

Il me regarda d'un air surpris et je me souvins que je n'étais pas venu à Cippanhamm avec lui. Les bêtes devaient se trouver encore dans la cour derrière la taverne de l'Épi : elles étaient donc perdues.

Nous nous arrêtâmes pour souffler auprès d'un saule abattu, à l'abri de son tronc. J'enfilai ma cotte, m'armai de mes épées et repris casque et bouclier à Leofric.

– Où est Haesten ? demandai-je.

– Il a fui, répondit sèchement Leofric.

Tout comme le reste de mes hommes, qui avaient suivi la panique et fui vers le sud. Leofric me désigna le nord. Une vingtaine de Danes longeant le bord de la rivière nous barraient le chemin, mais ils étaient encore loin, tandis que ceux qui poursuivaient Odda avaient disparu. Leofric nous entraîna de l'autre côté du marécage, dans d'épais fourrés d'aulnes, ronces et lierres. Au centre se dressait une vieille cabane de torchis à demi effondrée qui faisait meilleure cachette que le saule et nous nous abritâmes dessous.

Une cloche sonnait dans la ville, comme un glas annonçant des funérailles. Elle cessa brusquement, reprit, puis se tut définitivement. Un cor retentit. Une douzaine de cavaliers passèrent au galop près de notre cachette. Tous portaient des capes et des boucliers noirs, la marque des hommes de Guthrum.

Guthrum le Malchanceux. Il tentait pour la troisième fois de prendre le pays. Et là, sa chance avait peut-être tourné. Pendant qu'Alfred fêtait la Douzième Nuit de Yule et que le *witan* se réunissait pour discuter de l'entretien des ponts et du châtiment des malfaiteurs, Guthrum s'était mis en marche. Cippanhamm était tombée, et les soldats d'Alfred, pris par surprise, avaient été dispersés ou massacrés. Le cor sonna de nouveau et la troupe de cavaliers noirs tourna bride.

– Nous aurions dû savoir que les Danes viendraient, m'agaçai-je.

– Tu l'as toujours dit, répondit Leofric.

– Alfred n'avait-il pas un espion à Gleawecestre ?

– Il y avait des prêtres qui priaient, plutôt, dit-il avec aigreur. Et il faisait confiance à la trêve de Guthrum.

Je touchai mon amulette. Je l'avais prise à un garçon, à Eoferwic, quand j'étais moi-même enfant, fait prisonnier par les Danes. Mon adversaire m'avait criblé de coups de pied et de poing, et je l'avais assommé avant de lui confisquer son amulette. Je la touchais souvent, pour rappeler à Thor que j'étais en vie. Ce jour-là, j'y portai la main parce que je pensais à Ragnar. Les otages devaient être morts ; était-ce pour cela que Wulfhere était parti dès l'aube ? Mais comment aurait-il su que les Danes arrivaient ? S'il l'avait su, Alfred l'aurait su aussi et les armées saxonnes auraient été sur le pied de guerre. Tout cela n'avait aucun sens, sauf que Guthrum avait de nouveau attaqué durant une trêve. La dernière fois qu'il avait agi ainsi, il avait montré qu'il était prêt à sacrifier les otages détenus pour empêcher une telle attaque. Il semblait certain qu'il avait recommencé. Ragnar devait donc être mort. Mon univers était de plus en plus étroit.

Tant de morts. La prairie était jonchée de cadavres, pourtant le massacre continuait. Quelques Saxons étaient retournés vers la ville et, découvrant le pont gardé, avaient essayé de fuir vers le nord : nous les vîmes succomber sous les coups des Danes. Trois d'entre eux se regroupèrent, épée au poing, et tentèrent de résister. Un Dane les chargea, en embrocha un de sa lance et renversa les deux autres, qui furent achevés par ses compagnons. Une fillette hurlait et courait. Un Dane lui releva la jupe par-dessus la tête, elle se retrouva aveugle et demi-nue. Elle tituba dans l'herbe trempée, sous les rires des Danes. L'un d'eux lui claqua les fesses du plat de son épée et un autre l'entraîna, ses cris étouffés par l'étoffe. Iseult frissonna et je passai un bras autour de ses épaules.

J'aurais pu rejoindre les Danes dans la prairie. Je parlais leur langue, et avec mes longs cheveux et mes bracelets j'avais l'air d'un des leurs. Mais Haesten était quelque part dans Cippanhamm, il me trahirait peut-être. En outre, Guthrum ne m'aimait point et, même si je survivais, Leofric et Iseult n'auraient point la partie facile. Ces Danes étaient déchaînés, exaltés par leur triomphe facile. S'ils décidaient de s'en prendre à Iseult, ils me la raviraient, qu'ils me prennent ou non pour un Dane. Ils chassaient en meute. Mieux valait donc rester caché en attendant qu'ils se calment. De l'autre côté de la rivière, la plus grande église de la ville brûlait. De son toit de chaume, s'élevait un tourbillon de flammes et de fumée constellé d'étincelles.

— Que faisais-tu donc tout à l'heure, par le Ciel ? me demanda Leofric. À danser autour de Steapa comme un taon ! Il aurait pu supporter cela toute la journée !

— Je l'ai blessé. Deux fois.

— Blessé ? Par le Christ, il se blesse bien plus gravement quand il se rase !

— Cela n'a plus d'importance, à présent, non ?

Steapa était sans doute mort, maintenant. Ou bien il avait fui. Je n'en savais rien. Nul ne savait ce qui se passait, hormis que les Danes étaient là. Et Mildrith, et mon fils ? Ils étaient loin, et sans doute seraient-ils prévenus de l'attaque, mais il était évident que les Danes continueraient de s'enfoncer en Wessex et je ne pouvais rien faire pour protéger mes terres à Oxton. Je n'avais point de cheval ni d'hommes et nulle possibilité d'atteindre la côte sud avant les cavaliers de Guthrum.

Je regardai un Dane galoper avec une fille jetée en travers de sa selle.

— Qu'est-il advenu de la Dane que tu as ramenée chez toi, celle que nous avons capturée en Galles ? demandai-je à Leofric.

— Elle est restée à Hamtun, et, comme je n'y suis plus, elle est probablement dans le lit d'un autre.

— Eanflæd était fâchée contre toi.

— Fâchée ? Et pourquoi ?

– Parce que tu n'es point allée la voir.

– Comment aurais-je pu ? J'étais enchaîné. (Il semblait content qu'elle ait demandé de ses nouvelles.) Brave fille. Je crois qu'Hamtun lui plairait.

Si Hamtun existait encore. Une flotte dane était-elle venue de Lundene ? Svein attaquait-il par la mer de Sæfern ? Je savais seulement que le Wessex s'était plongé dans le chaos. Une fine pluie glacée et piquante recommença à tomber. Iseult se recroquevilla et je l'abritai sous mon bouclier. Comme seuls quelques fuyards venaient dans notre direction, cela signifiait qu'il y avait très peu de Danes près de notre cachette. Ceux se trouvant de l'autre côté de la rivière étaient en train de rassembler leur butin, dépouillant les cadavres de leurs armes, ceintures, cottes et vêtements, de toute chose de valeur. Quelques Saxons avaient survécu, mais ils étaient emmenés avec les femmes et les enfants qui seraient vendus comme esclaves. Les vieillards étaient tués. Un groupe de Danes tourmentaient un blessé de la pointe de leurs épées et de leurs lances, comme des chats jouant avec une hirondelle tombée. Parmi eux se trouvait Haesten.

– J'ai toujours aimé Haesten, dis-je tristement.

– C'est un Dane, répliqua Leofric avec mépris.

– Je l'aimais bien quand même.

– Tu lui as sauvé la vie, et maintenant il a retrouvé les siens. Tu aurais dû l'occire.

Je regardai Haesten frapper la victime suppliant qu'on l'achève, mais les jeunes Danes se contentaient de rire. Un corbeau arriva. Je me suis toujours demandé s'ils sentent le sang : il peut ne pas y en avoir un seul dans le Ciel de la journée, mais quand un homme meurt, leurs ailes noires et luisantes surgissent de nulle part. Peut-être Odin les envoie-t-il, car les corbeaux sont ses oiseaux. Ils s'abattirent sur les corps et commencèrent à dévorer lèvres et yeux, le premier plat du festin de tout corbeau. Les chiens et les renards suivraient bientôt.

– La fin du Wessex, s'attrista Leofric.

– La fin de l'Anglie, dis-je.

– Que faisons-nous ? demanda Iseult.

Je ne répondis rien. Ragnar devait être mort, je n'avais donc plus de refuge parmi les Danes. Alfred était probablement mort ou en fuite, je me devais donc désormais à mon fils. Ce n'était qu'un bébé, mais il était mien et portait mon nom. Bebbanburg serait sienne si je parvenais à la reprendre. Si je n'y parvenais point, ce serait à lui de s'emparer de la forteresse, et ainsi le nom d'Uhtred de Bebbanburg serait perpétué jusqu'à la fin des temps.

– Nous devons aller à Hamtun retrouver l'équipage, dit Leofric.

Seulement, les Danes s'y trouvaient peut-être déjà, ou du moins en chemin. Ils savaient où résidait la puissance du Wessex, où les grands seigneurs avaient leurs châteaux, où se rassemblaient les soldats. Alors, Guthrum allait envoyer des hommes brûler et tuer, afin de désarmer le dernier royaume des Saxons.

– Il nous faut manger, dis-je, et nous réchauffer.

– Allume un feu ici et nous sommes morts, grommela Leofric.

Nous attendîmes donc. La pluie se transforma en neige fondue. Haesten et ses compagnons s'éloignèrent, leur victime une fois morte, laissant la prairie aux cadavres et aux corbeaux. Nous attendîmes encore, mais Iseult frissonnait tellement qu'à la fin de l'après-midi j'ôtai mon casque et dénouai mes cheveux.

– Que fais-tu ? demanda Leofric.

– Pour le moment, nous sommes des Danes. Contente-toi de te taire.

Je les entraînai vers la ville. J'aurais préféré attendre la tombée de la nuit, mais Iseult avait trop froid, et j'espérais que les Danes seraient calmés. J'avais peut-être l'air de l'un d'eux, mais c'était encore périlleux. Nous traversâmes donc la prairie avec inquiétude, enjambant les corps ensanglantés. Les corbeaux protestaient et se réfugiaient dans les saules en agitant leurs ailes avec indignation pour retourner à leur festin à peine étions-nous passés. Près du pont étaient entassés plus de cadavres encore, pour lesquels les jeunes gens destinés à l'esclavage creusaient une fosse. Les Danes qui les gardaient étaient ivres, aucun ne nous arrêta lorsque nous passâmes sous l'arche encore ornée du houx et du lierre.

Les incendies avaient cessé, atténués par la pluie ou éteints par les Danes qui mettaient à sac maisons et églises. Je restai dans les ruelles étroites jonchées de débris. Un jeune Dane vomissait dans une impasse. Il m'informa que Guthrum était au château royal et qu'il y aurait grand festin ce soir. Il proposa de m'acheter Iseult pour une bourse de pièces. Les cris et les pleurs de femmes dans les maisons voisines faisaient bouillir Leofric, mais je lui ordonnai de se taire. À nous deux, nous ne pouvions libérer Cippanhamm. Si le monde avait été bouleversé et qu'une armée du Wessex avait pris une ville dane, les choses n'auraient pas été différentes.

– Alfred ne l'aurait pas permis, maugréa Leofric.

– Tu l'aurais fait quand même, répondis-je. Je t'ai déjà vu à l'œuvre.

Je voulais des nouvelles, mais aucun des Danes que nous croisions ne pouvait m'en donner. Ils avaient quitté Gleawecestre bien avant l'aube, pris Cippanhamm, et voulaient se repaître de ce qu'ils y trouvaient. La grande église avait brûlé, mais des hommes fouillaient les cendres fumantes à la recherche d'argent. Faute de mieux, nous nous rendîmes à l'enseigne de l'Épi et nous trouvâmes Eanflæd, la putain rousse, maintenue par deux jeunes Danes pendant que trois autres, qui n'avaient pas dix-huit ans, la violaient tour à tour. Une dizaine d'autres buvaient en prêtant à peine attention à la scène.

– Si tu la veux, dit l'un d'eux, tu devras attendre.

– Je la veux maintenant.

– Alors tu peux sauter dans la fosse à purin, répondit-il. (Il était ivre, avec une barbe rare et des yeux insolents.) Et pendant que tu te noieras, je la prendrai, ajouta-t-il en désignant Iseult.

Je lui brisai le nez d'un coup de poing qui lui mit le visage en sang et lui lançai un coup de pied dans l'entre-jambe. Il s'écroula en geignant et j'en frappai un deuxième au ventre pendant que Leofric se défoulait sur un troisième. Ceux qui tenaient Eanflæd s'en prirent à nous. Elle en empoigna un par les cheveux et lui enfonça les ongles dans les yeux. Pendant ce temps, Leofric broyait la gorge de son adversaire sous sa botte et je chassais le mien à force de gifles. Après quoi je brisai les côtes d'un troisième, fracassai la mâchoire de celui qu'avait aveuglé Eanflæd et attaquai celui qui avait menacé de violer Iseult. Je lui arrachai un anneau d'oreille, lui pris son bracelet et sa bourse trébuchante de pièces. Puis je donnai le tout à Eanflæd avant d'expédier le Dane dans la rue à coups de pied.

– Va sauter dans la fosse à purin, lui dis-je en claquant la porte.

Les autres Danes avaient continué de boire en assistant, amusés, à la bagarre. Ils nous applaudirent ironiquement.

– Bâtards ! siffla Eanflæd. J'ai un mal de chien. Que faites-vous ici, vous deux ?

– Ils nous prennent pour des Danes, dis-je.

– Et nous avons faim, ajouta Leofric.

– Ils ont presque tout mangé, dit-elle en désignant les Danes assis et en se rajustant, mais il reste peut-être de quoi en cuisine. Edwulf est mort. (C'était le tavernier.) Et merci de m'avoir aidée, espèces d'ivrognes ! cria-t-elle aux autres Danes qui ne la comprirent pas et se contentè-rent de rire.

L'un d'eux l'arrêta alors qu'elle allait nous chercher à manger.

– Où vas-tu ? interrogea-t-il en danois.

– Derrière, criai-je.

– Je veux de l'ale. Et toi, qui es-tu ? demanda-t-il.

– Celui qui va te couper la gorge si tu l'empêches d'aller nous chercher à manger.

– Du calme, du calme, intervint un homme plus âgé. Ne te connais-je point ?

– J'étais avec Guthrum à Readingum et à Werham.

– Alors ce doit être cela. Il a mieux réussi, cette fois, hein ?

– Certes.

– Elle est à toi ? questionna-t-il en désignant Iseult.

– Et pas à vendre.

– Je demandais, l'ami, rien de plus.

Eanflæd nous apporta du pain rassis, du porc froid, des pommes ridées et un fromage dur comme pierre mangé aux vers. L'autre homme apporta un pichet d'ale à notre table, en guise d'offrande de paix, et s'assit pour parler avec moi. J'appris ainsi ce qui s'était passé. Guthrum avait amené près de trois mille hommes à Cippanhamm. Il se trouvait à présent dans le château d'Alfred et la moitié de ses soldats resteraient en garnison ici, alors que les autres devaient au matin partir au sud et à l'est.

– Pour que ces gueux continuent à fuir, hein, conclut l'homme. Il ne parle guère, celui-ci, dit-il en désignant Leofric.

– Il est muet.

– J'ai connu un homme dont l'épouse était muette. Qu'il était heureux ! (Il lorgna avec envie mes bracelets.) Alors, qui sers-tu ?

– Svein du *Cheval-Blanc*.

– Svein ? Il n'était ni à Readingum ni à Wehram.

– Il était à Dyflin, mais j'étais avec Ragnar l'Ancien alors.

– Ah ! Ragnar. Le pauvre homme…

– Son fils doit être mort, à présent ?

– Pauvres otages. (Il resta songeur un moment, puis :) Et que fait Svein ici ? Je croyais qu'il venait par la mer ?

– Si fait, mais nous sommes ici pour parler à Guthrum.

– Svein envoie un muet parler à Guthrum ?

– C'est moi qu'il a envoyé. Et lui, il est là pour tuer ceux qui posent trop de questions.

– Allons, allons ! dit l'homme en levant les mains pour m'apaiser.

Nous dormîmes sous la paille dans le grenier de l'écurie et partîmes à l'aube. À cette heure-là, cinquante Saxons auraient pu reprendre Cippanhamm, car les Danes étaient ivres et endormis. Leofric vola une épée, une hache et un bouclier à un homme qui ronflait dans la taverne. Puis nous sortîmes sans encombre par la porte ouest. Dans un champ, nous trouvâmes une centaine de chevaux gardés par deux hommes endormis dans une cabane. Nous aurions pu tous les prendre, mais nous n'avions ni selles ni brides et dûmes nous résigner à marcher. Eanflæd avait décidé de se joindre à nous. Elle avait enveloppé Iseult dans deux gros manteaux, mais la jeune Bretonne frissonnait toujours.

Nous descendîmes entre les collines, en direction de Baðum, d'où je voulais poursuivre vers le Defnascir et mon fils, mais les Danes nous précédaient. Le premier village que nous atteignîmes était plongé dans le silence, et ce que j'avais pris pour un brouillard matinal était la fumée des maisons incendiées. À l'horizon montait une fumée plus épaisse encore, laissant penser que les Danes avaient peut-être déjà atteint Baðum.

Nous errâmes pendant une semaine. Nous nous abritions dans des masures, certaines abandonnées, d'autres encore occupées par des gens terrifiés. Chacune de ces brèves journées d'hiver était obscurcie par la fumée des Danes qui ravageaient le Wessex. Un jour, nous découvrîmes une vache prisonnière de son étable dans une ferme abandonnée. La bête et son veau beuglaient de faim ; cette nuit-là nous festoyâmes de viande fraîche. Le lendemain, nous ne pûmes poursuivre, à cause du froid mordant et de la pluie cinglante. Les arbres gémissaient dans le vent, le toit de notre abri fuyait, le feu nous faisait suffoquer, et Iseult fixait les petites flammes d'un regard vide.

– Tu veux retourner en Cornwalum ? lui demandai-je.

Elle sembla surprise que j'aie parlé et il lui fallut un moment pour se ressaisir.

– Qu'y a-t-il là-bas pour moi ?

– Ton foyer, répondit Eanflæd.

– Uhtred est mon foyer.

– Uhtred est marié, rétorqua la putain rousse.

– Uhtred mènera des hommes, répondit-elle sans relever, en se balançant d'avant en arrière. Par centaines. Une horde resplendissante. Je veux voir cela.

Nous tentâmes de poursuivre et fîmes quelque progrès, mais les journées étaient courtes et les Danes semblaient partout. Même lorsque nous coupions par la campagne, nous apercevions toujours au loin des patrouilles de Danes qui nous forçaient à obliquer vers l'ouest pour les éviter. À l'est s'étendait la voie romaine allant de Baðum à Exanceaster, principale route de cette partie du Wessex. Sans doute les Danes l'utilisaient-ils et patrouillaient-ils de part et d'autre.

Je me disais aussi que le Wessex avait fini par succomber. Nous croisâmes quelques fugitifs dans les bois, mais personne ne savait rien. Nul n'avait vu le moindre soldat saxon, nul n'avait de nouvelles d'Alfred. Il n'y avait que Danes et fumée. De temps en temps, nous passions par un village ravagé à l'église en cendres. Des corbeaux nous menaient aux cadavres. Nous étions perdus, et tout espoir de rejoindre Oxton s'était envolé. Mildrith avait dû fuir dans les collines comme on le faisait toujours dans la région de l'Uisc à la venue des Danes. Je l'espérais en vie, et mon fils aussi, mais leur avenir était aussi sombre que les longues nuits d'hiver.

– Peut-être devrions-nous conclure la paix… proposai-je à Leofric un soir dans une cabane de berger autour d'un feu où nous avions rôti une dizaine de côtes de mouton. Peut-être devrions-nous rejoindre des Danes et leur jurer allégeance.

– Et devenir esclaves ? rétorqua-t-il.

– Nous serons des guerriers.

– Au service d'un Dane ? Ils ne peuvent avoir pris tout le Wessex.

– Pourquoi ?

– C'est trop grand. Il doit y avoir encore des combattants. Il suffit de les trouver.

Je repensai aux longues discussions à Lundene. À l'époque, j'étais un enfant parmi les Danes, et leurs chefs disaient que la meilleure manière de prendre le Wessex était d'attaquer l'ouest. D'autres affirmaient qu'il fallait d'abord prendre le vieux royaume de Kent, point faible du Wessex, où se trouvait le vieil autel de Contwaraburg, mais les premiers avaient prévalu. Les Danes avaient attaqué à l'ouest, le premier assaut avait échoué, mais à présent Guthrum était victorieux. Jusqu'à quel point ? Le Kent était-il encore saxon ? Et le Defnascir ?

– Et qu'adviendra-t-il de Mildrith si nous rejoignons les Danes ? demanda Leofric.

– Elle se sera cachée, dis-je sans conviction.

Je vis qu'Eanflæd était vexée et j'espérai qu'elle tiendrait sa langue.

– T'en soucies-tu ? demanda-t-elle cependant.

– Oui.

– Elle est devenue ennuyeuse, n'est-ce pas ?

– Évidemment qu'il s'en soucie, intervint Leofric.

– C'est une épouse, rétorqua Eanflæd sans me quitter des yeux. Les hommes se lassent des épouses, continua-t-elle tandis qu'Iseult nous observait, n'en perdant pas une miette.

– Que sais-tu des épouses ? demandai-je.

– J'ai été mariée.

– Vraiment ? s'étonna Leofric.

– Durant trois ans, à un homme de la garde de Wulfhere. Il m'a donné deux enfants, puis il est mort dans la bataille où le roi Æthelred fut tué.

– Deux enfants ? répéta Iseult.

– Ils sont morts, grommela Eanflæd. Voilà ce qui arrive aux enfants. Ils meurent.

– Tu étais heureuse avec ton mari ? demanda Leofric.

– Pendant trois jours. Les trois années qui ont suivi, j'ai appris que les hommes ne sont que bâtards.

– Tous ? demanda Leofric.

– Presque, sourit-elle. Mais pas toi, ajouta-t-elle en lui touchant le genou.

– Et moi ? demandai-je.

– Toi ? Je ne te ferais pas confiance un instant, dit-elle d'un ton venimeux qui me surprit. (Il arrive un moment dans la vie où nous nous voyons comme les autres nous voient. Sans doute est-ce ainsi que va la vie, mais ce n'est pas toujours agréable. Eanflæd regretta sa dureté et tenta de se rattraper.) Je ne te connais pas, dit-elle, hormis que tu es l'ami de Leofric.

– Uhtred est généreux, dit Iseult.

– Les hommes le sont toujours quand ils veulent quelque chose, répliqua Eanflæd.

– Je veux Bebbanburg.

– Et pour l'avoir tu serais prêt à tout. Tout.

Nous nous tûmes. Un flocon de neige entra et vint fondre dans les flammes.

– Alfred est un homme de bien, dit Leofric pour rompre ce silence pénible.

– Il essaie d'être bon, dit Eanflæd.

– Il essaie, c'est tout ? ironisai-je.

– Il est comme toi, il tuerait pour avoir ce qu'il veut, mais il y a une différence : il a une conscience.

– Il craint les prêtres, plutôt.

— Il craint Dieu. Et nous devrions tous. Car un jour, nous aurons à répondre devant lui.

— Pas moi, dis-je.

Eanflæd ricana, mais Leofric changea de conversation. Nous finîmes par nous endormir. Iseult se blottit contre moi dans son sommeil, tressaillant, tandis que je veillais en rêvassant à la horde resplendissante dont elle avait parlé. Sa prophétie me semblait bien improbable, et je me disais qu'elle avait dû perdre ses pouvoirs avec son pucelage, puis je m'endormis à mon tour. Lorsque nous nous réveillâmes, le monde était blanc et plongé dans la brume. Je trouvai en sortant un moineau mort sur le seuil, cela me parut un mauvais présage.

Leofric sortit à son tour, clignant des yeux dans cette clarté.

— Ne prends point garde à Eanflæd, dit-il.

— Je ne m'en soucie point.

— Son monde a été anéanti.

— Alors nous devrons le rebâtir.

— Faut-il pour cela rejoindre les Danes ?

— Je suis un Saxon.

Il sourit, baissa ses braies et pissa.

— Si ton ami Ragnar est en vie, demanda-t-il, seras-tu toujours un Saxon ?

— Il est mort, n'est-ce pas ? me désolai-je. Sacrifié à l'ambition de Guthrum.

— Donc tu es un Saxon, maintenant ?

— Je suis un Saxon, répétai-je d'un ton plus convaincu que je ne l'étais, car j'ignorais ce que nous réservait l'avenir.

Comment pouvions-nous le savoir ? Iseult avait peut-être dit la vérité : alors, Alfred me donnerait du pouvoir, et peut-être mènerais-je une horde resplendissante et aurais-je une femme d'or... mais je commençais à douter. Tout ce que je savais en cet instant, c'était que la terre s'étendait au sud jusqu'à une crête couronnée de neige et finissait dans une étrange clarté vide. L'horizon ressemblait au bord du monde, suspendu au-dessus d'un abîme de lumière nacrée.

– Nous continuerons au sud, dis-je.

Il n'y avait rien d'autre à faire que marcher vers cette clarté. Et nous continuâmes sur un chemin de bergers jusqu'à la crête, d'où les collines dévalaient jusqu'aux vastes marécages et à la mer. Cette clarté, c'était la lumière d'hiver se reflétant dans les criques et les marais.

– Et maintenant ? demanda Leofric.

Je n'avais pas de réponse. Nous étions assis sous un if courbé par le vent et contemplions l'immense étendue de vase, d'eau, d'herbes et de roseaux. Le marais s'étendait dans les terres depuis la Sæfern. Pour atteindre le Defnascir, je devais le traverser ou le contourner. Si nous le contournions, nous devrions passer par la voie romaine, où se trouvaient les Danes. Si nous voulions le traverser, d'autres périls nous guettaient. J'avais entendu mille histoires d'hommes qui s'y étaient perdus. On disait qu'y habitaient des esprits qui se montraient la nuit sous la forme de lueurs tremblotantes et que certains chemins ne menaient qu'à des trous remplis d'eau ou à des sables mouvants. Pourtant, il y avait là aussi des villages de pêcheurs d'anguilles : ces gens étaient protégés par les esprits et les brutales marées qui pouvaient noyer une route en un instant. À présent, alors que les dernières neiges fondaient sur les rives, le marais ressemblait à une vaste plaine gorgée d'eau dont les rivières et mares étaient gonflées par les pluies d'hiver ; lorsque la marée montait, il devenait une mer ponctuée d'îlots. Nous en aperçûmes un non loin, où se dressaient quelques cabanes. Nous y trouverions chaleur et nourriture si nous l'atteignions. Finalement, nous pourrions traverser tout le marais d'île en île, mais cela prendrait plus d'une journée et nous devrions nous abriter à chaque marée haute. Je contemplai les longues étendues d'eau, noires sous le Ciel plombé de nuages, et je fus découragé ; je ne savais ni où nous allions, ni pourquoi, ni ce que nous réservait l'avenir.

— Nous devons gagner cette île, dis-je alors qu'il commençait à neiger.

Mais les autres regardaient à l'ouest, où une nuée de pigeons s'étaient envolés d'un bosquet.

— Il y a quelqu'un là-bas, dit Leofric.

Nous attendîmes. Les pigeons se posèrent un peu plus haut sur la colline.

— Peut-être est-ce un sanglier, avançai-je.

— Il ne les aurait pas effrayés, pas plus qu'un cerf, dit Leofric. Il y a quelqu'un là-bas.

Sangliers et cerfs me firent penser à mes chiens. Mildrith les avait-elle abandonnés ? Je ne lui avais pas même confié où étaient cachés les restes du butin amassé sur la côte des Galles. J'avais creusé un trou dans un coin de mon château nouvellement bâti puis dissimulé l'argent et l'or auprès d'un pilier. Ce n'était pas la plus astucieuse des cachettes, s'il y avait des Danes à Oxton et qu'ils cherchaient dans le château où la terre avait été remuée. Un vol de canards passa au-dessus de nous. La neige tombait de plus en plus dru, voilant l'horizon.

— Des prêtres, dit Leofric.

Une demi-douzaine d'hommes en froc noir sortaient des arbres et longeaient le marais, cherchant un chemin dans ce dédale. Comme ils n'en trouvaient aucun menant aisément à la petite île, ils se rapprochaient de nous. L'un d'eux portait un long bâton, et malgré la distance je vis qu'il brillait. Ce devait être la crosse d'un évêque, qui porte souvent une croix en argent. Trois autres portaient de lourds sacs.

— Penses-tu que ce sont des vivres ? demanda Leofric.

— Ce sont prêtres, dis-je d'un ton féroce. Ils transportent de l'argent.

— Ou des livres, dit Eanflæd. Ils aiment les livres.

– C'est peut-être de la nourriture, reprit Leofric, guère convaincu.

Un groupe de trois femmes et deux enfants apparut. L'une d'elles portait une vaste cape de fourrure argentée, et l'autre un bébé. Elles rejoignirent les prêtres qui les attendaient et ils parvinrent au-dessous de nous, où ils découvrirent un sentier serpentant dans le marais. Cinq des prêtres conduisirent les femmes tandis que le sixième rebroussait chemin.

– Où va-t-il ? s'interrogea Leofric.

D'autres canards passèrent au-dessus de nous et descendirent vers le marais. Des filets, songeai-je. Il devait y en avoir dans les villages, et nous pourrions attraper poissons et gibier d'eau. Nous pourrions bien manger pendant quelques jours. Anguilles, canards, poissons, oies. S'il y avait assez de filets, nous pourrions même prendre au piège des cerfs en les attirant dans le marécage.

– Ils ne vont nulle part, dit Leofric d'un ton méprisant en désignant les prêtres immobilisés à une centaine de pas de la rive.

Le sentier qui semblait conduire au village se perdait dans des roseaux où la petite troupe se cacha. Ils ne voulaient ni rebrousser chemin ni continuer et restèrent sur place, perdus, glacés et désespérés. Ils semblaient se disputer.

– Nous devons les aider, dit Eanflæd. Il le faut ! insista-t-elle, voyant que je ne réagissais pas. Elles ont un bébé.

J'allais répliquer que nous n'avions surtout pas besoin de bouches supplémentaires à nourrir. Pourtant, ses paroles de la veille m'avaient convaincu que je devais lui montrer que je n'étais pas l'infâme qu'elle pensait. Aussi me levai-je, pris-je mon bouclier et descendis-je la colline. Les autres me suivirent, mais nous n'avions pas fait la moitié du chemin que j'entendis des cris à l'ouest. Le prêtre reparti seul était à présent avec quatre soldats et venait d'apercevoir des cavaliers surgissant des arbres. Ils furent d'abord six ; puis huit autres apparurent, puis dix encore. Je me rendis compte qu'une colonne entière de cavaliers arrivait. D'après leurs capes et boucliers noirs, c'étaient des hommes de Guthrum. L'un des prêtres piégés dans le marais revint sur ses pas en brandissant une épée pour aider ses compagnons.

C'était bien brave de la part d'un homme seul, mais tout à fait inutile. Dos à dos, les quatre soldats et l'autre prêtre étaient encerclés par les Danes qui les taillaient en pièces, puis deux cavaliers virent le prêtre à l'épée et se précipitèrent sur lui.

– Ces deux-là sont pour nous, dis-je à Leofric.

Nous n'étions que deux et, même si nous abattions les deux cavaliers, nous n'aurions guère de chances face aux autres. Mais j'en avais assez de me terrer dans la campagne enneigée, et j'étais en colère. Je dévalai la colline sans me soucier du fracas des branches sur mon passage. Le prêtre tournait le dos au marais et les cavaliers le chargeaient, quand Leofric et moi surgîmes des arbres et les attaquâmes par le flanc gauche.

Je frappai le premier cheval de mon lourd bouclier. L'animal hennit et s'écroula en entraînant son cavalier. Sous le choc, j'étais moi aussi tombé. Me relevant le premier, je trouvai le soldat empêtré dans ses étriers et coincé sous sa monture, alors j'abattis Souffle-de-Serpent sur lui. Je l'égorgeai, lui piétinai la gorge et frappai encore, baignant dans son sang. Puis je volai au secours de Leofric qui repoussait l'autre, toujours à cheval. Alors que l'homme se tournait vers moi, Leofric donna un coup de hache à sa bête, qui se cabra, et je cueillis le cavalier d'un coup d'épée dans le dos. À quelques pas de là, le prêtre à l'épée nous regardait, stupéfait.

– Retourne dans le marais ! lui criai-je. Va !

Iseult et Eanflæd, qui nous avaient rejoints, l'empoignèrent et l'entraînèrent. Le sentier ne menait peut-être nulle part, mais mieux valait affronter les Danes dans le marais que sur la terre ferme.

Et les Danes arrivaient. Ils avaient massacré les quelques soldats, vu leurs deux compagnons tués et criaient vengeance.

– Viens ! criai-je à Leofric.

Et prenant le cheval blessé par les rênes, je l'entraînai sur le sentier.

– Un cheval ne servira guère là-dedans, dit-il.

Le cheval, blessé, était nerveux, et le chemin glissant, mais je le traînai jusqu'à l'endroit où s'étaient blottis les réfugiés. Les Danes avaient démonté et nous suivaient. Ils ne pouvaient avancer qu'à deux de front et, par endroits, à un seul. C'est là que j'arrêtai le cheval et que je pris la hache de Leofric. L'animal me regarda de son grand œil brun.

– Ceci est pour Odin, dis-je.

Et j'abattis la hache sur son cou, tranchant net crinière et peau. Une femme poussa un cri derrière moi lorsque le sang jaillit. Le cheval hennit et tenta de se cabrer, mais j'abattis de nouveau la hache. Cette fois, l'animal s'écroula en agitant les jambes dans une gerbe d'eau et de sang. La neige fut teintée de rouge quand j'assenai mon dernier coup et l'achevai. Le cadavre était maintenant un obstacle en travers du chemin, que les Danes devraient franchir de haute lutte. Je repris Souffle-de-Serpent.

– Nous les tuerons l'un après l'autre, dis-je à Leofric.

– Combien de temps tiendrons-nous ?

Il désigna l'ouest et je vis d'autres Danes accourir, tout l'équipage d'un bateau débarqué à cheval et massé au bord du marais. Cinquante, peut-être davantage. De toute façon, ils ne pouvaient avancer qu'un par un, et affronter Souffle-de-Serpent et la hache de Leofric pour franchir le cadavre. Leofric fit le signe de croix, toucha sa lame et leva son bouclier alors qu'arrivait l'ennemi.

Ils furent d'abord deux. Jeunes, féroces, avides de se faire une réputation. Le premier fut arrêté par un coup de hache sur son bouclier, tandis que je glissais mon épée par-dessous et lui fendais la cheville. Il tomba en poussant un juron et fit trébucher son compagnon, tandis que Leofric assenait un second coup. L'autre homme prit la pointe de Souffle-de-Serpent dans la gorge et s'écroula à son tour sur le cheval mort, renforçant notre barricade. Je narguai les autres, les traitant de vers de terre et leur disant que mes enfants se battaient mieux qu'eux. Un autre arriva et bondit par-dessus le cheval en poussant un cri de fureur, mais il fut accueilli par le bouclier de Leofric et mon épée. Deux autres tentèrent de franchir l'obstacle. L'un reçut un coup d'épée dans le ventre et l'autre à la gorge. J'exultais, car le calme de la bataille descendait sur moi, cette paix bénie que j'avais éprouvée à Cynuit, une joie qui ne se compare qu'à celle apportée par une femme.

C'est comme si la vie ralentissait. L'ennemi bougeait comme empêtré dans la boue, mais j'étais vif comme un martin-pêcheur. Il y a une fureur, mais maîtrisée, et une joie, celle célébrée par le poète quand il chante la bataille, et la certitude que la mort n'est pas dans le destin du jour. Ma tête résonnait de chants, d'une note bourdonnante et suraiguë qui était un hymne à la mort. Cinq cadavres m'entouraient, et les Danes vivants y regardaient à deux fois. Je me dressai sur le cheval mort et écartai les bras, bouclier d'une main, épée de l'autre, ma cotte de mailles ruisselante de sang.

– J'ai occis Ubba Lothbrokson ! leur criai-je. C'est moi qui l'ai occis ! Venez le rejoindre ! Goûtez sa mort ! Mon épée vous désire !

– Des bateaux ! s'écria Leofric.

Je ne l'entendis pas. Un homme que j'avais cru noyé était toujours vivant et surgit soudain du marais en suffoquant et vomissant. Je bondis de mon perchoir et le replongeai dans l'eau.

– Laisse-lui la vie ! cria une voix derrière moi. Je veux un prisonnier !

L'homme se débattait, mais un coup de Soufflede-Serpent l'acheva en lui brisant l'échine.

– Des bateaux ! répéta Leofric.

Je me retournai et vis trois longues barques poussées par des perches qui abordèrent auprès des réfugiés et les chargèrent à leur bord. Les Danes, comprenant que Leofric et moi devions battre en retraite si nous voulions embarquer à notre tour, se précipitèrent sur nous. Je les accueillis d'un sourire.

– Le bateau de gauche a de la place pour nous, dit Leofric. Nous allons devoir courir.

– Je reste, criai-je en danois. Je m'amuse.

Soudain, un homme dépassa les autres Danes et arriva devant moi. Il portait une cotte de mailles et un casque argenté couronné d'une aile de corbeau. Il l'ôta et je vis l'os doré accroché dans ses cheveux. C'était Guthrum en personne. L'os était l'une des côtes de sa mère, qu'il portait en hommage à sa mémoire. Il me fixa de son triste regard et considéra les hommes que j'avais tués.

– Je te traquerai comme un chien, Uhtred Ragnarson, dit-il. Et comme un chien je t'occirai.

– Je n'ai jamais connu ta mère, lui criai-je, mais j'aurais aimé !

Son visage maigre prit l'expression respectueuse qu'il adoptait chaque fois que l'on parlait d'elle. Il sembla regretter d'avoir été si dur avec moi, car il fit un geste de conciliation.

– C'était une femme merveilleuse, dit-il.

Je lui souris. Quand j'y repense, à cet instant j'aurais pu changer facilement de camp, et Guthrum m'aurait accueilli si j'avais comblé sa mère d'un compliment, mais j'étais un jeune homme impétueux gagné par la joie de la bataille.

– J'aurais craché au visage de ce laideron, lançai-je, et maintenant je pisse sur son âme et je te dis que les fauves de Niflheim troussent ses vieux os pourris.

Il poussa un hurlement de fureur et tous chargèrent, pataugeant dans l'eau, cherchant à venger l'affreuse insulte. Leofric et moi courions comme des sangliers traqués et traversions les roseaux vers la dernière barque. Les deux premières étaient déjà parties, mais la troisième nous attendait. Lorsque nous nous jetâmes à plat ventre dessus, l'homme donna un violent coup de perche et elle s'élança sur l'eau noire.

– Je te retrouverai ! cria Guthrum.

– Peu me chaut ! répliquai-je en brandissant Souffle-de-Serpent et en baisant sa lame ensanglantée. Tes hommes ne savent que mourir, et ta mère était une putain pour les nains !

– Tu aurais dû laisser un homme en vie, dit une voix derrière moi. Car je voulais l'interroger. (Il n'y avait qu'un seul passager sur cette barque en dehors de Leofric et moi : le prêtre armé d'une épée.) Il n'était point nécessaire de le tuer, me dit-il sévèrement.

Je le regardai avec une telle fureur qu'il se tut. Damnés soient tous ces prêtres, songeai-je. Je venais de sauver la vie de ce gueux, et il ne trouvait rien de mieux que de me réprimander. Je vis alors que ce n'était nullement un prêtre.

C'était Alfred.

La barque glissait sur le marais, traversant çà et là les roseaux. L'homme qui la menait était un être voûté et édenté à la peau mate, avec une énorme barbe, des vêtements en peau de loutre. Loin derrière nous, les Danes de Guthrum emportaient leurs morts sur la terre ferme.

– Je dois connaître leurs intentions, me reprocha Alfred. Un prisonnier nous l'aurait dit.

Il se montrait respectueux. Je me rendis compte que je l'avais effrayé avec ma cotte de mailles et mon visage ensanglantés.

– Ils comptent achever le Wessex, répondis-je sèchement. Vous n'avez nul besoin qu'un prisonnier vous le dise.

– Seigneur…, ajouta-t-il. (Je soutins son regard.) Je suis roi ! soutint-il. Tu t'adresseras à ton roi avec respect.

– Roi de quoi ? demandai-je.

– Vous n'êtes point blessé, seigneur ? lui demanda Leofric.

– Non, Dieu soit loué ! (Il regarda son épée.) Dieu merci ! (Je vis qu'il ne portait pas un froc de moine, mais une grande cape noire. Son long visage était blême.) Merci, Leofric, dit-il.

Il leva les yeux vers moi et frissonna. Nous allions rattraper les deux autres barques et j'y vis Ælswith, grosse et enveloppée dans un manteau de renard argenté. Iseult et Eanflæd l'accompagnaient, alors que les prêtres s'étaient entassés dans l'autre. Je vis que l'évêque Alewold d'Exanceaster se trouvait avec eux.

– Qu'est-il arrivé, seigneur ? demanda Leofric.

Alfred soupira et raconta. Il avait quitté Cippanhamm avec les siens, son garde du corps et une vingtaine de clercs pour accompagner le moine Asser au début de son voyage de retour.

– Nous avons rendu les grâces dans l'église de Soppan Byrg. Elle est toute neuve, et fort belle, précisa-t-il. Nous avons chanté psaumes et dit prières, et le frère Asser a poursuivi son chemin dans la joie. Je prie pour qu'il soit sain et sauf, conclut-il en se signant.

– J'espère que ce gueux de menteur est mort, grondai-je.

Alfred ne releva pas. Après la cérémonie, ils étaient allés déjeuner dans un monastère voisin, et à ce moment les Danes étaient arrivés. Le groupe royal avait fui et trouvé refuge dans les bois voisins pendant que brûlait le monastère. Une nuit, abrités dans une ferme, ils avaient été surpris par des soldats danes qui avaient tué quelques gardes et pris tous leurs chevaux. Depuis lors, ils erraient, aussi perdus que nous, et avaient fini par atteindre ce marais.

– Dieu seul sait ce qu'il adviendra de nous maintenant, dit Alfred.

– Nous nous battrons. (Il leva les yeux vers moi sans répondre et je haussai les épaules.) Nous nous battrons, répétai-je.

Alfred contempla le marais.

– Trouver un navire, murmura-t-il d'une voix si basse que je l'entendis à peine. Trouver un navire et passer en Franquie. (Il ramena sa cape sur son corps maigre. La neige tombait de plus en plus drue et fondait en touchant l'eau noire. Les Danes avaient disparu.) C'était Guthrum ? me demanda-t-il.

– Oui. Et il savait que c'était vous qu'il pourchassait ?

– Sans doute.

– Il vous veut mort. Ou captif.

Pourtant, pour l'heure nous étions en sécurité. Le village se composait d'une vingtaine de huttes chaumées de roseaux et de quelques greniers sur pilotis. Les cabanes étaient couleur de boue, les rues de boue et les gens couverts de boue, mais, si pauvre que fût l'endroit, nous pûmes y trouver vivres, abri, et une maigre chaleur. Les villageois, voyant les réfugiés, avaient décidé de les secourir. Je soupçonne qu'ils comptaient nous détrousser plutôt que nous sauver. Mais Leofric et moi paraissions redoutables et quand ils eurent compris que le roi était leur hôte, ils firent de leur mieux pour l'accueillir. L'un d'eux, dans un dialecte que je compris à peine, voulait connaître le nom du roi. Il n'avait jamais entendu parler d'Alfred. Il connaissait les Danes, mais disait que leurs navires n'avaient jamais atteint le village ni aucun autre du marais. Il nous expliqua qu'ils vivaient de cerfs, chèvres, poissons, anguilles et gibier d'eau qu'ils avaient en abondance, mais guère de bois à brûler.

Ælswith était grosse de son troisième enfant.

Edward, l'héritier d'Alfred, avait trois ans. Il était malade. Il toussait et Ælswith craignait pour lui, bien que l'évêque Alewold prétendît que c'était un simple rhume d'hiver. La sœur aînée d'Edward, Æthelfled, avait maintenant six ans, des boucles dorées, un sourire enjôleur et des yeux vifs. Alfred l'adorait, et durant les premiers jours dans le marécage elle fut son unique rayon de soleil et d'espoir. Une nuit que nous étions assis près du feu mourant et qu'elle dormait, la tête posée sur les genoux de son père, Alfred me demanda des nouvelles de mon fils.

– J'ignore où il est.

Les autres dormaient et j'étais assis près de la porte, contemplant le marais noir où se reflétait la lune.

– Tu veux aller à sa recherche ? me demanda-t-il.

– Ces gens vous donnent abri, mais ils auraient tôt fait de vous couper la gorge. Ils n'en feront rien tant que je suis ici.

Il allait protester, puis il comprit que j'avais sans doute raison. Il caressa les cheveux de sa fille. Edward toussa. Alfred frémit en l'entendant.

– As-tu combattu Steapa ? demanda-t-il.

– Nous avons combattu, répondis-je sèchement. Les Danes sont arrivé et nous n'avons pu achever. Il saignait, moi pas.

– Il saignait ?

– Demandez à Leofric. Il y était.

Il resta longtemps sans rien dire, puis :

– Je suis toujours roi, dit-il doucement. (D'un marais, songeai-je sans répondre.) Et il est d'usage d'appeler un roi « seigneur », continua-t-il.

Je me contentai de fixer son visage maigre et pâle éclairé par le feu mourant. Il semblait solennel, et effrayé, comme s'il s'efforçait de se cramponner à ce qui restait de sa dignité. Alfred ne manquait jamais de courage, mais il n'était point un guerrier et n'aimait guère la compagnie des guerriers. À ses yeux, j'étais une brute, dangereuse, sans intérêt, mais soudain indispensable. Il savait que je n'allais point l'appeler seigneur, et n'insista pas.

– Qu'as-tu remarqué sur ces lieux ? demanda-t-il.

– C'est trempé, répondis-je.

– Est-ce tout ?

Je cherchai vainement le piège de sa question.

– On ne les peut rejoindre qu'en barque et les Danes n'en ont point. Mais quand ils en auront, il faudra plus que Leofric et moi pour les repousser.

– Il n'y a point d'église, dit-il.

– Je savais bien que cela me plaisait, ici, répliquai-je.

– Nous savons si peu de choses sur notre propre royaume, dit-il, émerveillé. Je pensais qu'il se trouvait des églises partout. (Il ferma un instant les yeux, puis me regarda d'un air plaintif.) Que dois-je faire ?

Ce matin, je lui avais dit de se battre, mais je ne voyais plus en lui à présent aucun désir de combattre, seulement du désespoir.

– Vous pouvez partir au sud, répondis-je, jugeant que c'était là ce qu'il voulait entendre. Et traverser la mer.

– Et devenir un roi exilé, dit-il amèrement.

– Quand les Danes ne nous surveilleront plus, nous irons sur la côte chercher un navire.

– Comment nous cacher ? Ils savent que nous sommes là. Et ils sont des deux côtés du marais.

Le roi, selon moi, était condamné, comme sa famille. Si Æthelflæd avait de la chance, elle serait élevée par une famille danoise, comme je l'avais été, mais ils seraient plus probablement tous occis, afin que nul Saxon ne puisse plus jamais revendiquer la couronne de Wessex.

– Et les Danes vont surveiller la côte sud, reprit Alfred.

– Certes.

Il contempla le marais. Le vent nocturne en ridait la surface, faisant trembler le reflet de la lune.

165

– Les Danes ne peuvent avoir pris tout le Wessex, dit-il.

– Sans doute non.

– Si nous pouvions trouver des hommes…

– Que ferions-nous avec ?

– Nous attaquerions la flotte, dit-il en désignant l'ouest. Puis nous prendrions les collines du Defnascir. Il suffit d'une victoire pour être rejoints par d'autres. Une fois assez forts, nous pourrions affronter Guthrum.

Je réfléchis à cela. Il avait parlé sans conviction, mais je pensai qu'il avait cruellement raison. Il restait des hommes en Wessex, des hommes sans chef qui en réclamaient un, prêts à se battre. Et peut-être pourrions-nous fortifier le marais et défaire Svein, puis prendre le Defnascir, et ainsi, petit à petit, reconquérir le Wessex. En y réfléchissant un peu plus, je reconnus que c'était un rêve. Les Danes avaient gagné, nous étions des fugitifs.

Alfred caressait les cheveux dorés de sa fille.

– Les Danes vont nous traquer ici, n'est-ce pas ?

– Sans doute.

– Peux-tu nous défendre ?

– Moi et Leofric ?

– Tu es un guerrier, n'est-ce pas ? On me dit que tu as vraiment occis Ubba.

– Vous saviez que je l'avais occis ?

– Peux-tu nous défendre ?

– Saviez-vous que c'était moi qui avais remporté votre victoire à Cynuit ? insistai-je.

– Oui, dit-il simplement.

– Et ma récompense a été de ramper jusqu'à votre autel ? D'être humilié ?

La colère me fit hausser la voix. Æthelfled ouvrit les yeux et me fixa.

– J'ai commis des erreurs, dit Alfred. Quand tout sera terminé, quand Dieu rendra le Wessex aux Saxons, j'en ferai autant. Je revêtirai la robe du pénitent et je me soumettrai à Dieu.

J'eus envie de massacrer ce pauvre sot, mais Æthelflæd me regardait de ses grands yeux. Elle n'avait pas bougé et son père ignorait qu'elle était réveillée. Moi, je le savais. Au lieu de laisser libre cours à ma colère, je me calmai brusquement.

– Vous découvrirez combien la pénitence aide, dis-je.

– T'a-t-elle aidé ? demanda-t-il, soudain ragaillardi.

– Elle m'a rempli de colère et enseigné la haine. Et l'une comme l'autre sont bonnes.

– Tu ne le penses point.

Je dégainai à demi Souffle-de-Serpent et la petite Æthelflæd écarquilla les yeux de plus belle.

– Ceci tue, dis-je en laissant mon épée retomber dans son fourreau gainé de peau de mouton. Mais la colère et la haine, elles, donnent la force d'occire. Aller à la bataille sans colère ni haine, c'est se vouer à une mort certaine. Il faut les lames, la colère et la haine, pour survivre.

– Mais le peux-tu ? demanda-t-il. Peux-tu nous défendre ici ? Assez longtemps pour échapper aux Danes quand nous aurons décidé que faire ?

– Oui.

J'avais l'orgueil du guerrier et donnai une réponse de guerrier. Æthelflæd ne m'avait pas quitté des yeux. Elle n'avait que six ans, mais je jure qu'elle comprit tout ce dont nous parlions.

– Alors je te commets à cette tâche, dit Alfred. Ici et maintenant, je te nomme défenseur de ma famille. Acceptes-tu cette charge ?

J'étais une brute arrogante. Je le suis toujours. Il me défiait, et il savait ce qu'il faisait, contrairement à moi.

– Bien sûr que j'accepte. Oui.

– Oui, qui ? demanda-t-il.

J'hésitai, mais il m'avait flatté, offert la charge d'un guerrier. Alors, je lui donnai ce qu'il voulait.

– Oui, seigneur.

Il me tendit sa main. Je n'avais jamais eu l'intention de lui accorder ce plaisir. Mais puisque je l'avais appelé seigneur, je m'agenouillai et pris sa main dans les miennes.

– Dis-le ! ordonna-t-il en posant entre nos mains le crucifix qu'il portait à son cou.

– Je jure d'être votre homme, dis-je en plongeant mon regard dans ses yeux pâles, jusqu'à ce que votre famille soit à l'abri.

Il hésita. Je lui avais prêté serment, mais j'avais ajouté une précision, déclaré que je ne resterais pas à son service pour toujours : il accepta mes termes. Il aurait dû me baiser les deux joues : ne voulant pas déranger Æthelflæd, il baisa ma main droite puis le crucifix.

– Merci, dit-il.

La vérité était qu'Alfred était fini. Avec la perversité et l'arrogance d'une jeunesse imbécile, je venais de faire serment de me battre pour lui.

Et tout cela, je crois, parce qu'une fillette de six ans m'avait regardé. Et qu'elle avait des cheveux d'or.

7

Le royaume du Wessex était à présent un marais. Durant quelques jours, il posséda un roi, un évêque, quatre prêtres, deux soldats, l'épouse grosse du roi, une putain, deux enfants dont un malade, et Iseult.

Trois des quatre prêtres quittèrent le marais en premier. Alfred souffrait, frappé de fièvre et des maux de ventre qui l'affligeaient si souvent. Comme il semblait incapable de prendre une décision, je rassemblai les trois plus jeunes, leur déclarai qu'ils étaient des bouches inutiles que nous ne pouvions nous permettre de nourrir, et leur ordonnai d'aller voir ce qu'il en était sur la terre ferme.

– Trouvez des soldats et dites-leur que le roi les demande ici.

Deux des prêtres supplièrent qu'on leur épargne la mission, prétendant être des clercs incapables de survivre en plein hiver, d'affronter des Danes, de subir des épreuves ou de faire le moindre travail. Alewold, l'évêque d'Exanceaster, les soutint en arguant que leurs prières conjointes étaient nécessaires pour préserver la santé et la sécurité du roi. Je dus donc lui rappeler qu'Eanflæd était là.

– Eanflæd ? répéta-t-il comme s'il n'avait jamais entendu ce nom.

– La putain de Cippanhamm, lui dis-je. (Il continua de faire celui qui ne comprenait point.) Cippanhamm, où vous la troussiez à la taverne de l'Épi et qui dit…

– Les prêtres iront, déclara-t-il précipitamment.

– Bien entendu, mais ils vont laisser ici leur argent.

– Quel argent ?

Les prêtres transportaient le trésor d'Alewold, dont le grand ciboire que je lui avais remis pour payer la dette de Mildrith. Ce serait ma prochaine arme. Je pris tout et l'étalai devant les villageois, leur assurant qu'il y aurait de l'argent pour la nourriture et le feu qu'ils nous donnaient, les barques qu'ils nous fournissaient et les nouvelles des Danes qu'ils nous apportaient. Je les voulais de notre côté, et la vue de l'argent les encouragea. Cependant, l'évêque courut immédiatement se plaindre à Alfred que j'avais volé l'Église. Le roi était trop mal en point pour s'en soucier, mais son épouse Ælswith s'en mêla.

– Tu rendras le ciboire ! m'ordonna-t-elle.

Elle avait l'air d'une gueuse, avec ses cheveux gras et hirsutes, son ventre enflé et ses vêtements crasseux.

– Rends-le ! Immédiatement !

– Dois-je ? demandai-je à Iseult.

– Non.

– Elle n'a rien à dire ici ! piailla Ælswith.

– Mais c'est une reine, et vous ne l'êtes point.

C'était l'un des drames d'Ælswith que les Saxons de l'Ouest n'appellent pas l'épouse du roi une reine. Elle voulait être la reine Ælswith et devait se contenter de moins. Elle tenta de m'arracher le ciboire, mais je le jetai ; lorsqu'elle voulut le prendre, j'abattis la hache de Leofric. La lame entama le grand plat, tranchant le crucifix. Ælswith poussa un cri de frayeur et recula, tandis que je m'acharnais, réduisant finalement le lourd plat en fragments d'argent que je jetai sur les pièces prises aux prêtres.

– De l'argent pour votre aide ! dis-je aux villageois.

Ælswith me cracha dessus et retourna à son fils. Edward était mourant. Chaque nuit, nous entendions les quintes de toux rauques secouant son petit corps frêle ; lorsqu'elles cessaient, nous craignions de ne plus les entendre. Chaque silence était comme la venue de la mort, le petit s'accrochait cependant. L'évêque et les femmes tentèrent tout. On posa un Évangile sur sa poitrine et Alewold pria. On lui enduisit la poitrine d'une décoction d'herbes, fiente de poule et cendre, et Alewold pria. Alfred ne se déplaçait jamais sans ses précieuses reliques : on frotta sa poitrine avec l'anneau d'orteil de Marie Madeleine, et Alewold pria. Mais Edward s'affaiblissait, maigrissait. Une femme du marais, réputée guérisseuse, essaya de chasser sa toux en le faisant transpirer puis en le faisant geler ; comme cela ne donnait rien, elle attacha un poisson vivant à sa poitrine et ordonna que toux et fièvre s'échappent dans le poisson. L'animal mourut, certes, mais l'enfant était toujours malade, et l'évêque toujours en prière. Alfred, aussi maigre que son fils, désespérait. Il savait que les Danes le cherchaient mais, tant que l'enfant était souffrant, n'osait pas bouger. Cela ne l'enthousiasmait guère d'entreprendre une longue marche jusqu'à la côte sud, où il trouverait peut-être un navire prêt à l'emmener en exil avec sa famille.

À présent, il se résignait à son sort. Il avait espéré recouvrer son royaume, mais il ne pouvait rien contre la froide réalité. Les Danes tenaient le Wessex, Alfred n'était roi de rien, et son héritier était mourant.

– C'est le châtiment, dit-il.

C'était la nuit après le départ des trois prêtres. Alfred soulageait son âme auprès de moi et de l'évêque, dehors, alors que nous contemplions le marais sous le clair de lune et que l'enfant toussait. Alfred montrait un visage baigné de larmes et se parlait plus à lui-même qu'à nous.

– Dieu ne prendrait pas un fils pour punir le père, s'indigna Alewold.

– Dieu a sacrifié le sien, dit tristement Alfred, et commandé à Abraham de tuer son fils Isaac.

– Il a épargné Isaac, répliqua l'évêque.

– Mais il n'épargne point Edward.

– Un châtiment pour quoi? demandai-je, tandis que l'évêque me réprimandait pour avoir osé une question aussi indélicate.

– Æthelwold, me répondit Alfred.

C'était son neveu, l'ivrogne, le fils de l'ancien roi, qui lui en voulait d'avoir pris sa place.

– Æthelwold n'aurait jamais pu être roi, dit Alewold. C'est un sot!

– Si je le nomme roi maintenant, continua Alfred, peut-être Dieu épargnera-t-il Edward?

La toux cessa. L'enfant pleurait, à présent, et Alfred se couvrit les oreilles.

– Confiez-le à Iseult, dis-je.

– Une païenne! le mit en garde Alewold. Une adultère! (Je vis qu'Alfred était tenté, mais Alewold fut plus persuasif.) Si Dieu ne guérit point Edward, pensez-vous qu'il laisserait une sorcière y parvenir?

– Ce n'est point une sorcière, dis-je.

– Demain, continua Alewold, est la veille de la Sainte-Agnès. Un jour saint, mon seigneur, un jour de miracles! Nous prierons la sainte, et elle ne manquera point de déchaîner sur l'enfant la puissance de Dieu! (Il leva les mains vers le Ciel noir.) Demain, mon seigneur, nous invoquerons la force des anges, nous en appellerons au Ciel pour votre fils et la très sainte Agnès chassera le mal du jeune Edward. (Sans répondre, Alfred contempla le marais frangé de glace sous la faible clarté de la lune.) Je sais que la très sainte Agnès a accompli des miracles, insista l'évêque. Elle a rendu à un enfant infirme d'Exanceaster l'usage de ses jambes, et maintenant il court!

– Vraiment ? demanda le roi.

– De mes propres yeux, j'ai été témoin du miracle.

– Nous le ferons, alors, trancha Alfred, rassuré.

Je ne restai pas pour voir le déchaînement de la puissance divine. Je pris une barque et me rendis jusqu'à un endroit nommé Æthelingæg, le plus grand des villages du marais. Leofric resta avec Alfred pour le protéger, tandis que j'explorai les environs et découvris des dizaines de sentiers au milieu des eaux. Appelés « sentes de bois », ils étaient faits de poutres qui s'enfonçaient sous les pas, mais je pus les emprunter sur des lieues. Il y avait aussi des rivières serpentant dans les terres. La plus grande, la Pedredan, coulait tout près d'Æthelingæg, une île presque entièrement recouverte d'aulnes, peuplée de cerfs et de chèvres. Il y avait aussi là, sur une éminence, un gros village dont le chef s'était fait construire un vaste château. Il n'était point royal, pas même aussi grand que le mien à Oxton, mais on pouvait se tenir debout sous ses poutres, et l'île était assez grande pour accueillir une petite armée.

Une dizaine de sentes de bois partaient d'Æthelingæg, mais aucune n'aboutissait directement sur la terre ferme. Guthrum aurait du mal à l'attaquer, car il devrait franchir le marais. Mais Svein, qui commandait à présent les Danes de Cynuit, à l'embouchure de la Pedredan, n'aurait aucun mal à l'approcher grâce à ses navires, en prenant au nord dans la rivière Thon, passant le long de l'île. J'allai en barque jusqu'au milieu de la Thon et découvris, comme je le craignais, qu'elle était assez profonde pour qu'y passe un des navires danes.

Je retournai au confluent de la Thon et de la Pedredan. De l'autre côté de la rivière se dressait une haute et abrupte colline, comme un tumulus funéraire au milieu des marais. C'était un lieu idéal pour bâtir un fort. Si un pont pouvait être jeté par-dessus la Pedredan, les navires danes ne pourraient plus y passer.

Je retournai au village, où je découvris que le chef était un vieil homme borné nommé Haswold, qui nous refusa son assistance. Je lui assurai que nous lui donnerions de l'argent pour construire le pont, mais il déclara que la guerre entre Danes et Wessex ne le concernait point.

— Il y a folie, là-bas, dit-il en désignant vaguement les collines vers l'est. Il y a toujours folie là-bas, mais ici, dans le marais, nous vaquons à nos affaires. Nul ne se soucie de nous et nous ne nous soucions de personne.

Empestant le poisson et la fumée, il était vêtu de peaux de loutre souillées d'huile de poisson, et sa barbe grise était semée d'écailles. Il avait de petits yeux rusés et une demi-douzaine d'épouses, dont la plus jeune était une enfant qui aurait pu être sa petite-fille, et qu'il tripotait devant moi comme si son existence prouvait sa virilité.

— Je suis heureux, dit-il. Alors, pourquoi me soucier de ton bonheur ?

— Les Danes pourraient mettre fin au tien.

— Les Danes ? s'esclaffa-t-il. S'ils viennent, nous nous enfoncerons dans le marais et ils s'en iront.

Il sourit et j'eus envie de le tuer, mais cela n'aurait servi à rien. Il y avait une cinquantaine d'hommes dans le village et je n'aurais pas tenu longtemps. L'homme que je redoutais le plus était grand, large d'épaules, avec un air étonné. Ce qui m'effrayait chez lui, c'était son grand arc de chasse, alors que les autres en avaient de plus petits pour le gibier d'eau. Le sien était haut comme lui, fait pour tuer un cerf, et capable de percer d'une flèche une cotte de mailles. Haswold dut sentir ma crainte, car il appela l'homme à ses côtés. L'homme sembla surpris par son ordre, mais il obéit.

— Qu'ils viennent, les Danes, répéta Haswold. Nous nous enfoncerons dans le marais et ils repartiront. Ils ne peuvent nous suivre, et s'ils nous suivent, Eofer les tuera. Il décoche ses flèches là où je le lui ordonne.

Eofer opina.

174

– Ton roi veut qu'un pont soit construit, dis-je. Et un fort.

– Roi ? S'il y a un roi ici, c'est moi.

Il éclata de rire et je contemplai les villageois qui restaient mornes. Personne ne partageait la bonne humeur d'Haswold. Apparemment, ils n'étaient point heureux sous sa férule, et il dut percevoir ce que je pensais, car il se fâcha soudain et chassa la petite.

– Va-t'en ! me cria-t-il.

Je retournai donc à la petite île où se cachait Alfred et où se mourait son fils. La nuit était tombée et les prières de l'évêque avaient échoué. Eanflæd me raconta comment Alewold avait convaincu Alfred de céder l'une de ses plus précieuses reliques, une plume de la colombe lâchée par Noé de son arche. Il l'avait coupée en deux, en avait rendu la moitié au roi et fait griller l'autre. Une fois réduite en cendres, il l'avait dissoute dans une coupe d'eau bénite qu'Ælswith avait forcé son fils à boire. Il était enveloppé d'une peau d'agneau, le symbole de sainte Agnès, une enfant martyre de Rome.

Mais ni la peau ni la plume n'avaient rien donné. En tout cas, d'après Eanflæd, l'état de l'enfant avait empiré.

– Il lui a donné les derniers sacrements, dit-elle, les larmes aux yeux. Iseult ne peut donc rien faire ?

– L'évêque l'interdit.

– Ce n'est point lui le mourant ! s'indigna-t-elle.

Iseult fut donc appelée. Alfred sortit de sa cabane et lui demanda si elle pouvait guérir le mal de l'enfant.

Elle ne répondit pas tout de suite. Elle se tourna vers le marais et contempla la lune qui s'élevait au-dessus de la brume.

– La lune grossit, constata-t-elle.

– Connais-tu un remède ? supplia Alfred.

– Une lune croissante, c'est bon, dit-elle d'une voix blanche avant de se tourner vers lui. Mais il y aura un prix.

– Ce que tu voudras !

– Pas pour moi, dit-elle, irritée qu'il se soit mépris sur son compte. Il y a toujours un prix. Pour une vie, un autre doit mourir.

– Hérésie ! intervint Alewold.

Je doute qu'Alfred comprît les derniers mots d'Iseult ou qu'il se souciât de leur sens. Il s'accrochait simplement à l'espoir ténu qu'elle l'aide.

– Peux-tu guérir mon fils ?

– Il y a un moyen, admit-elle après un silence.

– Quel moyen ?

– Le mien.

– Hérésie ! s'exclama de nouveau Alewold.

– L'évêque ! le rappela Eanflæd.

Alewold comprit la menace implicite et se tut.

– Maintenant ? demanda Alfred.

– Demain soir, décréta Iseult. Il faut du temps. Il y a des choses à faire. S'il vit jusqu'à demain soir, je pourrai agir. Tu dois me l'amener au lever de la lune.

– Pas ce soir ? gémit Alfred.

– Demain, répliqua-t-elle d'un ton ferme.

– Demain est la fête de la Saint-Vincent, dit Alfred, comme si cela pouvait aider.

L'enfant survécut. Le lendemain, Iseult alla avec moi sur le rivage où elle cueillit lichen, bardane, chélidoine et gui. Elle me défendit d'user de métal pour couper les herbes ou gratter le lichen, et avant de les cueillir nous dûmes faire trois fois le tour des plantes rabougries par l'hiver. Elle me fit aussi couper des rameaux d'aubépine, pour lesquels je pus user de mon couteau, car ils étaient moins importants que le lichen ou les herbes. Je surveillais l'horizon pendant ce temps, mais je ne vis nul Dane. Un vent glacé soufflait en bourrasques. Il fallut longtemps pour rassembler tout ce dont elle avait besoin ; une fois son sac rempli, nous rentrâmes à l'île en charriant les aubépines. Arrivée dans la cabane, elle me demanda de creuser deux trous dans le sol.

– Ils seront aussi profonds que l'enfant est grand, et séparés de la longueur de ton avant-bras.

Elle ne voulut pas me dire à quoi ils servaient. Elle était comme abattue, au bord des larmes. Elle accrocha chélidoine et bardane à une poutre du toit, puis pila le lichen en une pâte qu'elle humecta de salive et d'urine. Elle psalmodia longuement des charmes dans sa langue, penchée au-dessus de la coupe de bois. Cela prit longtemps, et parfois elle s'interrompait, épuisée, et se balançait d'avant en arrière dans la pénombre.

– Je ne suis pas certaine d'y parvenir, dit-elle. Et si j'échoue, ils me haïront d'autant plus.

– Ils ne te haïssent point.

– Ils pensent que je suis une pécheresse et une païenne, et ils m'en détestent.

– Alors guéris l'enfant et ils t'adoreront.

Je ne pus creuser les trous aussi profond qu'elle le souhaitait, car le sol était détrempé et, deux pieds plus bas, il commença à se remplir d'eau.

– Élargis-les, demanda-t-elle, suffisamment pour que l'enfant s'y puisse accroupir. (Je fis ce qu'elle voulait, puis elle me fit joindre les deux trous par une sorte de tunnel. Il fallut prendre garde que la paroi ne s'effondre pas.) Quelqu'un va mourir, Uhtred. Quelque part, un enfant mourra pour que celui-ci vive.

– Comment le sais-tu ?

– Parce que mon frère jumeau est mort à ma naissance et que j'ai son pouvoir. Mais si je l'utilise, il reviendra des ténèbres pour le reprendre.

La nuit tomba. L'enfant toussait toujours, mais moins fort, me sembla-t-il, comme s'il n'y avait plus assez de vie dans ce petit corps. Iseult s'accroupit sur le sol de la cabane, fixant la pluie. Quand Alfred vint, elle le chassa d'un geste.

– Il se meurt, dit-il.

– Pas encore, pas encore.

Edward avait la respiration sifflante. Nous l'entendions tous et pensions que chaque souffle allait être le dernier. Iseult ne bougeait pas. Quand les nuages finirent par s'écarter un peu et qu'un faible rai de lune toucha le marais, elle me demanda d'aller chercher l'enfant.

Ælswith ne voulait pas le laisser partir. Elle voulait qu'il guérisse, mais quand je lui dis qu'Iseult tenait à opérer seule, elle gémit qu'elle ne voulait pas se séparer de son enfant. Ses pleurs bouleversèrent Edward, qui toussa de plus belle. Eanflæd lui caressa le front.

– Y parviendra-t-elle ? me demanda-t-elle.

– Oui, dis-je sans savoir si c'était vrai.

Eanflæd prit Ælswith par les épaules.

– Laissez aller l'enfant, ma dame, dit-elle.

– Il va mourir !

– Laissez-le aller.

Ælswith s'effondra dans les bras de la putain, et je pris l'enfant, aussi léger que la plume qui n'avait pu le guérir. Il était brûlant et frissonnait, et je l'enveloppai dans une robe de laine pour l'apporter à Iseult.

– Tu ne peux rester. Laisse-le avec moi.

J'attendis avec Leofric dans l'obscurité. Iseult refusa que nous regardions depuis le seuil, mais je posai mon casque à terre et, en m'accroupissant, je pus voir un reflet de ce qui se passait à l'intérieur. La pluie cessa et la lune se fit plus brillante.

L'enfant toussa. Iseult le dévêtit et lui frotta la poitrine avec la pâte d'herbes, puis elle commença à psalmodier dans sa langue, un chant qui parut interminable, triste, rythmé, et si monotone que je m'endormis. Edward pleura une fois, puis il fut secoué d'une quinte de toux. Sa mère hurla depuis sa cabane qu'elle voulait qu'il lui soit ramené. Alfred la calma et vint nous rejoindre. Je lui fis signe de se baisser, afin qu'il ne cache pas le clair de lune pénétrant dans la cabane d'Iseult.

Je scrutai le reflet dans mon casque et vis qu'Iseult, nue elle aussi, enfonçait l'enfant dans l'un des trous puis, sans cesser de psalmodier, le faisait passer dans l'autre par le tunnel. Elle cessa de chanter et se mit à haleter, puis elle hurla et haleta de nouveau. Elle geignit et Alfred se signa, puis ce fut le silence. Je ne voyais pas très bien. Soudain, Iseult poussa un grand cri de soulagement, comme si une grande douleur venait de cesser, et sortit l'enfant nu du second trou. Elle le posa sur le lit et il se tut tandis qu'elle remplissait le tunnel de branches d'aubépine. Puis elle s'allongea auprès de l'enfant et se recouvrit de ma cape.

Le silence régnait. J'attendis, longtemps, puis je compris qu'elle dormait et l'enfant aussi, à moins qu'il ne fût mort. Je ramassai mon casque et allai trouver Leofric.

– Dois-je le prendre ? demanda Alfred avec inquiétude.

– Non.

– Sa mère...

– Devra attendre le matin, seigneur.

– Que lui dirai-je ?

– Que son fils ne tousse plus, seigneur.

Ælswith hurla que l'enfant était mort. Eanflæd et Alfred la calmèrent et nous attendîmes tous dans le silence. Je finis par m'endormir.

Je m'éveillai à l'aube. Il pleuvait comme si c'était la fin du monde, une pluie torrentielle et grise qui noyait tout, criblait le sol, coulait en ruisselets et se déversait dans la hutte. J'allai à l'abri de Leofric et je vis Ælswith qui m'observait depuis son seuil. Elle avait l'air désespéré d'une mère qui s'attend à apprendre la mort de son enfant. Comme le silence régnait toujours dans la hutte d'Iseult, Ælswith se mit à pleurer. Alors, nous entendîmes un bruit étrange. Au début, j'entendis mal, à cause du fracas de la pluie, puis je me rendis compte que c'était un rire d'enfant. Un instant plus tard, Edward, toujours nu comme un

179

ver et encore souillé de boue après sa renaissance par le tunnel de terre, sortit de la cabane d'Iseult et courut à sa mère.

– Dieu soit loué ! s'exclama Leofric.

Je trouvai Iseult en larmes, inconsolable.

– J'ai besoin de toi, lui dis-je durement.

– De moi ?

– Pour construire un pont.

– Tu crois qu'un pont se bâtit à l'aide de charmes ?

– Ce sera ma magie, cette fois. Je veux que tu sois en pleine santé. J'ai besoin d'une reine.

Elle hocha la tête. Et Edward, à dater de ce jour, demeura en pleine santé.

Les premiers hommes arrivèrent, mandés par les prêtres que j'avais envoyés : seuls ou deux par deux, peinant dans l'hiver et le marais, nous donnant des nouvelles des expéditions danoises. Lorsque nous eûmes deux jours de beau temps, ils arrivèrent par groupes de six ou sept, et il y eut bientôt foule sur l'île. Je les envoyai en patrouille, mais ordonnai qu'aucun n'aille trop loin à l'ouest, car je ne voulais point provoquer Svein, dont les hommes campaient près de la mer. Il ne nous avait point encore attaqués. C'était imprudent de sa part, car il aurait pu amener ses navires par les rivières et passer les marais à pied. Mais sachant qu'il le ferait quand il serait prêt, je devais construire nos défenses. Pour cela, j'avais besoin d'Æthelingæg.

Alfred se remettait. Il était encore malade, mais il avait vu dans la guérison de son fils la faveur divine, sans admettre qu'elle était due à la magie païenne. Même Ælswith se montra généreuse : quand je lui demandai de me prêter la cape de renard et les quelques bijoux qu'elle possédait, elle les céda sans récriminations. La cape était sale, mais Eanflæd la brossa et la peigna.

Nous avions plus de vingt hommes avec nous à présent, probablement assez pour prendre Æthelingæg à son triste chef. Cependant, Alfred refusait que l'on tuât des villageois. C'étaient ses sujets, déclarait-il, et ils combattraient peut-être pour nous. Cela signifiait qu'il fallait prendre l'île et son village par ruse. Aussi, une semaine après la renaissance d'Edward, j'emmenai Leofric et Iseult chez Haswold. Elle portait la fourrure, une chaîne d'argent dans les cheveux et une fibule de grenat à la poitrine. Je lui avais brossé les cheveux pour qu'ils brillent. Dans cette pauvre lumière hivernale, elle avait l'air d'une princesse venue de cieux resplendissants.

Leofric et moi, revêtus de nos cottes et casques, ne fîmes que contourner Æthelingæg. Au bout d'un moment, un homme vint de la part d'Haswold nous dire que son chef voulait parler avec nous. Je pense qu'Haswold croyait que nous irions dans sa cabane puante, mais j'exigeai qu'il vienne à nous. Il aurait pu nous prendre ce qui lui chantait, bien sûr, car nous n'étions que trois contre tous ses hommes, dont Eofer l'archer. Mais Haswold avait enfin compris que de sombres événements se déroulaient au-delà des marais et pouvaient gagner ses parages saumâtres. Il décida donc de parlementer. Comme je m'y attendais, il dévora du regard Iseult comme s'il n'avait jamais vu de femme de sa vie. Ses petits yeux rusés allaient d'elle à moi.

– Qui est-elle ? demanda-t-il.

– Une compagne, dis-je, désinvolte.

Je me retournai vers l'abrupte colline où je voulais bâtir le fort.

– Est-ce ton épouse ?

– Une compagne, répétai-je. J'en ai une douzaine comme elle.

– Je te paierai pour elle.

Il était accompagné d'une vingtaine d'hommes, mais seul Eofer portait arme plus dangereuse qu'une foëne.

Je retournai Iseult vers lui, passai derrière elle et posai les mains sur ses épaules pour défaire la fibule de grenat. Elle tressaillit et je lui chuchotai qu'elle ne risquait rien. J'écartai les pans de la cape et dévoilai sa nudité à Haswold. Il se mit à baver dans sa répugnante barbe et ses doigts crasseux s'agitèrent sous ses fourrures puantes. Je refermai la cape et laissai Iseult remettre la fibule.

– Combien me paieras-tu ? demandai-je.

– Je peux la prendre si je veux, répondit-il en désignant ses hommes.

– Tu pourrais. Mais bon nombre d'entre vous trépasseraient avant que nous rendions gorge, et nos fantômes viendraient occire vos femmes et terrifier vos enfants. Ne sais-tu point que nous avons une sorcière avec nous ? Tu crois que tes armes peuvent lutter contre la magie ?

Personne ne bougea.

– J'ai de l'argent, dit Haswold.

– Je n'en veux point. Je veux un pont et un fort. Comment s'appelle cette colline ?

– La colline, répondit-il en haussant les épaules. On l'appelle ainsi.

– Elle doit devenir un fort, dis-je, avec des murs et une porte de pieux ainsi qu'une tour pour que l'on voie au loin. Et je veux qu'y mène un pont assez solide pour arrêter des navires.

– Tu veux arrêter des navires ? demanda-t-il en se grattant l'entrejambe. On ne peut construire de pont.

– Et pourquoi ?

– C'est trop profond. (C'était probablement vrai. La marée était basse et la Pedredan coulait entre de hautes rives boueuses.) Mais je peux barrer la rivière, dit-il sans quitter Iseult du regard.

– Barre-la et construis un fort.

– Donne-la-moi, et tu les auras, promit-il.

– Fais ce que je dis et tu l'auras, ainsi que ses sœurs et cousines. Les douze.

Haswold aurait asséché tout le marais et bâti une nouvelle Jérusalem rien que pour pouvoir trousser Iseult. Seulement, il n'avait pas réfléchi plus loin que le bout de son vit. Mais cela me suffisait, et je ne vis jamais ouvrage plus prompt. Ce fut terminé en quelques jours. Il barra d'abord la rivière, fort habilement, avec une digue flottante de troncs aux branches emmêlées et liées par des lanières de cuir. Un équipage de navire pourrait finir par la démanteler, mais pas sous l'assaut des lances et des flèches les criblant depuis le fort, protégé par une palissade de pieux, un fossé inondé et une fragile tour faite de troncs d'aulne liés par des cordes de cuir. L'ouvrage était grossier, mais avec un mur assez solide, et je commençai à craindre qu'il soit terminé avant que les Saxons arrivent pour le garnir. Cependant, les trois prêtres s'acquittaient bien de leur tâche et les soldats continuaient d'affluer. J'en postai une vingtaine à Æthelingæg et leur ordonnai de terminer le fort.

Quand ce fut achevé, ou presque, je ramenai à Æthelingæg Iseult vêtue comme la première fois, mais avec une tunique de daim sous la précieuse fourrure. Arrivé au milieu du village, j'annonçai à Haswold qu'il la pouvait prendre. Il me considéra avec circonspection.

– Elle est mienne ?

– Toute tienne, dis-je en reculant d'un pas.

– Et ses sœurs et cousines ? demanda-t-il avidement.

– Je te les amènerai demain.

Il fit signe à Iseult d'avancer vers sa cabane.

– Viens.

– Dans son pays, dis-je, il est de coutume que l'homme conduise la femme à sa couche.

Il dévora du regard le beau visage d'Iseult. Je reculai encore, l'abandonnant. Il se précipita sur elle les bras tendus, et elle sortit de sous la cape Dard-de-Guêpe qu'elle lui plongea dans le ventre. Elle poussa un cri d'horreur et je la vis hésiter, surprise de son forfait et de l'effort requis pour fendre la panse d'un homme. Puis elle serra les dents et poussa violemment, l'éventrant comme une carpe. Il poussa un curieux gémissement, tituba en arrière, ses tripes se répandant sur le sol. Je tirai Souffle-de-Serpent et la rejoignis. Iseult haletait et tremblait. Elle avait voulu le faire, mais je doutais qu'elle recommence jamais.

— Il vous est demandé, annonçai-je aux villageois, de combattre pour votre roi. (Haswold se convulsait dans la boue, ruisselant de sang. Il poussa un dernier geignement et s'agrippa à ses tripes.) Pour votre roi ! répétai-je. Et quand il vous est demandé de combattre pour lui, ce n'est point une prière, mais un devoir ! Chaque homme ici est un soldat, votre ennemi est le Dane. Si vous refusez de le combattre, vous devrez m'affronter !

Iseult était restée auprès d'Haswold qui gigotait comme un poisson hors de l'eau. Je l'écartai et décapitai l'homme d'un coup d'épée.

— Prends sa tête, ordonna-t-elle.

— Sa tête ?

— Puissante magie.

Nous fichâmes la tête d'Haswold sur la muraille du fort en direction des Danes, et elle fut rejointe peu après par huit autres : celles des lieutenants d'Haswold, occis par les villageois tout heureux de s'en débarrasser. Eofer ne fut pas de ceux-là. C'était un simplet, incapable de parler, même s'il grognait et poussait parfois des hurlements. Un enfant l'aurait pu mener, mais quand on lui demandait d'user de son arc, il se révélait d'une force et d'une précision redoutables.

Je confiai à Leofric le commandement de la garnison d'Æthelingæg et ramenai Iseult au refuge d'Alfred. Elle se taisait et je la crus accablée. Soudain, elle éclata de rire.

— Vois ! dit-elle en désignant la fourrure souillée du sang d'Haswold.

184

Elle portait encore Dard-de-Guêpe, ma spathe à courte lame, perfide en combat rapproché, lorsque les hommes sont si près qu'on ne peut manier une longue épée ou une hache. Elle la trempa dans l'eau et la frotta de l'ourlet de la cape.

– C'est plus difficile que je ne pensais de tuer un homme, dit-elle.

– Il faut de la force.

– Mais j'ai son âme, à présent.

– Est-ce pour cela que tu l'as fait ?

– Pour donner la vie, expliqua-t-elle en me rendant la spathe, il faut la prendre ailleurs.

Alfred s'était laissé pousser la barbe, non pour se déguiser, mais parce qu'il était trop abattu pour se soucier de son apparence. Lorsque Iseult et moi arrivâmes, nous le trouvâmes nu jusqu'à la taille auprès d'un grand baquet d'eau chaude. Il avait un torse d'une maigreur pitoyable, le ventre creux, mais il s'était lavé et peigné, et s'attaquait à sa maigre barbe avec un vieux rasoir emprunté à un villageois. Sa fille, Æthelflæd, tenait un morceau d'argent en guise de miroir.

– Je me sens mieux, annonça-t-il solennellement.

– C'est bien, seigneur, dis-je. Et moi aussi.

– Cela signifie-t-il que tu as tué quelqu'un ?

– Elle, oui, dis-je en désignant Iseult.

Il la considéra pensivement.

– Mon épouse se demandait si Iseult est une véritable reine.

– Elle l'était, mais cela ne signifie guère en Cornwalum. Elle était reine d'un tas de bouse.

– Et elle est païenne ?

– C'était un royaume chrétien. Le frère Asser ne vous l'a-t-il point dit ?

– Peut-elle prévoir l'avenir ?

– Elle le peut.

Il se rasa en silence un moment. Æthelflæd regardait gravement Iseult.

– Alors dis-moi, reprit-il, selon elle, serai-je de nouveau roi de Wessex ?

– Vous le serez, répondit Iseult d'un ton monocorde, et j'en fus surpris.

Il la regarda.

– Mon épouse pense que nous pouvons chercher un navire maintenant qu'Edward va mieux. Passer en Franquie et peut-être pousser jusqu'à Rome. Il y a de nombreux Saxons, là-bas. Ils nous accueilleront avec bienveillance.

– Les Danes seront vaincus, continua Iseult du même ton, mais sans la moindre hésitation.

– L'exemple de Boèce m'enseigne qu'elle a raison, dit Alfred.

– Boèce ? demandai-je. Est-ce l'un de vos guerriers ?

– C'était un Romain, Uhtred, dit Alfred d'un ton qui me reprochait mon ignorance. Un chrétien et un philosophe, richement érudit. Oh, riche, certes ! Quand le païen Alaric envahit Rome et que toute civilisation sembla condamnée, Boèce se dressa, seul, contre les pécheurs. Il souffrit, mais il vainquit, et nous pouvons suivre son exemple. Certes, nous le pouvons. Nous ne devons jamais oublier son exemple, Uhtred, jamais.

– Je n'y manquerai point, seigneur, mais pensez-vous que l'érudition nous tirera d'affaire ?

– Je pense que lorsque les Danes seront partis, je me laisserai pousser barbe décente. Merci, ma douce, dit-il à Æthelflæd. Veux-tu rendre ce miroir à Eanflæd ?

L'enfant décampa et Alfred me considéra avec un certain amusement.

– Cela te surprend-il que mon épouse et Eanflæd soient devenues amies ?

– J'en suis heureux, seigneur.

186

– Et moi aussi.

– Mais votre épouse sait-elle le commerce d'Eanflæd ?

– Elle croit qu'elle était cuisinière dans une taverne. C'est assez vrai. Alors, nous avons un fort à Æthelingæg ?

– En effet. Leofric y commande quarante-trois hommes.

– Et nous en avons vingt-huit ici. Aussi irons-nous nous installer là-bas.

– Dans une semaine ou deux, peut-être.

– Pourquoi attendre ?

– C'est plus loin dans le marais. Quand nous aurons plus d'hommes et saurons que nous pouvons tenir Æthelingæg, le temps sera venu pour vous d'y aller.

– Ton nouveau fort ne peut contenir les Danes ? demanda-t-il en enfilant une chemise crasseuse.

– Il les ralentira, seigneur. Mais ils pourront tout de même progresser par le marais.

Ils auraient du mal, car Leofric creusait des fossés pour défendre l'aile ouest d'Æthelingæg.

– Tu me dis qu'Æthelingæg est plus vulnérable qu'ici ?

– Oui, seigneur.

– C'est pourquoi je dois y aller. Les hommes ne peuvent penser que leur roi se terre en un lieu reculé, n'est-ce pas ? Ils doivent savoir qu'il a défié les Danes. Qu'il a attendu là où ils le pouvaient atteindre, et qu'il s'est mis en péril.

– Et sa famille ?

– Et sa famille, répondit-il d'un ton ferme. S'ils viennent en force, demanda-t-il après réflexion, ils pourraient s'emparer de tout le marais, n'est-ce pas ?

– Oui, seigneur.

– Donc aucune place n'est plus sûre que l'autre. Mais quelles sont les forces de Svein ?

– Je l'ignore, seigneur.

– Tu l'ignores ?

C'était un reproche, aimable, certes, mais un reproche tout de même.

– Je ne me suis point approché d'eux, seigneur, parce que jusqu'à présent nous étions trop faibles pour leur résister, et tant qu'ils nous laisseront en paix, nous ferons de même. Il ne sert à rien de donner des coups de pied dans un essaim d'abeilles sauvages, sauf si l'on a décidé de prendre leur miel.

Il en convint.

– Mais nous devons savoir combien il y a d'abeilles, n'est-ce pas ? Aussi, demain, nous irons en reconnaissance. Toi et moi, Uhtred.

– Non, seigneur, répondis-je d'un ton ferme. J'irai seul. Vous ne devez prendre aucun risque.

– C'est précisément ce que je dois faire, répondit-il, et les hommes doivent savoir que je le fais car je suis le roi. Que feraient-ils d'un roi qui ne prend pas sa part du péril ? (Il attendit une réponse, mais je n'en avais aucune.) Disons donc nos prières, puis nous dînerons.

C'était du ragoût de poisson. Comme toujours.

Et le lendemain, nous allâmes trouver l'ennemi.

Nous étions six : l'homme qui maniait la perche, Iseult et moi, deux des nouveaux soldats, et Alfred. Je tentai encore une fois de le laisser, mais il insista.

– Si quelqu'un doit rester, dit-il, c'est Iseult.

– Elle vient.

Et nous montâmes tous dans la longue barque qui glissa vers l'ouest. Alfred regardait les milliers d'oiseaux – foulques, poules d'eau, canards, grèbes et hérons, et un nuage de mouettes blanches sur le Ciel gris.

Le villageois nous mena rapidement et sans un bruit par des canaux secrets. Parfois, il semblait se diriger droit dans un banc d'herbes ou de roseaux, et pourtant la barque à fond plat passait sans encombre. La marée montante s'insinuait partout, charriant les poissons jusque dans les nasses. Sous le vol de mouettes, j'aperçus les mâts des navires de Svein tirés sur la grève.

– Pourquoi ne rejoignent-ils point Guthrum ? demanda Alfred.

– Parce que Svein ne veut pas de ses ordres.

– Tu sais cela ?

– Il me l'a dit.

Alfred resta songeur, pensant peut-être à mes déclarations devant le *witan*.

– Quel genre d'homme est-ce ?

– Redoutable.

– Alors pourquoi ne nous a-t-il point attaqués ici ?

Je me posais la même question. Svein avait manqué une occasion en or d'envahir le marais et de capturer Alfred. Pourquoi n'avait-il point essayé ?

– Parce qu'il y a plus facile à piller ailleurs, avançai-je, et qu'il ne veut pas obéir à Guthrum. Ils sont rivaux.

Alfred fixa les mâts qui griffaient le Ciel. C'est alors que je désignai sans un mot une colline abrupte s'élevant à l'ouest, et le villageois nous y mena docilement. Quand la barque racla le fond, nous nous enfonçâmes entre les aulnes, croisant des huttes effondrées où des gens en peaux de loutre crasseuses nous regardèrent passer. Le villageois ne connaissait pour ce lieu d'autre nom que Brant, qui signifiait « abrupt », et c'était mérité. Raide et haute, la colline découvrait une vue sur le sud, là où la Pedredan déroulait ses anneaux comme un serpent au cœur du marécage. Et à l'embouchure, où sable et vase étaient emportés dans la Sæfern, j'aperçus les navires danes.

Ils étaient échoués sur la rive opposée de la Pedredan, là même où Ubba avait tiré les siens avant de trouver la mort dans la bataille. De là, Svein pouvait aisément ramer jusqu'à Æthelingæg, car la rivière était large et profonde, et il ne rencontrerait nul obstacle jusqu'à la digue et au fort où attendait Leofric. Je voulais qu'il soit prévenu en cas de venue des Danes et cette éminence donnait sur le camp de Svein, tout en étant suffisamment éloignée pour ne pas inviter à une attaque.

– Nous devrions installer un fanal ici, dis-je à Alfred.

Un feu allumé donnerait à Æthelingæg deux ou trois heures pour se préparer.

Il hocha la tête en silence. Il contemplait les navires, trop lointains pour qu'on les puisse compter. Il était pâle. Il avait eu du mal à gravir la colline et je le pressai de redescendre jusqu'aux huttes.

– Vous devriez vous reposer là-bas, seigneur, lui dis-je. Je compterai les navires.

Il ne discuta point. Sans doute son ventre le faisait-il de nouveau souffrir. Je trouvai une hutte occupée par une veuve nommée Elwide et ses quatre enfants, lui donnai une pièce d'argent puis déclarai que le roi avait besoin de chaleur et de repos. Je ne crois pas qu'elle comprit qui il était, mais elle connaissait la valeur d'un sou et Alfred entra et vint s'asseoir auprès du feu.

– Fais-lui de la soupe et qu'il dorme.

– On ne dort pas quand il y a du travail, répondit-elle avec mépris. Il y a anguilles à écorcher, poisson à fumer, filets à réparer et nasses à tresser.

– Ils travailleront, dis-je en désignant les deux soldats.

Je partis avec Iseult en barque. Comme l'embouchure de la Pedredan n'était qu'à une lieue de là et que Brant était un repère facile, je laissai le villageois écorcher les anguilles et les fumer.

Nous traversâmes une petite rivière et poussâmes le long d'un bras de mer semé d'oyats. Je voyais déjà la colline au bord de la Pedredan où nous avions été pris au piège par Ubba et je racontai à Iseult la bataille tout en perchant. La coque racla la vase par deux fois et je dus regagner de moins bas-fonds, quand je me rendis compte que la marée descendait rapidement. Alors, j'attachai la barque à un pieu. Nous traversâmes une vaste étendue de terre vers la rivière en plein vent, mais nous vîmes tout. Les Danes aussi pouvaient nous voir. Je n'avais pas ma cotte, mais j'avais pris mes deux épées. Des hommes apparurent sur la rive opposée et me braillèrent des insultes. Je les ignorai. Je dénombrai les navires. J'en vis vingt-quatre parmi les restes des épaves calcinées des navires d'Ubba dépassant du sable comme des côtes noircies.

– Combien comptes-tu d'hommes ? demandai-je à Iseult.

Ne connaissant pas les mots en angle pour les grands nombres, Iseult ouvrit et ferma six fois les mains.

– Soixante ? Soixante-dix au plus. Et vingt-quatre navires. (Elle ne comprit pas où je voulais en venir.) Vingt-quatre navires, cela fait une armée de… huit cents ? neuf cents soldats ? Donc ces soixante hommes sont les gardes des navires. Et les autres ? Où sont-ils ?

Pendant ce temps, cinq Danes tiraient une barque avec l'intention de traverser et nous capturer, mais je n'avais pas l'intention de rester aussi longtemps.

– Les autres, répondis-je à ma propre question, sont partis piller au sud en laissant leurs femmes. Ils brûlent, massacrent et s'enrichissent. Ils violent le Defnascir.

– Ils arrivent, s'alarma Iseult en voyant les hommes monter dans la barque.

– Tu veux que je les tue ?

– Tu le peux ? demanda-t-elle, pleine d'espoir.

– Non. Partons.

Nous rebroussâmes chemin dans la vaste étendue de vase et de sable, tandis que la marée remontait à une vitesse surprenante.

Les marées sont fortes en Sæfern. Une cabane construite à marée basse disparaissait sous les vagues lorsqu'elle remontait. Au jusant, des îles se dressaient à dix mètres au-dessus de l'eau, pour être englouties à marée haute. Comme Iseult montrait des signes de fatigue, je la pris dans mes bras pour la porter comme une enfant. Je peinais, j'avais l'impression de patauger dans une mer infinie, quand soudain, peut-être parce que Hoder, l'aveugle dieu de la Nuit, m'était favorable, j'aperçus notre barque.

191

Je déposai Iseult dedans, m'y hissai à mon tour, coupai l'amarre et m'écroulai, gelé et effrayé, pour la laisser dériver.

— Il faut rentrer te réchauffer, me dit Iseult.

Je regrettai de n'avoir pas emmené le villageois, car j'allais devoir retrouver mon chemin dans le crépuscule. Iseult s'accroupit auprès de moi et contempla une colline verte qui se dressait au loin.

— Eanflæd m'a dit que c'était Avalon, reprit-elle avec révérence.

— Avalon ?

— Là où Arthur est enseveli.

— Je croyais que pour vous il dormait.

— Il dort, dit-elle avec ferveur. Dans son tombeau, avec ses guerriers. (Elle fixa la colline qui semblait luire, prise dans le dernier rayon solitaire perçant les nuages.) Arthur, chuchota-t-elle. C'était le plus grand roi qui ait jamais vécu. Il avait une épée magique.

Et elle me conta qu'il l'avait retirée d'une pierre, pour mener les plus grands guerriers à la bataille. Moi, je songeai que ses ennemis, c'était nous, les Saxons. Pourtant, Avalon était en Anglie. Je me demandai si, dans quelques années, les Saxons, sous le joug des Danes, se souviendraient de leurs rois perdus et prétendraient qu'ils étaient merveilleux. Iseult chantonna dans sa langue et m'expliqua que la chanson parlait d'Arthur : il avait posé une échelle contre la Lune et pris au filet un essaim d'étoiles pour faire une cape à sa reine Guenièvre. Sa voix glissait sur l'eau sombre, entre les roseaux, tandis que derrière nous les feux des gardes disparaissaient dans la nuit. Au loin, un chien hurla, et la pluie qui commençait à tomber fit frissonner la surface du marais.

Iseult se tut quand apparut Brant.

— Il va y avoir une grande bataille, dit-elle doucement. (Ses paroles me surprirent. Je crus qu'elle pensait encore à Arthur et imaginait que le roi endormi allait surgir de son tombeau.) Une bataille près d'une colline, continua-t-elle, et il y aura un cheval blanc, et la colline ruissellera de sang et les Danes fuiront.

– Tu as rêvé cela ? demandai-je.

– Je l'ai rêvé.

– Alors c'est vrai ?

– C'est la destinée, dit-elle.

Je la crus. Au même instant, le fond de la barque racla le sable du rivage.

Il faisait nuit noire. Grâce aux feux allumés pour fumer les poissons, nous retrouvâmes la cabane d'Elwide, faite de pieux d'aulne et d'un toit de roseaux. J'avisai Alfred fixant la cheminée d'un air absent. Elwide, deux soldats et le villageois écorchaient des anguilles à l'autre bout de la cabane, tandis que trois de ses enfants tressaient des nasses et que le quatrième vidait une perche.

Je m'accroupis auprès du feu pour réchauffer mes jambes gelées. Alfred cligna des paupières, comme surpris de me voir.

– Les Danes ? interrogea-t-il.

– Partis dans les terres. Ils ont laissé un peu plus de soixante hommes pour garder les navires.

– Il y a à manger, dit Alfred.

– Tant mieux, nous mourons de faim.

– Non, dans les marais. Assez pour nourrir une armée. Nous pouvons les attaquer, Uhtred, après avoir rassemblé assez d'hommes. Mais cela ne suffira point. J'ai réfléchi, toute la journée. Je ne fuirai point, déclara-t-il, résolu. Je n'irai point en Franquie.

– Tant mieux, répondis-je, tellement gelé que je l'écoutais à peine.

Dans l'âtre, des galettes d'avoine commençaient à noircir.

– Nous allons rester ici, lever une armée et reprendre le Wessex. Le problème est que je ne puis me permettre de mener une petite guerre. (Je ne voyais pas quelle autre guerre il aurait pu mener, mais je ne dis rien.) Plus longtemps les Danes resteront ici, plus forte sera leur emprise. Les gens commenceront à prêter allégeance à Guthrum, et je ne puis le permettre.

– Non, seigneur.

– Il faut donc les vaincre. Pas les battre, Uhtred, les vaincre !

Je pensai au rêve d'Iseult sans piper mot. Puis je me rappelai qu'Alfred avait fait la paix avec les Danes au lieu de les combattre, mais je restai coi.

– Au printemps, continua-t-il, de nouveaux soldats se répandront dans le Wessex. Nous devons donc faire deux choses, songea-t-il à haute voix. D'abord, nous devons les empêcher de disperser leurs armées. Ils doivent nous combattre ici. Ils doivent être tous réunis pour ne pas pouvoir lancer des expéditions dans tout le pays et prendre des terres.

C'était bien pensé. Pour le moment, d'après ce que nous savions, les Danes lançaient des expéditions dans tout le Wessex. Ils allaient vite, pillant tout ce qu'ils pouvaient. Dans quelques semaines, ils commenceraient à chercher à s'installer. En les forçant à se concentrer sur le marais, Alfred espérait les en empêcher.

– Et pendant qu'ils nous surveilleront, dit-il, la *fyrd* devra être réunie.

Je le dévisageai. Je pensais qu'il resterait dans le marais jusqu'à ce que les Danes nous submergent ou que nous ayons regagné assez de force pour reconquérir un comté, puis un autre. Cela aurait pris des années. Mais sa vision était plus ambitieuse. Il voulait assembler l'armée du Wessex sous le nez des Danes et tout reprendre d'un seul coup. C'était un coup de dé, et il avait décidé de tout miser sur un seul lancer.

– Nous devrons leur offrir une grandiose bataille, assura-t-il d'un ton lugubre. Et avec l'aide de Dieu, nous les anéantirons.

Un cri jaillit soudain. Alfred, comme tiré d'une rêverie, leva les yeux, trop tard ! Elwide était déjà sur lui, furieuse :

– Vous avez laissé brûler les galettes d'avoine ! Je vous avais demandé de les surveiller ! hurla-t-elle avant de lui flanquer un soufflet avec l'anguille qu'elle tenait à la main.

Le coup fut assez violent pour renverser Alfred. Les deux soldats bondirent en prenant leurs épées, mais je leur fis signe de se calmer tandis qu'Elwide retirait les galettes brûlées. Alfred était resté allongé. Je crus qu'il pleurait ; en réalité, il était en proie à un fou rire. Je ne l'avais jamais vu aussi heureux. Car il avait un plan pour reconquérir son royaume.

La garnison d'Æthelingæg comptait maintenant soixante-treize hommes. Alfred s'y installa avec sa famille et envoya à Brant six des hommes de Leofric, armés de haches, avec l'ordre d'y bâtir un fanal. Il était calme et sûr de lui, désormais, et la panique désespérée des premières semaines de janvier avait été balayée par la foi irraisonnée de reprendre son royaume avant l'été. Il fut immensément réconforté aussi par le père Beocca qui débarqua un jour en boitant et se prosterna à ses pieds.

– Vous vivez, seigneur ! clama-t-il en s'agrippant à ses chevilles. Dieu soit loué !

Alfred le releva et l'étreignit. Les deux hommes pleurèrent. Le lendemain, un dimanche, Beocca fit un prêche que je ne pus qu'entendre, car il parla en plein air sous un Ciel dégagé… et l'île était trop petite pour que l'on y échappe. Beocca raconta que David, roi d'Israël, avait dû fuir ses ennemis et se réfugier dans la caverne d'Adullam, puis Dieu l'avait ramené en Israël, où il avait vaincu ses ennemis.

– C'est ici notre Adullam ! conclut-il en désignant les toits chaumés d'Æthelingæg. Et voici notre David ! (Il montra le roi.) Et Dieu nous mènera à la victoire !

– C'est pitié, mon père, lui dis-je plus tard, que vous n'ayez point été aussi avide de guerroyer il y a deux mois.

– Je me réjouis de te trouver dans les bonnes grâces du roi.

– Il a découvert la valeur de gueux assassins comme moi. Peut-être apprendra-t-il alors à ne plus avoir foi dans les conseils des bâtards sournois comme vous qui prétendaient que les Danes pouvaient être vaincus par prières.

Il prit un air pincé et regarda Iseult d'un œil réprobateur.

– As-tu des nouvelles de ton épouse ?

– Aucune.

Beocca avait fui devant l'armée des envahisseurs, jusqu'à Dornwaraceaster, dans le comté de Thornsæta, où des moines l'avaient abrité. Les Danes étaient arrivés, mais les moines, prévenus, s'étaient cachés dans un ancien fort non loin de la ville. Les Danes avaient mis Dornwaraceaster à sac, prenant argent, pièces et femmes. Puis ils étaient partis vers l'est et peu après, Huppa, ealdorman de Thornsæta, était arrivé avec cinquante soldats. Il avait ordonné à tout le monde de réparer l'ancienne muraille romaine.

– Les gens y sont à l'abri pour l'heure, me dit-il, mais il n'y a point assez de vivres si les Danes reviennent et les assiègent.

Il avait ensuite appris qu'Alfred se trouvait dans les marais. Il s'était mis en chemin seul ; rencontrant le dernier jour six soldats venus rejoindre le roi, il avait terminé son voyage avec eux. Il n'avait nulle nouvelle de Wulfhere, mais on lui avait dit qu'Odda le Jeune se trouvait quelque part dans l'Uisc, dans un fort construit par les Anciens.

– Les Danes pillent partout, se lamenta-t-il. Mais, Dieu soit loué, nous n'en avons vu aucun en chemin.

– Dornwaraceaster est grande ? demandai-je.

– Assez. Elle possède trois belles églises. Trois !

– Un marché ?

196

– En vérité, et prospère, avant la venue des Danes.

– Pourtant, ils n'y sont point restés ?

– Pas plus qu'à Gifle, et c'est une bonne ville.

Guthrum avait surpris Alfred, vaincu les armées à Cippanhamm, et forcé le roi à se terrer. Mais pour tenir le Wessex, il avait besoin de prendre toutes les villes fortifiées. Si Beocca avait pu traverser la région pendant trois jours sans croiser de Danes, c'est que Guthrum n'avait pas assez d'hommes. Alfred soupçonna, et la suite lui donna raison, que la majeure partie du Wessex était aux mains des Danes, mais que de vastes étendues de terres restaient libres. Les hommes de Guthrum y menaient des expéditions, mais ils étaient en nombre insuffisant pour garnir des villes comme Wintanceaster, Gifle ou Dornwaraceaster. Sachant que d'autres navires arriveraient avec des soldats danes au début de l'été, il devait frapper avant. Il tint donc conseil le lendemain de l'arrivée de Beocca.

Il y avait à présent assez d'hommes sur l'île pour restaurer les usages royaux. Je ne trouvais plus Alfred assis le soir devant sa hutte, et je devais demander audience. Le roi donna ordre qu'une grande cabane soit transformée en église, et la famille qui y vivait en fut expulsée. Des soldats fabriquèrent une grande croix pour accrocher au pignon et percèrent des fenêtres supplémentaires. Le conseil se réunit dans l'ancienne demeure d'Haswold, et Alfred attendit que nous y soyons tous pour faire son entrée. Nous dûmes nous lever et attendre qu'il ait pris place sur l'un des deux fauteuils juchés sur une estrade construite tout exprès. Ælswith s'assit à côté de lui, son ventre enflé enveloppé dans la cape de renard argenté encore tachée du sang d'Haswold.

Nous ne pûmes nous asseoir qu'une fois la messe dite par l'évêque d'Exanceaster. Il y avait là six prêtres et autant de guerriers. J'étais à côté de Leofric, tandis que les quatre autres étaient d'anciens gardes d'Alfred. L'un d'eux, un barbu grisonnant appelé Egwine, me conta qu'il avait mené cent hommes à la colline d'Æsc, et jugeait que c'était à lui de conduire toutes les troupes du marais. Je savais qu'il avait plaidé sa cause auprès du roi et de Beocca, qui siégeait sous l'estrade à une table branlante pour consigner toutes les paroles. Il avait du mal, car son encre était vieille et diluée, sa plume éraillée et ses parchemins, les larges marges arrachées d'un missel. Il était mécontent, mais Alfred tenait à garder trace des débats.

Le roi remercia cérémonieusement l'évêque pour sa prière, puis annonça, fort raisonnablement, qu'il ne pouvait espérer s'occuper de Guthrum tant que Svein n'était point défait. C'était la menace la plus immédiate car, même si ses hommes étaient pour la plupart en train de piller le Defnascir, il disposait encore de navires pouvant pénétrer dans le marais.

– Vingt-quatre, dit-il en m'interrogeant du regard.

– Oui-da, seigneur, confirmai-je.

– Aussi, quand ses hommes seront assemblés, il en comptera mille. (Alfred nous laissa méditer sur ce chiffre un moment, tandis que Beocca déplorait une tache sur son parchemin.) Mais il y a deux jours, reprit-il, seuls soixante-dix soldats gardaient les navires à l'embouchure de la Pedredan.

– Au moins, nuançai-je. Peut-être y en avait-il d'autres que nous n'avons vus.

– Moins de cent, cependant ?

– Je le pense, seigneur.

– Nous devons donc les affronter avant qu'arrivent les renforts.

Il y eut un silence. Nous savions tous combien nous étions faibles. Quelques hommes nous rejoignaient, comme les six qui accompagnaient Beocca ; mais c'était peu, soit parce que la nouvelle de la cachette du roi se répandait lentement, soit à cause du temps glacial et humide qui n'engageait point à cheminer. Il n'y avait pas un seul thane parmi les nouveaux venus. Les thanes étaient des nobles, des propriétaires, pouvant amener quelques vingtaines d'hommes à la bataille. Les thanes étaient la puissance du Wessex, mais aucun n'était là. Certains, nous apprit-on, avaient fui le pays, tandis que d'autres tentaient de protéger leurs terres. Alfred, j'en étais certain, se serait senti plus à l'aise avec une douzaine d'entre eux à ses côtés, mais il devait se contenter de Leofric, Egwine et moi.

– Quelles sont nos forces, pour l'heure ? nous demanda-t-il.

– Nous sommes plus de cent, déclara Egwine d'un ton enjoué.

– Dont seulement soixante ou soixante-dix sont en état de se battre, dis-je.

Il y avait eu un accès de maladie : des hommes souffraient de fièvre et maux de ventre, et vomissaient. C'était fréquent dans les armées.

– Cela suffit-il ? demanda Alfred.

– Pour quoi, seigneur ? demanda Egwine, qui n'était point futé.

– Pour vaincre Svein, évidemment, répondit le roi.

Un silence avait accueilli cette question absurde, puis Egwine se redressa.

– Plus qu'assez, seigneur !

– Et comment te proposes-tu d'agir ? s'enquit Alfred.

– Prenons tous nos hommes en état et attaquons !

Beocca n'écrivait plus. Il savait qu'il entendait des sottises et refusait d'y gâcher son peu d'encre.

– Est-ce possible ? me demanda Alfred.

– Ils nous verront arriver. Ils seront prêts.

– Passons par les terres, suggéra Egwine.

Alfred m'interrogea de nouveau du regard.

– Æthelingæg ne sera plus défendue, expliquai-je, et cela nous prendra au moins trois jours, au bout desquels nos hommes auront froid et faim, et seront fatigués. Les Danes nous verront surgir des collines, cela leur donnera le temps de s'armer. Au mieux, nous serons à nombre égal. Au pire ?

Je me contentai de hausser les épaules. En trois ou quatre jours, le reste des forces de Svein serait de retour, et nos soixante à quatre-vingts hommes se trouveraient face à une horde.

– Alors que ferais-tu ? demanda Alfred.

– Je détruirais leurs navires.

– Continue.

– Sans navire, ils ne pourront remonter les rivières et seront coincés.

Alfred opina et Beocca reprit ses notes.

– Comment détruirais-tu les navires ?

Je n'en savais rien. Nous pouvions emmener soixante-dix hommes combattre les soixante-dix Danes, mais au bout du compte, si nous étions victorieux, nous aurions de la chance s'il nous en restait vingt. Ceux-là pourraient brûler les navires, bien sûr, mais je doutais que nous survivions longtemps. Il y avait foule de femmes danes à Cynuit : elles se joindraient à la bataille et nous pourrions être vaincus par le nombre.

– Le feu, s'enthousiasma Egwine, nous pouvons l'emporter dans des barques et le projeter depuis la rivière.

– Ils ont des gardes, dis-je d'un ton las, et ils nous lanceront haches, flèches et lances. Tu pourras brûler un bateau, rien de plus.

– Nous irons de nuit.

– C'est presque la pleine lune, ils nous verront arriver. Et s'il n'y a point de lune, nous ne verrons point leur flotte.

– Que ferais-tu, alors ? répéta Alfred.

– Dieu enverra le feu du Ciel, clama l'évêque.

Personne ne répondit.

Alfred se leva. Nous en fîmes autant. Il me désigna.

– Tu détruiras la flotte de Svein et tu me diras comment d'ici à ce soir. Si tu ne le peux, alors toi (il désigna Egwine), tu iras en Defnascir trouver l'ealdorman Odda et tu lui ordonneras d'amener ses hommes à l'embouchure et de le faire.

– Oui, seigneur, répondit Egwine.

– Avant ce soir, me répéta Alfred froidement avant de sortir.

Il me laissa fâché. Il l'avait fait exprès. Je me rendis au fort nouvellement construit avec Leofric puis contemplai les marais et les nuages massés au-dessus de la Sæfern.

– Comment brûler vingt-quatre navires ? demandai-je.

– Dieu enverra le feu du Ciel, voyons, répondit-il.

– Je préférerais qu'il envoie mille soldats.

– Alfred ne mandera point Odda. Il l'a juste dit pour t'agacer.

– Mais il a raison, n'est-ce pas ? Nous devons nous débarrasser de Svein.

– Comment ?

Je fixai la digue qu'Haswold avait édifiée. L'eau, au lieu de couler en aval, remontait, poussée par la marée.

– Dans une histoire de mon enfance, dis-je, tentant de me souvenir de cette légende racontée par Beocca, le dieu chrétien a fendu la mer en deux, n'est-ce pas ?

– Moïse, oui.

– Et quand l'ennemi s'y est engouffré, il s'est noyé.

– Habile, reconnut Leofric.

– Voilà comment nous allons nous y prendre.

– Comment ?

Mais au lieu de le lui dire, je mandai les villageois et parlai avec eux. À la nuit, j'avais mon plan. Comme il était inspiré par les saintes écritures, Alfred l'approuva volontiers. Je pris un jour de plus pour tout préparer. Nous devions rassembler assez de barques pour transporter quarante hommes, et il me fallait aussi Eofer, l'archer bredin. Ne comprenant pas ce que je voulais, il poussa des cris terrifiés. Une petite fille d'une dizaine d'années lui prit la main et lui expliqua qu'il devait aller chasser avec nous.

– Il te fait confiance ? demandai-je à l'enfant.

– C'est mon oncle, annonça-t-elle.

Eofer s'était calmé et lui tenait toujours la main.

– Fait-il ce que tu lui demandes ?

Elle opina gravement et je lui dis qu'elle devait venir avec nous pour que son oncle soit content.

Nous partîmes avant l'aube. Nous étions vingt villageois, habiles à naviguer, vingt guerriers, un archer simple d'esprit, une enfant et Iseult. Alfred nous regarda partir puis se rendit à l'église d'Æthelingæg, désormais ornée d'une croix toute neuve taillée dans l'aulne.

Bas dans le Ciel, au-dessus de la croix, brillait la pleine lune, pâle comme spectre. Alors que le soleil se levait, elle pâlissait encore. Tandis que les dix barques glissaient sur la rivière, je la contemplai en prononçant une prière muette à Hoder : la Lune est son épouse, et c'est elle qui devait nous accorder la victoire. Car pour la première fois depuis l'attaque de Guthrum à l'hiver, les Saxons ripostaient.

8

Avant que la Pedredan n'atteigne la mer, elle décrit dans le marais une grande courbe, presque un quart de cercle. C'est au début de cette courbe que se trouvait un autre village. Son nom, Palfleot, signifie « le lieu des piquets », car ses premiers habitants y avaient placé des pièges à anguilles sur de tels piquets. Mais les Danes les avaient chassés, il ne restait plus que pieux calcinés et vase noircie. C'est là que nous abordâmes en frissonnant. La marée descendait, découvrant les vastes bancs de sable où nous avions erré, Iseult et moi, tandis que se levait un vent d'ouest froid et humide augurant la pluie. Pour le moment, un soleil oblique projetait de longues ombres dans les roseaux. Deux cygnes volaient vers le sud. Je sus que c'était un message des dieux, mais je n'en compris point le sens.

Les barques repartirent en suivant les chenaux connus de ces seuls villageois. Nous restâmes un moment à Palfleot, à nous agiter ostensiblement pour que les Danes ne manquent point de nous remarquer depuis l'autre côté de la rivière.

– Il y a un homme à leur vigie, dit Iseult qui avait de très bons yeux.

La marée descendait toujours, découvrant de plus en plus la vase et le sable. Maintenant que j'étais sûr qu'on nous avait repérés, nous traversâmes cette vaste étendue.

À mesure que nous nous rapprochions, je vis d'autres Danes juchés dans les mâtures. Ils nous surveillaient mais ne s'inquiétaient point, car ils nous dépassaient en nombre et la rivière nous séparait.

Certains riaient, convaincus que nous avions fait beaucoup de chemin pour rien… ils ignoraient le talent d'Eofer. J'appelai la nièce de l'archer.

– Je veux que ton oncle tue quelques-uns de ces hommes, expliquai-je à la fillette.

– Les tuer ? me demanda-t-elle, étonnée.

– Ce sont méchants hommes, et ils veulent t'occire.

Elle hocha gravement la tête, puis elle prit le grand gaillard par la main et le mena au bord de la rivière, où il s'enfonça dans la boue jusqu'aux mollets. C'était encore loin de l'autre rive et je craignis que ce le soit trop, même pour son arc immense. Eofer s'avança un peu dans la rivière jusqu'à un endroit peu profond, sortit une flèche de son carquois, banda son arc et tira en poussant un grognement. La flèche s'éleva dans les airs et piqua vers un groupe de Danes juchés sur la plate-forme d'un navire. Un cri de colère retentit quand elle s'abattit. Elle manqua sa cible, mais la suivante atteignit un homme à l'épaule. Les Danes quittèrent précipitamment leur poste. Eofer, qui continuait de pousser de petits cris en dodelinant de la tête, visa un autre navire. Il avait une force extraordinaire. L'un des Danes prit son arc et voulut riposter, mais sa flèche s'enfonça dans la rivière et nous nous moquâmes de plus belle, tandis qu'Eofer continuait de lancer des flèches. Un seul homme avait été blessé, mais nous les faisions battre en retraite et c'était humiliant. Je laissai l'archer tirer vingt flèches, puis j'allai le rejoindre et lui pris son arc, tournant le dos aux Danes pour qu'ils ne me voient pas faire.

Avec mon couteau, j'entamai la corde de l'arc avant de le lui rendre.

– Tue-les, dis-je en désignant les Danes.

Il voulut sortir l'autre arc qu'il portait sous sa cape, mais j'insistai pour qu'il garde celui-ci. Alors qu'il bandait l'arc, la corde rompit et sa flèche voleta un instant avant de tomber dans la rivière.

La marée avait changé et remontait.

– Nous partons ! criai-je à mes hommes.

Pensant que nous battions en retraite parce que notre arc était rompu, les Danes nous couvrirent d'insultes tandis que nous remontions péniblement sur le talus. Je vis deux hommes courir sur la grève. J'espérai qu'ils étaient porteurs des ordres que j'attendais.

C'était bien cela. Les Danes, soulagés de la menace du redoutable arc d'Eofer, allaient lancer deux de leurs plus petits navires.

Tous les guerriers ont leur fierté. Orgueil, fureur et ambition sont les aiguillons d'une réputation, et les Danes voulaient nous donner une leçon. Mais ce n'était pas tout. Avant de quitter Æthelingæg, j'avais tenu à ce que chaque homme revête une cotte de mailles. Egwine, qui était resté avec le roi, avait rechigné à céder sa précieuse armure, mais Alfred l'y avait contraint, et seize de mes hommes portaient donc une cotte. Ils étaient superbes, comme une troupe d'élite. Les Danes gagneraient renommée s'ils vainquaient une telle troupe et s'emparaient de leurs précieuses armures. Le cuir protège, mais la maille est bien plus sûre et bien plus coûteuse. En amenant seize cottes de mailles à leur portée, je faisais miroiter un irrésistible appât.

Et ils mordirent à l'hameçon.

Nous marchions lentement, feignant de peiner dans le sol meuble. Alors que la marée montait rapidement, ils firent exactement ce que j'espérais.

Ils ne traversèrent point la rivière. En faisant cela, ils se seraient simplement retrouvés sur l'autre rive et nous aurions déjà parcouru un quart de lieue. Au lieu de quoi leur chef tenta de nous couper la route. Nous ayant vus débarquer à Palfleot, et pensant que nos barques s'y trouvaient encore, ils remontèrent à la rame la rivière pour y parvenir avant nous et les détruire.

Seulement, elles n'y étaient plus. Reparties à l'est et au nord, elles nous attendaient derrière des roseaux, mais nous n'en avions pas encore besoin. Tandis que les Danes débarquaient à Palfleot, nous nous blottîmes sur le sable et ils nous crurent pris au piège. Ils se trouvaient sur la même rive que nous, à deux contre un, et marchaient sur nous, convaincus qu'ils allaient nous tuer.

Ils agissaient exactement comme je le souhaitais.

Nous battîmes alors en retraite dans le désordre, courant parfois pour creuser la distance avec ces Danes si sûrs d'eux. J'en comptai soixante-seize. Nous n'étions que trente, car certains des nôtres étaient cachés avec les barques. Je scrutai les environs et vis enfin un trait de lumière argentée : le flot commençait rapidement à envahir le marais.

Nous continuâmes notre retraite, toujours poursuivis par les Danes qui à présent se fatiguaient. Quelques-uns crièrent pour nous défier de les combattre, mais les autres étaient hors d'haleine et ne songeaient qu'à nous rattraper pour nous massacrer. Mais nous déviions à l'est vers le bosquet de roseaux et de nerpruns, et le ruisseau où nos barques étaient dissimulées.

Nous nous y laissâmes tomber, épuisés, et les villageois nous menèrent par ce ruisseau, affluent de la rivière Bru qui barrait le nord du marais. La barque à fond plat nous emmenait rapidement vers le sud, contre le courant. Les Danes impuissants ne purent que nous regarder passer à deux cents toises de là. Plus nous nous éloignions, plus ils nous paraissaient isolés dans cette vaste étendue vide criblée de pluie où l'eau bouillonnait dans le lit des ruisseaux. Poussé par le vent, le flot s'enfonçait loin dans le marais, gonflé par la pleine lune. Soudain, les Danes comprirent le péril.

Nous naviguions vers les ruines calcinées où les Danes avaient amarré leurs deux navires. Ils n'étaient gardés que par quatre hommes. Ils s'enfuirent lorsque nous débarquâmes en brandissant nos épées et en poussant des cris sauvages. Les autres Danes étaient encore dans le marais. Seulement, désormais, ce n'était plus qu'une étendue d'eau où ils pataugeaient.

Et moi, j'avais deux navires. Nous hissâmes à bord les deux barques, puis les villageois, répartis sur chacun d'eux, se mirent aux rames. Tandis que je barrais l'un et Leofric l'autre, nous remontâmes le courant vers Cynuit, où les navires danes n'étaient plus gardés que par quelques hommes et une foule de femmes et d'enfants. Tous virent arriver les deux navires sans savoir qu'ils étaient chargés d'ennemis. Ils se demandèrent sans doute pourquoi si peu de rames frappaient l'eau, mais comment auraient-ils imaginé que quarante Saxons puissent défaire près du double de Danes ? Personne ne broncha lorsque nous échouâmes nos navires et que nous débarquâmes.

– Vous pouvez vous battre, criai-je aux quelques gardes. Ou vous pouvez vivre. (En cotte de mailles, coiffé de mon nouveau casque, j'étais un seigneur de guerre. Je frappai mon bouclier du plat de Souffle-de-Serpent.) Combattez si vous le voulez. Venez !

Trop peu nombreux, ils s'enfuirent et ne purent qu'assister à l'incendie de leur flotte. Il fallut presque toute la journée pour s'assurer qu'il n'en resterait rien, mais ils brûlèrent, et la fumée signala à l'ouest du Wessex que Svein avait été défait. Tandis que les navires brûlaient, je surveillai les collines, de peur qu'il n'arrive avec des centaines d'hommes, mais il était encore loin et les Danes de Cynuit ne purent rien faire. Vingt-trois vaisseaux furent détruits, dont le *Cheval-Blanc*, et le vingt-quatrième, l'un des deux dont nous nous étions emparés, nous ramena dans le crépuscule. Nous avions pillé leur camp, et pris vivres, gréements, peaux, armes et boucliers.

Une vingtaine de Danes étaient coincés sur la petite île de Palfleot. Les autres s'étaient noyés. Les rescapés nous virent passer mais n'osèrent nous provoquer, et je ne m'en pris point à eux. Nous ramions vers Æthelingæg et derrière nous, sous le Ciel assombri, l'eau recouvrait le marais, des mouettes blanches piaillaient en survolant les cadavres. Dans le crépuscule, deux cygnes s'envolèrent vers le nord en claquant des ailes.

La fumée des bateaux incendiés monta jusqu'aux nuages durant trois jours. Le deuxième, Egwine prit le navire capturé et, avec quarante hommes, alla massacrer les Danes survivants, sauf six qui furent faits prisonniers. Cinq d'entre eux furent dépouillés de leurs armures et ligotés à des pieux à marée basse, afin qu'ils se noient lentement. Egwine perdit trois hommes dans ce combat, mais il rapporta cottes, boucliers, casques, armes et bracelets, ainsi qu'un prisonnier qui ne savait rien, hormis que Svein était parti vers Exanceaster. Il mourut le troisième jour, celui où Alfred remercia Dieu dans ses prières pour notre victoire. Svein ne pouvait nous attaquer, car il avait perdu ses vaisseaux, Guthrum n'avait nul moyen de pénétrer dans le marais, et Alfred était content de moi.

Ce fut Beocca qui me l'annonça. Deux semaines auparavant, songeai-je, le roi me l'aurait dit lui-même. Il se serait assis sur le rivage pour me parler, mais à présent une cour s'était formée et le roi était inaccessible derrière sa haie de prêtres.

– Il a de quoi, répondis-je.

J'étais en train de m'entraîner quand Beocca était arrivé. Nous le faisions chaque jour avec des bâtons en lieu d'épées, et ceux qui grommelaient qu'ils n'avaient nul besoin de jouer à se battre, je les défiais moi-même ; quand ils avaient été terrassés, je leur disais qu'ils devaient moins se plaindre et jouter davantage.

– Le roi est content de toi, dit Beocca en m'entraînant le long de la rivière, mais il te trouve bien délicat.

– Moi ! Délicat ?

– De n'être point retourné à Palfleot terminer ta tâche.

– Elle était achevée. Svein ne peut nous attaquer sans navires.

– Mais tous les Danes n'étaient pas morts.

– Assez se sont noyés. Savez-vous ce qu'ils ont enduré ? La terreur devant une marée ? Pourquoi tuer des hommes impuissants ?

– Car ce sont païens, car ils sont haïs de Dieu et des hommes, et ils sont danes.

– Il n'y a pas quelques semaines, vous croyiez qu'ils deviendraient chrétiens et que toutes nos épées seraient fondues en socs de charrue pour labourer la terre.

Il ne releva pas.

– Que va faire Svein, désormais ? interrogea-t-il.

– Contourner à pied le marais et rejoindre Guthrum.

– Qui se trouve à Cippanhamm. (Nous en étions presque certains. D'autres hommes nous rejoignaient et nous donnaient des nouvelles. La plupart n'étaient que rumeurs, mais beaucoup avaient ouï dire que Guthrum avait renforcé les murailles de Cippanhamm et hivernait là.) Tu as un oncle en Mercie, n'est-ce pas ? demanda Beocca, changeant brusquement de sujet.

– Æthelred, frère de ma mère, et ealdorman.

– Tu ne l'aimes point ? s'enquit-il, percevant le ton froid de ma réponse.

– Je ne le connais guère.

J'avais passé quelques semaines dans sa demeure, juste assez longtemps pour me quereller avec son fils, lui aussi nommé Æthelred.

– Est-il allié des Danes ?

– Ils supportent qu'ils vivent, et lui les supporte.

– Le roi a envoyé des messagers en Mercie.

– S'il veut qu'ils se soulèvent contre les Danes, il sera déçu. Ils seront tués.

– Il préférerait qu'ils amènent des hommes dans le Sud au printemps. (Je me demandai comment quelques guerriers merciens pourraient nous rejoindre en passant les lignes des Danes, mais je ne dis rien.) Nous attendons le printemps pour notre salut, mais pour l'heure le roi voudrait que quelqu'un aille à Cippanhamm.

– Un prêtre, dis-je aigrement, pour parler à Guthrum ?

– Un soldat, pour estimer leur nombre.

– Envoyez-moi, alors.

Beocca hocha la tête.

– C'est si différent de la Northumbrie ! murmura-t-il d'un ton mélancolique.

– Bebbanburg vous manque ?

– J'aimerais finir mes jours à Lindisfarena, dire ma dernière prière sur cette île. (Il contempla les collines à l'est.) Le roi irait volontiers à Cippanhamm lui-même.

– C'est folie, protestai-je.

– Telle est la royauté.

– Comment cela ?

– Le *witan* choisit le roi, dit-il sentencieusement, et le roi doit avoir la confiance du peuple. Si Alfred va à Cippanhamm et marche parmi ses ennemis, le peuple saura qu'il mérite d'être roi.

– Et s'il est capturé, le peuple saura qu'il est un roi mort.

– Aussi dois-tu le protéger. (Je ne répondis pas. C'était en vérité folie, mais Alfred était décidé à montrer qu'il méritait d'être roi. Après tout, il avait usurpé le trône destiné à son neveu, et durant les premières années de son règne il ne l'oubliait point.) Un petit groupe se mettra en chemin. Toi, d'autres guerriers, un prêtre et le roi.

– Pourquoi le prêtre ?

– Pour prier, bien sûr.

210

– Vous ? ricanai-je.

– Pas moi, dit-il en tapotant sa jambe infirme. Un jeune prêtre.

– Mieux vaudrait emmener Iseult.

– Non.

– Et pourquoi ? Elle maintient le roi en bonne santé.

Alfred était en effet bien mieux portant qu'il ne l'avait jamais été, et tout cela grâce aux remèdes préparés par Iseult. La chélidoine et la bardane cueillies à terre soulageaient les souffrances de son cul, et d'autres herbes celles de son ventre. Il marchait avec assurance, le regard vif, et semblait fort.

– Iseult demeurera ici.

– Si vous voulez que vive le roi, elle doit venir.

– Elle demeurera, car nous voulons que vive le roi. (Il me fallut un instant pour comprendre. Beocca tentait de prendre un air sévère, mais ne parvint qu'à montrer sa peur.) Ce sont temps difficiles, expliqua-t-il plaintivement, et le roi ne peut mettre sa foi qu'en des hommes qui servent Dieu. Des hommes liés à lui par leur amour du Christ.

D'un coup de pied, j'envoyai voler une nasse dans la rivière.

– Pendant un temps, dis-je, j'ai presque aimé Alfred. Maintenant que ses prêtres sont de nouveau là, vous instillez votre poison en lui.

– Il...

– Qui a sauvé ce bâtard ? le coupai-je. Qui a brûlé les navires de Svein ? Qui, au nom de votre dieu infortuné, a tué Ubba ? Et malgré cela, vous ne me faites point confiance ?

Beocca tenta de me calmer avec de grands gestes.

– Je crains que tu ne sois païen, et cette femme en est assurément une.

– Cette femme a guéri Edward, grondai-je. Cela ne signifie donc rien ?

211

– Cela pourrait signifier qu'elle a accompli l'œuvre du Diable. (J'en restai coi.) Le Diable œuvre sur la terre, continua gravement Beocca, et cela servirait ses desseins que le Wessex soit anéanti. Le Diable veut la mort du roi. Il veut que sa race païenne prospère par toute l'Anglie ! Il se déroule une guerre plus vaste, Uhtred. Non pas celle entre Saxons et Danes mais entre Dieu et le Diable, entre Bien et Mal ! Nous en faisons partie !

– J'ai occis plus de Danes que vous n'en pouvez rêver, rétorquai-je.

– Ton amour des Danes est bien connu, dit Beocca, pincé. Et tu épargnas les hommes de Paelflot.

– Vous pensez donc que je ne suis point digne de confiance.

– Je te fais confiance, reconnut-il sans conviction. Mais les autres ? Cependant, si Iseult reste ici…

– Elle sera donc otage.

– Une garantie, plutôt.

– J'ai prêté serment au roi, fis-je remarquer.

– Et tu as prêté serments naguère, et tu es connu comme menteur, et tu as épouse et enfant, et vis pourtant avec une putain païenne, et tu aimes les Danes. Penses-tu que nous pouvons te faire confiance ? débita-t-il d'un trait. Je te connaissais, Uhtred, lorsque tu rampais encore sur les nattes de jonc de Bebbanburg. Je t'ai baptisé, enseigné, châtié et vu grandir, et je te connais mieux que quiconque, et je ne te fais point confiance. Si le roi ne revient point, Uhtred, ta putain sera jetée aux chiens. (Il avait livré son message et semblait en regretter la violence, car il secoua la tête.) Le roi ne devrait point aller. Tu as raison, c'est folie. C'est sottise ! C'est… (il chercha ses mots et trouva la pire condamnation de son vocabulaire)… irresponsable ! Mais il y tient, et s'il va, tu dois aussi aller, car tu es le seul à pouvoir passer pour un Dane. Mais ramène-le, Uhtred, ramène-le, car il est cher à Dieu et à tous les Saxons.

Cette nuit-là, ruminant les paroles de Beocca, je fus tenté de fuir le marais avec Iseult, de trouver un seigneur et de lui offrir Souffle-de-Serpent, mais Ragnar avait été pris en otage et je n'avais plus d'ami parmi mes ennemis. Si je m'enfuyais, je manquerais à mon serment à Alfred, et on dirait qu'Uhtred de Bebbanburg n'était point digne de confiance. Je restai donc et tentai de convaincre Alfred de ne point aller à Cippanhamm.

– Si je demeure ici, s'obstina-t-il, on dira que je me suis caché des Danes. D'autres les affrontent, et moi je me terre ? Non, les hommes doivent me voir et savoir que je me bats.

Il était d'étrange humeur, empli de bonheur et confiant que Dieu était à ses côtés. Comme son mal l'avait quitté, il était plein d'énergie et d'assurance.

Il prit six compagnons. Le prêtre, un jeune homme nommé Adelbert, transportait une petite harpe dans une besace de cuir. Il me semblait ridicule d'emporter une harpe chez l'ennemi, mais Adelbert était fameux pour sa musique, et Alfred déclara avec allégresse qu'il chanterait les louanges de Dieu quand nous serions parmi les Danes. Les quatre autres étaient des guerriers d'expérience, ayant fait partie de sa garde royale. Ils se nommaient Osferth, Wulfrith, Beorth et Egwine, lequel jura à Ælswith qu'il ramènerait le roi, ce qui me valut de sa part un regard acerbe. Les bonnes grâces que m'avait values la guérison d'Edward s'étaient vite envolées.

Nous revêtîmes cottes et casques, et Alfred tint à porter une belle cape bleue bordée de fourrure, qui le rendait très voyant, mais il voulait que le peuple voie son roi. Nous choisîmes les meilleurs chevaux, un pour chacun de nous et trois de plus, leur fîmes traverser la rivière et suivîmes les sentes de bois jusqu'à la terre ferme, non loin de l'île où Iseult disait qu'Arthur reposait. Je l'avais laissée avec Eanflæd qui partageait sa cabane avec Leofric.

Nous étions en février. Le temps s'était réchauffé après l'incendie de la flotte de Svein, et j'avais jugé que nous devions nous mettre en chemin dès lors. Cependant, Alfred avait tenu à attendre le huitième jour de février, car c'était la Saint-Cuthman, un saint saxon d'Estanglie, donc un jour propice. Peut-être le roi avait-il raison, car la journée fut humide et fort froide, et les Danes n'aimaient guère quitter leurs quartiers par mauvais temps. Nous partîmes à l'aube, et en milieu de matinée nous étions dans les collines dominant le marais, à demi caché par le brouillard épaissi des fumées des villages voisins.

— Connais-tu bien saint Cuthman ? me demanda aimablement Alfred alors que nous chevauchions vers le nord.

— Non point, seigneur.

— C'était un ermite. Comme sa mère était infirme, il lui fit une brouette.

— Une brouette ? Qu'en ferait une infirme ?

— Rien ! Il la transportait ainsi. Pour qu'elle l'accompagne quand il prêchait. Il l'emmenait partout.

— Elle devait être contente.

— Il n'y a nul récit de sa vie à ma connaissance, mais nous devons certainement en composer un. Il pourrait être un saint pour les mères.

— Ou pour les brouettes, seigneur.

Cette nuit-là, nous séjournâmes dans un petit village. Les Danes y étaient venus et les gens avaient peur. D'abord, lorsque nous arrivâmes, ils se cachèrent, nous prenant pour des Danes. En entendant nos voix, ils sortirent prudemment et nous contemplèrent comme si nous venions de la Lune. Leur prêtre avait été tué par les Danes. Alfred tint à ce qu'Adelbert célèbre un office dans les restes calcinés de l'église, lui-même tenant le rôle de chantre en s'accompagnant de la harpe du prêtre.

— J'ai appris à en jouer dans mon enfance, me dit-il. Ma marâtre y tenait, mais je ne suis point doué.

— En vérité, convins-je, ce qui lui déplut.

– Je ne dispose jamais d'assez de temps pour m'y appliquer, se plaignit-il.

Nous logeâmes chez un paysan. Alfred, jugeant que les Danes auraient pillé tout village sur notre chemin, avait chargé les montures de poissons fumés et galettes d'avoine. Nous offrîmes donc le repas, et le couple de paysans s'agenouilla à mes pieds en touchant d'une main hésitante le bas de ma cotte.

– Mes enfants, chuchota la femme, ils sont deux. Ma fille a sept ans, et mon fils un peu plus. Ce sont de bons enfants.

– Et qu'y a-t-il ? intervint Alfred.

– Les païens les ont pris, seigneur, pleura la femme. Les pourrez-vous trouver, seigneur ? demanda-t-elle en tirant sur ma cotte. Pourrez-vous me ramener mes petits, je vous en prie ?

Je promis d'essayer, mais c'était une promesse vaine, car les enfants étaient partis depuis longtemps au marché aux esclaves. Ils devaient désormais travailler chez un propriétaire dane ou, s'ils étaient jolis, au-delà des mers chez des païens qui payaient bon argent pour les enfants chrétiens.

Nous apprîmes que les Danes étaient venus au village peu après la Douzième Nuit. Ils avaient tué, capturé et volé. Quelques jours plus tard, ils étaient revenus, regagnant le Nord avec des captifs et des chevaux volés chargés de butin. Depuis lors, les villageois n'avaient vu nul Dane hormis ceux des bords du marais. Ceux-là ne causaient nulle peine, peut-être parce qu'ils étaient peu nombreux et n'osaient susciter l'inimitié de la région. Nous entendîmes la même histoire dans d'autres villages : les Danes venaient, pillaient et repartaient vers le nord.

Mais au troisième jour, nous vîmes enfin une troupe armée sur la voie romaine de Baðum qui traverse vers l'ouest les collines. Ils étaient près de soixante et fuyaient au galop des nuages noirs dans la nuit qui tombait.

– Ils retournent à Cippanhamm, dit Alfred.

C'était une expédition de pillards, leurs chevaux de somme transportaient des filets remplis de foin. Je me rappelai un hiver de mon enfance à Readingum, lors de la première invasion des Danes en Wessex, et combien il avait été difficile pour les hommes et les bêtes de survivre dans le froid. Nous avions dû couper l'herbe rare et arracher le chaume des toits pour nourrir des chevaux efflanqués et affaiblis. J'ai souvent entendu des hommes déclarer que, pour gagner une guerre, il suffit de rassembler des hommes et de marcher sur l'ennemi. Ce n'est jamais aussi facile, et la faim peut vaincre une armée plus vite que des lances.

Cette nuit-là, une neige insistante, silencieuse et dense commença à tomber.

Nous chevauchâmes donc, sabots crissant dans la neige fraîche d'un monde devenu neuf et propre. Les moindres brindilles étaient couvertes de neige, et les fossés et ornières étaient gelés. Je vis les traces d'un renard dans un champ et songeai que le printemps apporterait un nouveau fléau, car les bêtes sauvages, sans personne pour les traquer, massacreraient les agneaux.

Nous arrivâmes en vue de Cippanhamm avant midi. Nous nous arrêtâmes au sud de la ville, à l'endroit où une route surgissait d'un bosquet de chênes. Les Danes durent nous apercevoir, mais personne ne sortit s'enquérir de nous. Il faisait trop froid pour que les hommes se donnent cette peine. Je vis des gardes sur les murailles de bois, mais personne n'y restait longtemps. Tous se retiraient entre les rondes. Les murailles étaient ornées de boucliers ronds peints en rouge sang, blanc, bleu, et, comme les hommes de Guthrum étaient là, en noir.

– Nous pourrions les compter, dit Alfred.

– Cela ne servirait guère, dis-je. Ils ont chacun deux ou trois boucliers qu'ils accrochent aux remparts pour faire croire qu'ils sont plus nombreux.

Alfred frissonnait et j'insistai pour que nous nous mettions à l'abri. Nous retournâmes au couvert des arbres en suivant un sentier menant à une rivière. Une demi-lieue plus loin en amont, nous trouvâmes un moulin. La meule avait disparu, mais le bâtiment était entier, et de bonne facture, avec des murs de pierres et un toit de tourbe soutenu par de grosses lambourdes. Il y avait un âtre dans la pièce où vivait la famille du meunier, mais je ne permis point à Egwine d'allumer un feu, de peur que la fumée n'alerte les Danes.

– Attends la nuit, dis-je.

– Nous aurons eu le temps de geler, grommela-t-il.

– Nous devons nous rapprocher de la ville, dit Alfred.

– Pas vous. Moi, oui.

J'avais vu des chevaux dans un enclos à l'ouest des remparts : je pensais prendre notre meilleure monture, m'approcher de la ville et les compter. Cela nous donnerait une idée du nombre de Danes, car presque chacun d'eux possédait un cheval. Alfred voulait venir, mais je refusai. Cippanhamm étant bâtie sur une colline qu'encerclait presque entièrement la rivière, je ne pouvais en faire le tour, mais je m'approchai au plus près des murailles et les scrutai. Si les Danes m'aperçurent, ils ne se donnèrent point la peine de pourchasser un seul homme et je pus trouver l'enclos où frissonnaient les chevaux. Je passai la journée à les compter. La plupart étaient dans des champs voisins du domaine royal, il y en avait des centaines. À la fin de l'après-midi, je les estimai à douze cents, et encore, les meilleurs devaient se trouver dans l'enceinte. Ce chiffre donnerait à Alfred une idée de l'ampleur de l'armée de Guthrum. Deux mille hommes ? Et ailleurs en Wessex, dans les villes qu'occupaient les Danes, il devait s'en trouver un millier de plus. C'était une puissante armée, mais pas assez pour s'emparer de tout le royaume. Elle devrait attendre des renforts du Danemark ou des trois royaumes conquis d'Anglie. Je retournai au moulin au crépuscule… Tout ce que je voulais, c'était un peu de chaleur : Alfred avait pris le risque d'allumer un feu, car de la fumée s'échappait du toit.

Tous étaient accroupis devant, et je les rejoignis en tendant les mains vers les flammes.

— Deux mille hommes, plus ou moins, dis-je. (Personne ne répondit.) Ne m'avez-vous point entendu ? demandai-je en les regardant. (Ils étaient cinq. Seulement.) Où est le roi ?

— Il est parti, se désola Adelbert.

— Quoi ?

— Il est parti à la ville, expliqua le jeune prêtre.

Il portait la riche cape bleue d'Alfred et je compris qu'ils avaient échangé leurs vêtements.

— Tu l'as laissé partir ?

— Il a insisté, se justifia Egwine.

— Que pouvions-nous faire ? demanda Adelbert. Il est le roi.

— Il suffisait de l'assommer, bien sûr, grondai-je. Et de le tenir jusqu'à ce que sa folie lui passe. Quand est-il parti ?

— Juste après vous, avoua le prêtre, tout penaud. Et il a emporté ma harpe.

— Quand a-t-il dit qu'il rentrait ?

— Avant la nuit.

— Elle est tombée. (Je me levai et piétinai le feu.) Vous voulez alerter les Danes ? (Je doutais qu'ils viennent, mais je voulais que ces sots pâtissent.) Toi, dis-je à l'un des soldats, va étriller et nourrir mon cheval.

Je retournai à la porte. Les premières étoiles brillaient et la neige scintillait sous le clair de lune.

— Où allez-vous ? me demanda Adelbert.

— Chercher le roi, évidemment.

S'il était en vie. Sinon, Iseult était morte.

Je dus tambouriner à la porte ouest de la ville avant qu'une voix irritée me demande qui j'étais.

– Pourquoi n'es-tu point sur les remparts ? répondis-je.

On souleva la barre et la porte s'entrouvrit. Un visage parut et recula quand je poussai violemment le battant.

– Mon cheval boitait et j'ai dû rentrer à pied.

– Qui es-tu ? demanda l'homme en refermant la porte.

– Un messager de Svein.

– Svein ! A-t-il pris Alfred ?

– C'est à Guthrum que j'annoncerai la nouvelle avant de te la dire. Où est-il ?

Je n'avais nulle intention de m'approcher du chef dane. Après mes insultes à sa mère défunte, tout ce que je pouvais espérer était la mort, et celle-ci serait fort lente.

– Dans le château d'Alfred. De ce côté de la ville. Il te reste encore à marcher.

Il ne lui vint pas à l'esprit qu'aucun messager de Svein n'aurait traversé le Wessex seul. Il avait trop froid pour réfléchir, et avec mes longs cheveux et mes bracelets, j'avais l'air d'un Dane. Il rentra dans une maison où ses camarades et lui se réchauffaient autour d'un âtre. Je poursuivis mon chemin dans cette ville devenue étrange. Des maisons avaient disparu, réduites en cendres par l'assaut des Danes, et la grande église du marché, près de la colline, n'était plus qu'un amas de poutres noires blanchies par la neige. La boue des rues était gelée et je marchais seul, car le froid retenait tout le monde dans les dernières maisons où j'entendis rires et chants. De la lumière filtrait par les volets, j'avais froid et j'étais en colère. Il y avait ici des hommes qui pouvaient me reconnaître, d'autres qui pouvaient reconnaître Alfred, et sa sottise nous mettait l'un et l'autre en péril. Avait-il été assez sot pour se rendre à son château ? Il devait deviner que Guthrum y avait élu ses quartiers et ne voulait sûrement pas être reconnu par le chef dane. Il devait donc se trouver quelque part en ville.

Je me dirigeais vers la taverne de l'Épi quand j'entendis de grands cris. Ils provenaient de l'est et je suivis le bruit, qui me mena à un couvent près des remparts. Je n'étais jamais entré en tels lieux, mais la porte était ouverte, et dans la cour je vis deux grands feux. Une centaine d'hommes beuglaient encouragements et insultes à deux combattants qui luttaient dans la boue et la neige fondue entre les feux, armés d'épées et de boucliers, dont chaque coup soulevait les cris de la foule. Je les regardai à peine et scrutai les visages de l'assistance, cherchant Haesten ou quiconque pourrait me reconnaître, mais je ne vis personne. Ne voyant nulle nonne, j'en déduisis qu'elles avaient fui, ou étaient mortes ou enlevées pour l'amusement des conquérants.

Je me glissai le long du mur. Je portais mon casque et sa visière me dissimulait fort bien, mais certains me regardèrent avec curiosité, car il était inhabituel de voir un homme casqué hors du champ de bataille. N'ayant finalement croisé personne de ma connaissance, j'ôtai mon casque et l'accrochai à ma ceinture. L'église du couvent avait été transformée en salle de banquet, mais il n'y avait qu'une poignée d'ivrognes. Je volai une demi-miche de pain et l'emportai dehors pour regarder le combat.

Steapa Snotor était l'un des deux hommes. Il ne portait plus sa cotte de mailles, mais une de cuir, et se battait avec un petit bouclier et une longue épée. Une chaîne à la ceinture, il était tenu en laisse par deux hommes qui le tiraient pour le déséquilibrer lorsque son adversaire était en péril. Nul doute que ses geôliers gagnaient de bon argent avec les sots désireux de se frotter à un guerrier captif. L'adversaire de Steapa était un Dane maigre et ricanant qui essayait de danser autour du grand gaillard et de glisser son épée sous le petit bouclier, comme je l'avais fait lors de mon combat. Steapa se défendait comme il pouvait, parant chaque coup, et, quand la chaîne le lui permettait, attaquant vivement. Le Dane s'écroula et Steapa s'apprêtait à l'achever : mais la chaîne le tira en arrière et il fut accueilli par trois lances le menaçant de mort s'il insistait. La foule exulta. Il avait gagné.

De l'argent changea de main. Steapa était assis auprès du feu, le visage vide, et l'un de ses geôliers cria :

— Dix pièces d'argent à qui le blessera ! Cinquante à qui le tuera !

Steapa, qui ne devait pas comprendre un traître mot, se contentait de fixer la foule, défiant quiconque de le combattre. Bien entendu, un ivrogne se présenta et Steapa fut forcé de se relever. C'était comme un combat de taureaux, mais Steapa n'avait qu'un adversaire à la fois. On lui en aurait sans doute volontiers dépêché plusieurs, si les Danes n'avaient pas voulu le garder en vie tant qu'il se trouvait des sots pour payer afin de se battre avec lui.

Je continuai de faire le tour de la cour en regardant les visages.

— Six sous ? me demanda une voix.

Je me retournai et vis un homme ricanant à une porte semblable à une dizaine d'autres, ménagées dans le mur chaulé.

— Six sous ? répétai-je, perplexe.

— C'est bon marché, dit-il en ouvrant un petit volet et en m'invitant à regarder à l'intérieur.

Une chandelle de suif éclairait la pièce qui devait être une cellule de nonne. Sur le lit bas gisait une femme nue, à demi couverte par un homme aux braies baissées.

Je secouai la tête et reculai.

— Elle était nonne ici, insista-t-il. Jeune et belle. Elle crie comme truie, d'habitude.

— Non.

— Quatre sous ? Elle se laissera faire.

Je continuai mon chemin. Alfred était-il rentré ? Il était plus probable que ce fou était retourné à son château et je me demandai si j'oserais m'y rendre, mais la perspective de la vengeance de Guthrum m'en dissuada. Un autre combat avait commencé. Je vis une autre pièce sur ma gauche, assez vaste, peut-être l'ancien réfectoire des nonnes, et un reflet doré m'y attira.

Ce n'était pas du métal. C'était la dorure du cadre d'une petite harpe qui avait été piétinée et brisée. Je scrutai la pénombre et vis un homme gisant à l'autre bout. C'était Alfred. Il était vivant, et apparemment indemne bien qu'assommé. Je le traînai contre le mur et l'assis. Sa cape et ses bottes avaient disparu. Je le laissai là, retournai à l'église et trouvai un ivrogne que je convainquis d'aller se coucher. Je l'aidai à se lever et l'entraînai en fait dans les latrines, où je l'assommai avant de lui prendre sa cape et ses hautes bottes.

Le roi avait repris connaissance. Il avait le visage marqué de bleus. Il leva le nez vers moi sans montrer la moindre surprise et se frotta le menton.

– Ils n'ont point aimé ma musique.

– C'est parce que les Danes aiment qu'on la joue bien, dis-je. Mettez cela. (Je lui jetai les bottes, le drapai dans la cape et lui en fis baisser le capuchon.) Vous voulez mourir ? le réprimandai-je.

– Je veux en savoir plus sur mes ennemis.

– Et je me suis renseigné pour vous. Ils sont environ deux mille.

– C'est ce que je pensais. Qu'est-ce, sur cette cape ?

– Du vomi de Dane.

Il frémit.

– Trois d'entre eux m'ont attaqué, dit-il, comme surpris. Ils m'ont donné coups de poing et de pied.

– Vous avez de la chance qu'ils ne vous aient point tué.

– Ils m'ont pris pour un des leurs.

– Ils étaient ivres ?

– J'ai prétendu être un musicien muet, sourit-il, ravi de son stratagème. (Comme je ne riais point, il soupira.) Ils étaient fort ivres, mais j'ai besoin de connaître leur état d'esprit, Uhtred. Sont-ils confiants ? Prêts à attaquer ? (Il essuya le sang de sa lèvre fendue.) Je ne pouvais le découvrir qu'en le constatant par moi-même. As-tu vu Steapa ?

– Oui.

– Je veux le ramener avec nous.

– Seigneur, m'emportai-je, vous êtes un sot. Il est enchaîné et gardé par une demi-douzaine d'hommes.

– Daniel fut jeté dans la fosse aux lions et s'en échappa. Saint Paul était emprisonné, et Dieu le libéra.

– Alors, laissez Dieu s'occuper de Steapa. Vous rentrez avec moi, et sur-le-champ.

Il se plia en deux pour soulager son ventre douloureux.

– Ils m'ont frappé au ventre, dit-il en se redressant. (Il tressaillit en entendant de grands cris dans la cour, et je devinai que Steapa avait trouvé la mort ou abattu son dernier adversaire.) Je veux voir mon château, dit Alfred.

– Guthrum est là-bas ! Vous voulez qu'il vous reconnaisse ? Vous voulez mourir ?

Il ne voulut rien entendre. Je dus donc l'accompagner en me demandant s'il n'aurait pas été plus simple de le charger sur mon dos pour l'emporter. Mais comme il était entêté, il se serait probablement débattu et aurait ameuté tout le monde.

– Je me demande ce qu'il est advenu des nonnes, lança-t-il alors que nous quittions le monastère.

– L'une d'elles est offerte à trousser pour quelques sous, répondis-je.

– Mon Dieu, murmura-t-il en se signant et en tournant les talons.

– C'est folie ! m'écriai-je, comprenant qu'il s'était mis en tête de la sauver.

– C'est folie nécessaire, répondit-il. Que croit le Wessex ? Que je suis vaincu, que les Danes sont victorieux. Il s'apprête pour le printemps et la venue d'autres Danes. Il faut donc que le peuple sache la vérité. Qu'il apprenne que le roi est en vie, qu'il a marché parmi ses ennemis et qu'il les a ridiculisés.

— Et qu'il en est sorti avec le nez en sang et un coquard.

— Tu ne le diras point, pas plus que tu ne parleras de cette pauvre femme qui m'a frappé de son anguille. Nous devons donner espoir aux hommes, Uhtred. Et au printemps, cet espoir fleurira en victoire. Souviens-toi de Boèce, Uhtred, souviens-t'en ! N'abandonne jamais espoir.

Alfred croyait que Dieu le protégeait, qu'il pouvait marcher parmi ses ennemis sans peur ni péril, et d'une certaine façon il avait raison, car les Danes avaient abondance d'ale, de vin de bouleau et d'hydromel, et étaient bien trop ivres pour se soucier d'un homme avec des bleus au visage et une harpe brisée sous le bras.

Personne ne nous empêcha d'entrer dans le domaine royal, mais six gardes à cape noire étaient postés à la porte du château et je refusai qu'Alfred s'en approche.

— Il leur suffira de jeter un œil sur votre visage en sang pour terminer ce que les autres ont commencé.

— Laisse-moi au moins aller dans l'église.

— Vous voulez prier ? ironisai-je.

— Oui.

— Si vous mourez ici, dis-je, tentant de le retenir, Iseult mourra.

— Ce n'était pas mon idée.

— Vous êtes le roi, non ?

— L'évêque pensait que tu rejoindrais les Danes, et les autres en sont convenus.

— Je n'ai nul ami chez les Danes. Ils étaient vos otages et ils sont morts.

— Alors je prierai pour leurs âmes païennes, dit-il.

Il se dégagea et alla à la porte de l'église, rejetant machinalement son capuchon pour témoigner son respect. Je le lui remis d'autorité. Il ne résista point mais poussa la porte et fit le signe de croix.

L'église servait de dortoir pour les hommes de Guthrum. Il y avait des paillasses, des tas de cottes de mailles et d'armes, et une vingtaine d'hommes et de femmes réunis autour d'un feu allumé dans la nef. Ils jouaient aux dés et ne nous prêtèrent nulle attention jusqu'à ce que quelqu'un nous crie de fermer la porte.

– Nous partons, déclarai-je à Alfred.

Il ne répondit pas : il fixait avec révérence l'emplacement de l'autel où désormais étaient attachés une demi-douzaine de chevaux.

– Partons, insistai-je.

Au même instant, une voix emplie d'étonnement me héla et je vis l'un des joueurs qui s'était levé et me fixait. Un chien surgit de la pénombre et vint me faire fête. Et je vis que c'était Nihtgenga, et l'homme qui m'avait reconnu était Ragnar. Le comte Ragnar, mon ami.

Celui que je croyais mort.

9

Ragnar m'étreignit. Nous avions tous les deux des larmes dans les yeux et nous fûmes incapables de parler, mais j'eus la présence d'esprit de regarder derrière moi afin de m'assurer qu'Alfred ne risquait rien. Il était accroupi près de la porte, dans l'ombre d'une balle de laine, son capuchon baissé sur son visage.

– Et moi qui te croyais mort ! dis-je à Ragnar.

– J'espérais que tu viendrais, dit-il au même instant.

Nous nous mîmes à parler sans nous écouter, puis Brida arriva du fond de l'église, devenue une vraie femme. Elle éclata de rire en me voyant et me baisa la joue.

– Uhtred…

Elle prononça mon nom comme une caresse. Nous avions été amants autrefois, lorsque nous étions encore des enfants. Elle était saxonne mais avait choisi de rester avec Ragnar. Les autres femmes présentes portaient argent, grenats, jais, ambre et or… Brida n'avait rien d'autre qu'un peigne d'ivoire retenant en chignon ses épais cheveux noirs.

– Pourquoi n'es-tu point mort ? demandai-je à Ragnar.

Ayant été retenu comme otage, il aurait dû être exécuté dès l'instant où Guthrum avait passé la frontière.

– Wulfhere nous aimait bien, expliqua-t-il en me prenant par l'épaule et en m'entraînant vers le feu. Voici Uhtred, annonça-t-il aux joueurs de dés. C'est un Saxon, ce qui en fait de la vermine, bien sûr, mais il est aussi mon ami et mon frère. De l'ale, dit-il en désignant les jarres. Du vin. Wulfhere nous a épargnés.

– Et vous l'avez épargné ?

– Bien sûr ! Il festoie avec Guthrum.

– Wulfhere ici ? Prisonnier ?

– C'est un allié ! répondit-il en me fourrant une chope dans la main. Il est avec nous, désormais. (Il me sourit, et j'éclatai de rire, ravi de le trouver en vie. C'était un grand gaillard aux cheveux d'or et au visage franc, plein de malice, de vie et de bonté, comme l'était son père.) Wulfhere parlait avec Brida, continua-t-il, et à moi par son biais. Nous nous aimions bien. Il est difficile de tuer un homme que l'on aime bien.

– Tu l'as convaincu de changer de côté ?

– Il n'a fallu beaucoup. Il voyait bien que nous allions gagner, et en changeant de côté il garde sa terre, n'est-ce pas ? Vas-tu boire cette ale ou seulement la regarder ?

Je fis semblant de boire en me rappelant que Wulfhere m'avait dit que lorsque les Danes viendraient, nous devrions tous faire en sorte de survivre. Mais Wulfhere ? Cousin d'Alfred et ealdorman de Wiltunscir ? Changer de camp ? Combien d'autres thanes avaient suivi son exemple et servaient les Danes ?

– Qui est-ce ? demanda Brida en regardant Alfred.

Il se tenait dans la pénombre, mais il y avait quelque chose de mystérieux dans sa posture et son silence.

– Un serviteur, dis-je.

– Il peut venir auprès du feu.

– Il ne peut, répondis-je durement. Je le châtie.

– Qu'as-tu fait ? lui demanda-t-elle en angle.

Il releva la tête et la regarda, son visage toujours caché par le capuchon.

– Parle, gueux, menaçai-je, et je te fouetterai jusqu'à te
mettre les os à nu. Il m'a insulté, repris-je en danois, et je
lui ai fait jurer de ne plus parler. Pour chaque parole, il
reçoit dix coups de fouet.

Ils s'en contentèrent. Ragnar oublia l'étrange serviteur
encapuchonné et me raconta comment il avait convaincu
Wulfhere d'envoyer un messager à Guthrum, promettant
d'épargner les otages, et comment Guthrum avait prévenu
Wulfhere du jour de l'attaque afin que l'ealdorman ait le
temps de soustraire les otages à la vengeance d'Alfred.
Voilà pourquoi il était parti si tôt au matin de l'attaque,
songeai-je. Il savait que les Danes arrivaient.

– Tu le dis allié, observai-je. Cela en fait-il simplement
un ami, ou un homme qui se battra pour Guthrum ?

– Il a juré de se battre pour nous, et fait serment de
combattre pour le roi saxon.

– Le roi saxon ? répétai-je sans comprendre. Alfred ?

– Non point. Le vrai roi. Le fils de l'autre.

Ragnar voulait parler d'Æthelwold, héritier du frère
d'Alfred, le roi Æthelred. Quand les Danes s'emparaient
d'un royaume saxon, ils y nommaient roi un Saxon pour
donner à leur conquête un semblant de légitimité, même
si le Saxon ne durait jamais longtemps. Guthrum, qui se
faisait déjà appeler roi d'Estanglie, voulait aussi être roi
de Wessex ; mais en mettant Æthelwold sur le trône, il
pouvait rallier d'autres Saxons qui se convaincraient
qu'ils combattaient pour l'héritier légitime. Et une fois la
loi dane établie, Æthelwold serait discrètement exécuté.

– Mais Wulfhere se battra pour vous ? insistai-je.

– Bien sûr ! S'il veut garder sa terre. Mais quelles
batailles ? Nous sommes assis là comme moutons sans
rien faire !

– C'est l'hiver.

– Le meilleur moment pour se battre. Il n'y a rien
d'autre à faire. (Il voulut savoir où j'étais depuis Yule et je
prétendis être dans le Defnascir. Il pensa que je protégeais

ma famille et que j'étais venu à Cippanhamm le rejoindre.) Tu n'as point prêté allégeance à Alfred, n'est-ce pas ? demanda-t-il.

– Qui sait où il se trouve ? éludai-je.

– Tu lui as fait serment, me reprocha-t-il.

– Certes, répondis-je sans mentir, mais seulement pour un an, et cette année est révolue depuis longtemps.

Ce n'était pas un mensonge : je ne lui disais simplement pas que j'avais de nouveau prêté serment.

– Alors tu peux te joindre à nous ? demanda-t-il avec empressement. Tu me prêteras serment ?

– Tu veux que je prête serment pour rester ici à ne rien faire ? plaisantai-je, alors que sa requête me troublait réellement.

– Nous faisons quelques expéditions, se défendit-il, et des hommes gardent le marais. C'est là que se trouve Alfred, dans les marais. Mais Svein l'en fera sortir.

Guthrum ne savait donc point encore que la flotte de Svein était en cendres.

– Alors pourquoi restez-vous ici ?

– Parce que Guthrum ne veut point diviser son armée.

Je souris à cela, car je me souvenais du grand-père de Ragnar conseillant à Guthrum de ne jamais refaire cela. Guthrum l'avait divisée à la bataille de la colline d'Æsc, et cela avait été la première victoire des Saxons sur les Danes. Il avait recommencé quand il avait abandonné Werham pour attaquer Exanceaster, et la fraction de son armée partie par la mer avait été presque entièrement détruite par une tempête.

– Je lui ai dit que nous devions diviser l'armée en douze parties, dit Ragnar. Prendre une douzaine de villes et les garnir. Toutes ces villes du sud du Wessex, nous devrions nous en emparer, mais il ne veut rien entendre.

– Guthrum détient le Nord et l'Est, dis-je comme si je le défendais.

– Et nous devrions avoir le reste ! Au lieu de cela, nous attendons le printemps dans l'espoir que d'autres nous rejoignent. Ce qu'ils feront. Il y a de la terre, ici, de la bonne terre. (Il semblait avoir oublié la question du serment, et il parla de nos ennemis Kjartan et de son fils Sven qui prospéraient à Dunholm, et n'osaient quitter leur forteresse tant ils craignaient la vengeance de Ragnar. Ils avaient capturé sa sœur et la détenaient encore, et Ragnar, comme moi, avait juré de les tuer.) Quand nous en aurons fini avec le Wessex, me promit-il, nous irons au nord. Toi et moi. Nous porterons le fer contre Dunholm.

– Le fer contre Dunholm ! répétai-je en levant ma chope.

Je ne bus guère. Je me disais seulement que, d'une simple parole, je pouvais anéantir Alfred pour toujours. Je pouvais le trahir, le faire traîner aux pieds de Guthrum et le voir exécuter. Guthrum me pardonnerait même les insultes à sa mère si je lui livrais Alfred, et je pourrais achever le Wessex car, hormis Alfred, nul homme n'aurait pu réunir la *fyrd* autour de lui. Je pourrais rester avec mon ami Ragnar, gagner d'autres bracelets, me faire un nom qui serait célébré partout où les Norses iraient sur leurs longs navires. Et pour cela, il suffisait d'une parole.

Et je fus bien tenté cette nuit-là dans l'église de Cippanhamm. À un moment, alors que Ragnar hurlait de rire en m'assenant de telles claques sur l'épaule qu'elle en était tout endolorie, je sentis ces paroles se former dans ma gorge. C'est Alfred, aurais-je dit en le désignant. Et tout mon univers aurait été changé, et il n'y aurait plus eu d'Anglie. Pourtant, au dernier moment, je ravalai le premier mot déjà sur ma langue. Brida, me regardant de ses yeux calmes et pénétrants, me fit penser à Iseult. Elles avaient la même beauté nerveuse, les mêmes cheveux noirs, et le même feu brûlait dans leur âme. Si je parlais, Iseult mourrait et je n'aurais pu le supporter. Et je songeai à Æthelflæd, la fille d'Alfred, qui serait réduite en esclavage, et aussi que mon nom serait maudit par tous les Saxons qui survivraient en exil. Je serais éternellement Uhtredærwe, l'homme qui avait détruit un peuple.

— Qu'allais-tu dire ? demanda Brida.

— Que nous n'avions jamais connu si rude hiver en Wessex.

Elle n'en crut pas un mot et sourit.

— Dis-moi, Uhtred, si tu pensais Ragnar mort, pourquoi es-tu venu ici ? demanda-t-elle en angle.

— Parce que je ne savais où aller.

— Alors tu es venu ici ? Auprès de Guthrum que tu as insulté ? (Ils le savaient donc ; la peur m'envahit. Je ne répondis pas.) Guthrum veut ta mort, reprit Brida en danois.

— Il n'en pense pas un mot, intervint Ragnar.

— Que si, insista-t-elle.

— Eh bien, je ne le laisserai point tuer Uhtred. Tu es là, à présent ! ajouta-t-il en jetant un regard noir à ses hommes, comme s'il les défiait de trahir ma présence à Guthrum.

Personne ne bougea, mais ils étaient tous à demi endormis ou ivres.

— Tu es là, reprit Brida, mais il y a peu tu te battais pour Alfred et tu insultais Guthrum.

— J'étais en route pour le Defnascir, dis-je, comme si cela expliquait quoi que ce soit.

— Pauvre Uhtred, dit-elle en caressant Nihtgenga. Et moi qui pensais que tu serais un héros des Saxons.

— Un héros ? Pourquoi ?

— L'homme qui a tué Ubba.

— Alfred ne veut point de héros, dis-je assez fort pour que le roi entende. Seulement des saints.

— Parle-nous d'Ubba ! m'exhorta Ragnar.

Je dus raconter la mort d'Ubba et les Danes, qui adorent entendre parler de combats, exigèrent tous les détails. Je m'en acquittai, faisant d'Ubba un grand héros qui avait presque anéanti l'armée saxonne, disant qu'il s'était battu comme un dieu en brisant notre mur de boucliers de sa grande hache. Je décrivis les navires en feu, la fumée dérivant sur le champ de bataille comme un nuage venu de l'au-delà, et dis que j'avais trouvé Ubba par hasard alors qu'il chargeait vers la victoire. C'était faux, bien sûr. Mais une bonne histoire doit être modérée de modestie et l'auditoire, connaissant cette coutume, murmura son approbation.

– Je n'ai jamais connu telle peur, dis-je en racontant la lutte entre la hache et Souffle-de-Serpent. J'ai tranché les tendons de son bras et je l'ai abattu.

– Sa mort fut-elle belle ? s'inquiéta un homme.

– Ubba est mort en héros.

Je racontai que je lui avais rendu sa hache afin qu'il rejoigne le Walhalla.

– C'était un guerrier, reconnut Ragnar.

Il était ivre, à présent, et épuisé. Le feu mourant plongeait la salle dans l'ombre. D'autres histoires furent contées, les chandelles s'éteignirent, puis le feu. Les hommes s'endormaient, j'attendis que Ragnar ronfle, puis que tous soient plongés dans le sommeil. Alors, je retournai vers Alfred.

– Nous partons, dis-je.

Personne ne nous remarqua quand nous sortîmes.

– À qui parlais-tu ? me demanda Alfred.

– Au comte Ragnar.

– N'était-il point parmi les otages ? s'étonna-t-il.

– Wulfhere les a épargnés.

– Épargnés ?

– Et il est à présent allié de Guthrum. Il est ici, au château.

– Ici ?

Alfred n'en croyait pas ses oreilles. Wulfhere, son cousin, qui avait épousé une nièce d'Alfred, était de sa famille.

232

— Et Æthelwold ?

— Il est prisonnier. (C'était faux, bien sûr, mais je devais une faveur à Æthelwold.) Et nous n'y pouvons rien. Aussi, partons d'ici.

Je l'entraînai vers la ville, mais il était trop tard. La porte de l'église s'ouvrait, et Brida en sortait avec Nihtgenga.

— Tu pars ? demanda-t-elle en angle. Tu ne restes point avec nous ?

— J'ai une épouse et un enfant.

— Dont tu n'as pas prononcé les noms de tout le soir, Uhtred, sourit-elle. Que s'est-il passé ? (Comme je ne répondais pas, elle posa sur moi un regard qui me troubla.) Quelle femme est avec toi désormais ?

— Une femme qui te ressemble, avouai-je.

Elle éclata de rire.

— Et qui te ferait combattre pour Alfred ?

— Elle voit l'avenir, éludai-je. En rêve.

Brida me fixa. Nihtgenga geignit et elle le calma d'une caresse.

— Et elle voit Alfred en vie ?

— Plus que cela. Elle le voit vainqueur.

Alfred tressaillit et j'espérai qu'il aurait le bon sens de ne pas lever la tête.

— Vainqueur ?

— Elle voit une verte colline et des hommes morts, un cheval blanc et le Wessex renaissant.

— Ta femme fait d'étranges rêves, mais tu n'as pas répondu à ma première question, Uhtred. Si tu croyais Ragnar mort, pourquoi es-tu venu ici ? (Je ne trouvai rien à répondre.) Que pensais-tu y trouver ?

— Toi, avançai-je.

Elle secoua la tête, certaine que je mentais.

— Si j'étais Alfred, j'enverrais un homme qui parle danois à Cippanhamm, et cet homme reviendrait dans le marais me raconter tout ce qu'il y a vu.

– Si tu penses ainsi, pourquoi ne leur as-tu point dit ? demandai-je en désignant les hommes en noir qui gardaient le château.

– Parce que Guthrum est un fou. Pourquoi l'aider ? Et quand il aura échoué, c'est Ragnar qui sera chef.

– Pourquoi ne l'est-il point encore ?

– Parce qu'il est comme son père. Honnête. Il a donné sa parole à Guthrum et ne la veut point rompre. Et ce soir, il voulait que tu lui donnes la tienne et tu ne l'as point fait.

– Je ne veux point que Bebbanburg soit un cadeau des Danes.

– Mais crois-tu, demanda Brida avec mépris, que les Saxons te le donneront ? C'est à l'autre bout de l'Anglie, Uhtred, et le dernier roi saxon est en train de pourrir dans un marais.

– Elle me le rendra, dis-je en montrant Souffle-de-Serpent.

– Ragnar et toi pouvez gouverner le Nord.

– Peut-être le ferons-nous. Dis à Ragnar que lorsque tout sera terminé et décidé, j'irai au nord avec lui. Je combattrai Kjartan. Mais quand je l'aurai décidé.

– J'espère que tu vivras assez longtemps pour tenir ta promesse.

Elle me baisa la joue, et sans plus un mot retourna vers l'Église.

– Qui est Kjartan ? souffla Alfred.

– Un ennemi.

– Iseult voit-elle l'avenir ?

– Elle ne s'est point encore trompée.

Il se signa puis se laissa entraîner dans la ville silencieuse, mais il voulut d'abord entrer au couvent où nous nous réchauffâmes un peu près des braises mourantes d'un feu. Les hommes dormaient dans la chapelle, la cour était déserte. Alfred improvisa une torche avec un morceau de bois et retourna aux anciennes cellules. Une porte était maintenue fermée par une épaisse chaîne.

— Tire ton épée, m'ordonna-t-il.

Quand j'eus obéi, il défit la chaîne et poussa la porte, entra prudemment et ôta son capuchon. Il leva sa torche et je vis un grand gaillard gisant à terre.

— Steapa ! siffla Alfred.

Steapa faisait semblant de dormir. Il se releva d'un mouvement vif pour sauter à la gorge d'Alfred, mais je le retins de la pointe de mon épée. Il s'immobilisa en voyant le visage d'Alfred.

— Seigneur ?

— Tu viens avec nous.

— Seigneur ! répéta Steapa en se prosternant.

— Tu peux rengainer ton épée, Uhtred. (Steapa me regarda et sembla vaguement surpris de me voir.) Vous allez être amis tous les deux, décréta Alfred d'un ton ferme. (Steapa hocha la tête.) Et nous devons aller délivrer quelqu'un d'autre. Venez.

— Quelqu'un d'autre ? demandai-je.

— Tu m'as parlé d'une nonne, répondit Alfred.

Il fallut donc que je retrouve la cellule de la nonne. Elle y était toujours, blottie contre un mur près d'un Dane qui ronflait. Elle ne dormait point et, en nous voyant, poussa un cri qui réveilla l'homme. Il voulut nous jeter l'une des capes qui leur servaient de couverture, mais Steapa l'assomma. Alfred tira les couvertures et les remit prestement, gêné : la nonne était nue. J'eus le temps de voir qu'elle était jeune et fort belle, et me demandai pourquoi une telle femme gâchait sa beauté pour la religion.

— Sais-tu qui je suis ? demanda Alfred. (Elle secoua la tête.) Je suis ton roi, et tu viendras avec nous, ma sœur.

Comme elle n'avait plus de vêtements, il l'enveloppa dans les capes. Après avoir égorgé le Dane, je lui pris une bourse remplie de pièces pendue à son cou.

— Cet argent revient à l'Église, dit Alfred.

— C'est moi qui l'ai trouvé.

– C'est l'argent du péché, dit-il patiemment. Il doit être rendu. Y a-t-il d'autres nonnes ici ? demanda-t-il à la jeune fille.

– Seulement moi, dit-elle d'une toute petite voix.

– Tu es désormais sauvée, ma sœur, dit-il. Partons.

Steapa portait la nonne, qui se nommait Hild et se serrait contre lui en gémissant, soit du froid, soit du souvenir de ses épreuves.

Cette nuit-là, nous aurions pu prendre Cippanhamm avec une centaine d'hommes.

Une demi-heure plus tard, nous retrouvions dans le moulin le père Adelbert, Egwine et les trois soldats.

– Remercions Dieu de notre délivrance, dit Alfred au prêtre, effondré de voir son visage tuméfié. Dites une prière, mon père, ordonna-t-il.

Adelbert pria, mais je n'écoutai pas. Accroupi auprès du feu, je songeai que j'aurais toujours froid, puis je m'endormis.

Il neigea toute la journée suivante. Nous fîmes du feu, sans nous soucier que les Danes voient la fumée, car aucun n'irait affronter un tel froid et une neige aussi épaisse pour s'enquérir d'un filet de fumée dans le Ciel gris.

Alfred ruminait. Il parla peu ce jour-là, bien qu'il me demandât si la trahison de Wulfhere pouvait être véritable.

– Nous ne l'avons point vu avec Guthrum, ajouta-t-il plaintivement, espérant envers et contre tout que l'ealdorman ne l'avait point trahi.

– Les otages ont été épargnés, lui rappelai-je.

– Mon Dieu ! s'exclama-t-il, convaincu par cet argument. Il fait partie de notre famille !

Je nourris les chevaux du reste de foin que nous avions emporté, puis j'affûtai mes épées, faute de trouver mieux à faire. Hild pleurait. Alfred tenta de la réconforter, en vain. Curieusement, Steapa parvint à l'apaiser. Il lui parla doucement de sa grosse voix, et lorsque Souffle-de-Serpent et Dard-de-Guêpe furent bien aiguisées, tandis que la neige tombait toujours sur le paysage silencieux, je ruminai à mon tour.

Je songeai à Ragnar qui voulait que je prête serment.

Le monde a commencé dans le chaos et finira de même. Les dieux ont créé le monde et ils y mettront fin quand ils se battront entre eux. Mais entre le chaos de la naissance du monde et celui de sa fin, il y a l'ordre, et l'ordre est fait de serments qui nous lient comme les boucles d'un harnais.

J'étais lié à Alfred par un serment, et avant de le lui prêter je voulais me lier à Ragnar. Mais à présent, j'étais offensé qu'il me l'ait demandé. L'orgueil qui montait en moi me changeait. J'étais Uhtred de Bebbanburg, le vainqueur d'Ubba. Si j'étais disposé à prêter allégeance à un roi, je ne l'étais point à l'offrir à un égal. Ragnar aurait été généreux et m'aurait traité tel un frère. Néanmoins, qu'il pense que je lui prêterais serment montrait qu'il me considérait toujours comme un membre de sa suite. C'était la première fois que je réfléchissais ainsi. Je comprenais que, parmi les Danes, j'étais aussi important que mes amis, et sans eux je n'étais plus qu'un guerrier sans terre ni maître. Mais parmi les Saxons, j'étais un Saxon, et je n'avais point besoin de la générosité d'un autre.

– Tu parais pensif, Uhtred, m'interrompit Alfred.

– Je me disais que nous avions besoin de nourriture chaude, seigneur. (J'alimentai le feu puis sortis puiser de l'eau à la rivière après avoir cassé la glace. Steapa était sorti aussi, mais pour pisser.) Au *witangemot*, lui demandai-je, tu as menti à propos de Cynuit.

Il renoua le bout de corde qui lui tenait lieu de ceinture et se retourna.

– Si les Danes n'étaient venus, grommela-t-il, je t'aurais occis.

237

Je ne discutai point, car il avait sûrement raison.

– À Cynuit, quand Ubba a trépassé, où étais-tu ?

– Là-bas.

– Je ne t'ai point vu. J'étais au cœur de la bataille, mais je ne t'ai point vu.

– Tu dis que je n'y étais point ? s'irrita-t-il.

– Tu étais avec Odda le Jeune ? (Il hocha la tête.) Tu étais avec lui, parce que son père te demandait de le pro-téger. (Il opina de nouveau.) Et Odda le Jeune est resté loin du péril, n'est-il pas vrai ?

Il ne répondit pas, mais son silence était éloquent. Il allait retourner vers le moulin, mais je l'arrêtai. Il fut sur-pris. Il était si grand, si fort et si redouté qu'il n'avait point l'habitude que l'on s'oppose à lui et je vis qu'il en était fâché. Je nourris sa colère.

– Tu étais la nourrice d'Odda, ironisai-je. Le grand Steapa Snotor était une nourrice. D'autres hommes ont affronté les Danes pendant que toi tu te contentais de tenir la main d'Odda.

Il me dévisagea, sans expression, comme un animal dans le regard duquel ne se lit que faim, colère et vio-lence. Il avait envie de me tuer, mais je venais d'appren-dre quelque chose sur son compte. Il était véritablement stupide. Il m'aurait tué si on le lui avait dit, mais sans per-sonne pour lui donner des ordres il ne savait que faire. Je lui fourrai le pot d'eau dans les mains.

– Rapporte-le. (Il hésita.) Ne reste pas là comme un sot ! Prends-le et ne le renverse point ! Tu le mettras au feu. La prochaine fois que nous combattrons les Danes, tu seras avec moi.

– Avec toi ?

– Parce que nous sommes des guerriers, notre devoir est de tuer nos ennemis et non d'être les nourrices des lâches.

Je glanai du bois puis rentrai et trouvai Alfred fixant le vide et Steapa, assis auprès de Hild ; elle semblait maintenant le consoler, et non l'inverse. Je jetai des galettes d'avoine et du poisson séché dans l'eau puis touillai avec un bâton. Cela donna une sorte de brouet infâme, mais au moins c'était chaud.

Cette nuit-là, il cessa de neiger. Le lendemain, nous rentrâmes dans les marais.

Alfred n'avait pas besoin d'aller à Cippanhamm. Tout ce qu'il avait appris là-bas, il aurait pu le découvrir grâce à des espions. Mais il avait tenu à s'y rendre et en était revenu plus inquiet qu'auparavant. Il avait appris de bonnes nouvelles, notamment que Guthrum ne disposait pas des hommes pour soumettre le Wessex et attendait des renforts, mais aussi que le Dane tentait de se faire des alliés parmi les nobles de Wessex. Wulfhere lui avait prêté allégeance. Qui d'autre ?

– La *fyrd* de Wiltunscir combattra-t-elle pour Wulfhere ? nous demanda-t-il.

Bien sûr que oui. La plupart des hommes de Wiltunscir étaient loyaux à leur seigneur : s'il leur ordonnait de suivre sa bannière à la guerre, ils marcheraient. Les hommes se trouvant dans des régions du comté non occupées par les Danes rejoindraient peut-être Alfred, mais la plupart suivraient leur seigneur. Et d'autres ealdormen, voyant que Wulfhere n'avait point perdu ses terres, se diraient que leur avenir et la sécurité de leurs familles reposaient entre les mains des Danes. Les Danes avaient toujours agi ainsi. Comme leurs armées étaient trop petites et désorganisées pour défaire un grand royaume, ils en recrutaient les seigneurs, les flattaient et les faisaient même rois. C'est seulement lorsque la situation était sûre qu'ils se retournaient contre eux et les tuaient.

De retour à Æthelingæg, Alfred fit ce qu'il savait le mieux. Il rédigea des lettres pour toute la noblesse, et des messagers furent dépêchés en tous coins du Wessex auprès des ealdormen, thanes et évêques. « Je suis en vie,

disaient les bouts de parchemin, et après la Pâques, nous reprendrons le Wessex aux païens et vous m'y aiderez. »
Nous attendîmes les réponses.

– Tu dois m'apprendre à lire, me dit Iseult quand je lui parlai des lettres.

– Pourquoi ?

– C'est magie.

– Comment cela ?

– Les mots sont comme souffle, expliqua-t-elle. Tu les prononces et ils disparaissent. Mais l'écrit les prend au piège. Tu pourrais écrire histoires et poèmes.

– Hild t'enseignera, conseillai-je.

Et la nonne le fit, en traçant les lettres dans la vase. Je les regardais parfois et me disais qu'elles auraient pu être sœurs, sauf que l'une avait les cheveux noirs comme aile de corbeau et l'autre d'or pâle.

Iseult apprenait son alphabet, et j'entraînais les hommes jusqu'à ce qu'ils me maudissent d'épuisement. Nous bâtîmes aussi une autre forteresse. Nous réparâmes l'une des sentes de bois menant au sud vers les collines en bordure du marais, et à l'endroit où le chemin débouchait nous construisîmes un fort de terre et de pieux. Le temps que Guthrum comprenne ce que nous faisions, le fort était achevé. À la fin de février, une centaine de Danes vinrent nous défier, mais voyant la palissade de ronces protégeant le fossé, le solide mur de pieux derrière et nos lances qui s'y dressaient en masse, ils repartirent.

Le lendemain, je menai soixante hommes dans les terres sans croiser l'ennemi. Nous trouvâmes de jeunes agneaux égorgés par des renards, mais aucun Dane. De ce jour, nous nous enfonçâmes toujours plus avant, portant le message que le roi était vivant et se battait. Parfois, nous croisions des bandes de Danes, mais nous ne combattions que si nous les dépassions en nombre, car nous ne pouvions nous permettre de perdre des hommes.

Ælswith donna naissance à une fille qu'Alfred et elle baptisèrent Æthelgifu. Ælswith voulait quitter le marais. Elle savait que Huppa tenait Dornwaraceaster, car l'ealdorman avait répondu à la missive d'Alfred en disant que la ville était sûre et que la *fyrd* marcherait avec lui dès qu'il le commanderait. Dornwaraceaster n'était point aussi vaste que Cippanhamm, mais elle avait des murailles romaines, et Ælswith, lasse des marais, de l'humidité et des brumes glaciales, craignait que son bébé meure de froid et que le mal d'Edward le reprenne. L'évêque Alewold la soutenait. Il entrevoyait une vaste demeure à Dornwaraceaster, de bons feux et un confort de prélat, mais Alfred refusa. S'il allait à Dornwaraceaster, les Danes abandonneraient aussitôt Cippanhamm pour l'assiéger et la famine menacerait la garnison, tandis qu'il y avait à manger dans le marais. À Dornwaraceaster, Alfred serait prisonnier des Danes, alors que dans le marais il était libre. Il continua de rédiger les missives annonçant qu'il était en vie, qu'il se renforçait et qu'après Pâques, mais avant la Pentecôte, il frapperait les païens.

Il plut toute la fin de l'hiver. Constamment. Je me rappelle être resté sur le parapet boueux du nouveau fort à regarder l'eau tomber et tomber. Les cottes de mailles rouillaient, les tissus pourrissaient et la nourriture moisissait. Nos bottes se décousaient et nul ne savait les réparer. Nous glissions dans cette boue grasse, nos vêtements n'étaient jamais secs et la pluie tombait toujours. Le chaume détrempé inondait les huttes, et le monde faisait grise mine. Nous mangions assez bien, même si de plus en plus d'hommes affluaient à Æthelingæg et que la nourriture diminuait ; mais personne ne mourait de faim et nul ne se plaignait hormis l'évêque, qui rechignait à se nourrir de poisson toujours et encore. Il n'y avait plus de cerfs dans le marais – nous les avions tous tués –, mais au moins nous avions poissons, anguilles et gibier d'eau, tandis qu'à l'extérieur du marais le peuple mourait de faim. Nous surveillions les collines et accueillions les messagers. Burgweard, le commandant de la flotte, écrivit d'Hamtun que la ville était garnie de soldats saxons, mais que des navires danes patrouillaient la côte.

– Tu penses bien qu'il ne les combat point, se lamenta Leofric en l'apprenant.

– Il n'en dit rien, répondis-je.

– Il ne veut salir ses navires.

– Au moins a-t-il des navires.

Un prêtre du Kent disait que des Vikings de Lundene avaient occupé Contwaraburg, que d'autres s'étaient installés en l'île de Sceapig, et que l'ealdorman avait fait la paix avec eux. Le Suth Seaxa annonçait des pillages par les Danes mais assurait qu'Arnulf, l'ealdorman, rassemblerait sa *fyrd* au printemps. Il envoya un Évangile en témoignage de sa loyauté à Alfred, qui le transporta partout sous la pluie jusqu'à ce qu'il soit détrempé et que l'encre coule. Wiglaf, ealdorman de Sumorsæte, arriva au début du mois de mars avec soixante-dix hommes. Il prétendit s'être caché dans les collines au sud de Baðum, et Alfred ne tint pas compte de rumeurs disant qu'il avait tenté de négocier avec Guthrum. Une seule chose comptait : l'ealdorman était venu, et Alfred lui confia le commandement des troupes qui poursuivaient leurs incursions dans les terres. Toutes les nouvelles ne furent pas aussi encourageantes : Wilfrith d'Hamptonscir avait fui en Franquie, comme une vingtaine d'autres ealdormen et thanes.

Mais Odda le Jeune, ealdorman de Defnascir, était toujours en Wessex. Il envoya un prêtre chargé d'une missive disant que l'ealdorman tenait Exanceaster. «Dieu soit loué, disait la lettre, il n'y a nul païen en ville.»

– Où sont-ils, alors ? demanda Alfred au prêtre.

Nous savions que Svein, bien qu'ayant perdu ses navires, n'avait pas rejoint Guthrum. Il devait ronger son frein quelque part dans le Defnascir.

Le prêtre, un jeune homme qui semblait terrifié par le roi, hésita et bafouilla que Svein se trouvait près d'Exanceaster.

– Il assiège la ville ?

– Non, seigneur.

Alfred relut la lettre. Il avait toujours grande foi dans l'écrit et essayait de trouver quelque précision qui lui aurait échappé à la première lecture.

– Ils ne sont pas à Exanceaster, dit-il, mais la lettre ne précise point où ils sont. Ni combien. Ni ce qu'ils font.

– Ils sont non loin, seigneur, répéta le prêtre. À l'ouest, je crois.

– À l'ouest ?

– Je le crois, oui.

– Qu'y a-t-il à l'ouest ? me demanda Alfred.

– La haute lande, répondis-je.

Alfred jeta la lettre, dégoûté.

– Peut-être devrais-tu te rendre au Defnascir voir ce qu'y trament les païens.

Il y avait là une pique. Tandis que la pluie tombait, les prêtres sifflaient leurs paroles empoisonnées aux oreilles d'Alfred, qui écoutait volontiers : Iseult était une païenne ; nous n'étions point mariés, et j'avais une épouse. Selon les prêtres, Iseult constituait l'unique obstacle à la victoire d'Alfred. Je faisais la sourde oreille à ces rumeurs, jusqu'au moment où la fille d'Alfred m'en fit part.

Æthelfled avait presque sept ans et c'était la préférée de son père. Ælswith préférait Edward, et en ces jours humides d'hiver elle s'inquiétait de la santé de son fils et de son nouveau-né, ce qui laissait à sa fille une grande liberté. Elle restait avec son père la plupart du temps, mais elle se promenait aussi sur l'île, où villageois et soldats la gâtaient. En ces journées humides, elle était un rayon de soleil, avec ses cheveux d'or, son doux visage, ses yeux bleus et intrépides. Un jour, je la dénichai dans le fort, en train d'observer une dizaine de Danes venus nous épier. Je lui dis de retourner à Æthelingæg, et elle fit mine de m'obéir. Une heure plus tard, je la trouvai pourtant cachée dans une cabane auprès de la muraille.

– J'espérais que les Danes viendraient, me dit-elle.

– Pour qu'ils t'enlèvent?

– Pour que je te voie les occire.

C'était l'une des rares journées où il ne plut point. Le soleil inondait les vertes collines et je m'assis sur le mur, sortis Souffle-de-Serpent et entrepris de l'affûter. Æthelflæd tint à essayer et posa la longue lame sur ses genoux, concentrée, tout en y faisant glisser **la** pierre à aiguiser.

– Combien de Danes as-tu occis? demanda-t-elle.

– Suffisamment.

– Maman dit que tu n'aimes pas Jésus.

– Tout le monde aime Jésus, éludai-je.

– Si tu l'aimais, dit-elle gravement, tu pourrais tuer plus de Danes. Qu'est-ce que c'est? demanda-t-elle en désignant la profonde encoche sur l'une des tailles de Souffle-de-Serpent.

– C'est là qu'elle a frappé une autre épée.

C'était arrivé à Cippanhamm durant mon combat contre Steapa, dont l'énorme épée avait ébréché la mienne.

– Je vais la réparer, dit-elle en essayant d'adoucir l'entaille. Maman dit qu'Iseult est une *aglæcwif*. (Elle prit un air triomphant en réussissant à prononcer ce mot difficile qui signifiait « monstre ». Je ne répondis pas.) L'évêque le dit aussi. Je n'aime pas l'évêque.

– Vraiment?

– Il bave. Iseult est une *aglæcwif*?

– Bien sûr que non: elle a soigné Edward.

– C'est Jésus qui l'a fait, et il m'a donné une petite sœur.

Elle grimaça, contrariée de n'avoir pu réparer la lame malgré tous ses efforts.

– Iseult est une femme de bien, dis-je.

– Elle apprend à lire. Moi je sais.

– Tu sais ?

– Presque. Si elle lit, elle peut devenir chrétienne. J'aimerais bien être une *aglæcwif*.

– Ah bon ? m'étonnai-je.

Pour toute réponse, elle poussa un grognement en faisant semblant d'être une bête griffue et éclata de rire.

– Ce sont des Danes ? demanda-t-elle en désignant des cavaliers qui apparaissaient au sud.

– C'est Wiglaf.

– Il est gentil.

Je la renvoyai à Æthelingæg en croupe avec Wiglaf et songeai à ce qu'elle m'avait raconté. Cette nuit-là Alfred me manda en sa demeure, où je le trouvai penché sur une partie de *tæfl*. Cela semble un jeu simple, le *tæfl* : un joueur possède un roi et huit pièces, l'adversaire douze pièces mais pas de roi. Elles se déplacent sur un échiquier jusqu'à ce que l'un des joueurs ait encerclé toutes les pièces de l'autre. Je n'avais nulle patience pour cela, mais Alfred adorait ce jeu. Cependant, cette fois, il perdait contre Beocca et parut soulagé de me voir.

– Je veux que tu ailles en Defnascir, dit-il.

– Bien sûr, seigneur.

– Je crains que votre roi soit menacé, seigneur, triompha Beocca.

– Peu importe, s'agaça Alfred. Tu iras en Defnascir, mais Iseult doit rester.

– Elle sera de nouveau otage ? m'offusquai-je.

– J'ai besoin de ses remèdes.

– Même s'ils sont préparés par une *aglæcwif* ?

Il me jeta un regard aigu.

– C'est une guérisseuse, dit-il, donc un instrument de Dieu, et avec l'aide de Dieu elle parviendra à la vérité. Par ailleurs, tu dois voyager vite et n'as nul besoin de la compagnie d'une femme. Tu iras en Defnascir trouver Svein. Cela fait, tu ordonneras à Odda le Jeune de lever la *fyrd*. Dis-lui que Svein doit être chassé du comté et qu'ensuite Odda me rejoindra ici avec ses troupes. Il commande ma garde : il devrait être ici.

– Vous voulez que je donne des ordres à Odda ? demandai-je, surpris.

– Certes, et je t'ordonne de faire la paix avec lui.

– Bien, seigneur.

Il perçut mon sarcasme.

– Nous sommes tous saxons, Uhtred, et désormais, plus que jamais, le temps est venu de panser nos blessures.

Beocca, se rendant compte que battre Alfred au *tœfl* ne mettrait pas le roi de bonne humeur, ôtait les pièces de l'échiquier.

– Une maison divisée finit toujours détruite, intervint-il. Telles sont les paroles de saint Matthieu.

– Loué soit le Seigneur pour cette vérité, conclut Alfred. Nous devons nous débarrasser de Svein. Tu trouveras Svein, et Steapa t'accompagnera.

– Steapa !

– Il connaît la région et je lui ai enjoint de t'obéir.

– Il est mieux que vous alliez ensemble, renchérit Beocca. Souviens-toi que Josué envoya deux espions à Jéricho.

– Vous me livrez à mes ennemis, dis-je aigrement.

En y réfléchissant bien, il était habile de m'envoyer comme espion. Les Danes de Defnascir guettaient les éclaireurs d'Alfred. Mais, parlant la langue de l'ennemi et pouvant passer pour l'un d'eux, j'étais plus en sécurité que n'importe lequel des partisans d'Alfred. Quant à Steapa, étant de Defnascir, connaissant la région et étant l'homme d'Odda, il était le mieux placé pour livrer un message à l'ealdorman.

Ainsi partîmes-nous par un jour de pluie.

Steapa ne m'aimant point et moi non plus, nous n'avions rien à nous dire sauf quand il fallait décider du chemin à prendre. Nous chevauchions non loin de la voie romaine, avec prudence, car cette route était empruntée par les Danes lors de leurs expéditions. Chaque village avait été pillé et incendié, et nous traversions une contrée morte.

Le deuxième jour, Steapa prit vers l'ouest. Il n'expliqua pas ce brusque changement de direction, mais monta vers les collines. Je suivis, puisqu'il connaissait la région, pensant qu'il nous menait dans la lande désolée de Dærentmora. Il pressait son cheval, le visage fermé, et ne réagit pas quand je lui fis observer que nous devions nous montrer plus prudents. Presque au galop, il se dirigeait vers l'une des petites vallées où se dressait une ferme.

Du moins ce qu'il en restait. Ce n'étaient plus que cendres détrempées dans la verdure où des bosquets d'arbres ombrageaient d'étroites pâtures. Les fleurs abondaient en bordure de ces herbages, mais les rares bâtiments encore debout étaient déserts. Il n'y avait que débris calcinés parmi lesquels s'avança Steapa après avoir sauté de cheval, armé d'une hache, car sa grande épée lui avait été prise par les Danes à Cippanhamm. J'attachai nos bêtes à un arbre et le regardai fouiller les décombres du bout de la lame, sans un mot. Il s'accroupit auprès du squelette d'un chien et en caressa le crâne. Des larmes ruisselaient sur ses joues, à moins que ce ne fût la pluie qui tombait faiblement des nuages bas.

Une vingtaine de personnes avaient vécu là naguère. J'allai explorer les restes d'une grande demeure et vis que les Danes avaient creusé au pied des piliers pour trouver de l'argent. Steapa me regardait de l'autre bout. Je devinai qu'il avait grandi là dans une cabane de serfs. Il ne voulait pas que je m'approche de lui ; je restai donc au loin, me demandant si je devais le presser de reprendre la route. Il se mit à creuser du bout de sa hache puis à mains nues, afin d'ensevelir les ossements du chien ; le peu de fourrure restant sur les os indiquait que le drame s'était produit des semaines plus tôt. Steapa les ramassa et les déposa tendrement dans la tombe.

C'est alors qu'arrivèrent des gens. On peut traverser une contrée déserte sans voir personne, mais on peut vous voir. Trois hommes surgirent du bosquet.

– Steapa ! appelai-je.

Il se retourna, furieux que je l'aie interrompu, puis il suivit mon regard.

Il poussa un grand cri, les trois hommes lâchèrent leurs lances et se précipitèrent pour étreindre le grand gaillard. Ils restèrent à parler un moment. Quand ils se furent calmés, j'en pris un à l'écart et le questionnai. Les Danes étaient venus peu après Yule, me raconta-t-il. Soudainement, alors que nul ne savait que des païens se trouvaient dans le Defnascir. Eux en avaient réchappé parce qu'ils abattaient un arbre, puis ils avaient entendu les clameurs. Depuis lors, ils se terraient dans les forêts, redoutant les Danes qui continuaient de parcourir la région en quête de vivres. Ils n'avaient vu nul Saxon.

Ils avaient enseveli les habitants de la ferme dans une pâture au sud, et Steapa alla s'y recueillir.

– Sa mère est morte, m'expliqua l'homme avec un si étrange accent que je devais le faire souvent répéter. Il était bon avec sa mère, il lui apportait de l'argent. Elle n'était plus serve.

– Son père ?

– Il est mort il y a longtemps, très longtemps.

Craignant que Steapa exhume sa mère, j'allai le retrouver.

– Nous avons une mission, lui dis-je.

Il leva vers moi un regard sans expression.

– Des Danes à tuer. Ceux qui ont tué les gens d'ici doivent être occis.

Il hocha soudain la tête et se releva, me dominant de nouveau de toute sa hauteur. Il nettoya la lame de sa hache et monta en selle.

– Des Danes à tuer, répéta-t-il.

Abandonnant sa mère dans le froid de la tombe, nous partîmes à leur recherche.

10

Nous chevauchâmes vers le sud. Prudemment, car on nous avait dit que les Danes occupaient cette partie du comté, mais nous n'en vîmes aucun. Steapa resta coi jusqu'au moment où, près d'une rivière, nous passâmes près d'un cercle de pierres levées, l'un des mystères laissés par le peuple ancien. Il s'en trouvait de par toute l'Anglie et certains étaient immenses ; mais celui-ci se composait d'une vingtaine de pierres couvertes de lichen et guère plus hautes qu'un homme, formant un cercle d'une quinzaine de pieds.

— C'est un mariage, expliqua Steapa.

— Un mariage ? répétai-je, surpris de l'entendre m'adresser la parole.

— Ils dansaient, grommela-t-il, et le Diable les a transformés en pierres.

— Et pourquoi a-t-il fait cela ? demandai-je prudemment.

— Parce qu'ils se sont mariés un dimanche, évidemment. Il ne faut pas le faire le dimanche, jamais ! Tout le monde le sait. (Nous continuâmes en silence, puis, me surprenant encore, il me parla de sa mère et de son père qui avaient été des serfs d'Odda l'Ancien.) Mais nous avions une bonne vie, dit-il.

– Vraiment ?

– Labours, semailles, arrachage des mauvaises herbes, moissons, battage du blé.

– Mais l'ealdorman Odda ne vivait point là-bas, dis-je, indiquant d'un geste la direction de la ferme incendiée.

– Non, pas lui ! répondit-il, amusé que je dise cela. Il n'habitait point là-bas. Il avait un grand château à lui. Il l'a encore. Mais il y avait un régisseur à la ferme pour nous donner des ordres. Un grand costaud.

– Mais ton père était petit ? avançai-je prudemment.

– Comment tu le sais ? s'étonna-t-il.

– J'ai deviné.

– C'était un bon ouvrier, mon père.

– Il t'a enseigné à te battre ?

– Pas lui. Personne ne m'a enseigné. J'ai appris seul.

Plus nous avancions, moins la région était dévastée. Et c'était étrange, car les Danes y étaient passés. La vie semblait normale. Des hommes épandaient du fumier dans les champs, d'autres creusaient des fossés ou taillaient des haies. Des agneaux paissaient dans les prés. Au nord, les renards s'étaient engraissés, mais ici les bergers et leurs chiens se défendaient.

Et les Danes étaient à Cridianton.

Un prêtre nous apprit cela dans un village au bord d'une rivière. Il était craintif, car il me croyait Dane à cause de mes longs cheveux et de mes bracelets ; mais mon accent du Nord et la présence de Steapa le rassurèrent. Ils bavardèrent et le prêtre déclara que l'été serait humide.

– Si fait, opina Steapa. Le chêne a verdi avant le frêne.

– C'est un signe.

– Cridianton est encore loin ? intervins-je.

– À une matinée de marche, seigneur.

– Tu y as vu des Danes ?

– Je les ai vus, seigneur, ça oui.

– Qui les commande ?

251

– Je ne sais, seigneur.

– Ont-ils une bannière ?

– Elle flotte sur le château de l'évêque, seigneur, et montre un cheval blanc.

C'était donc Svein. J'ignorais qui d'autre cela aurait pu être, mais la bannière confirmait que Svein refusait de rejoindre Guthrum. Je considérai le village intact. Pas de toit brûlé, ni de grenier pillé, et l'église était encore debout.

– Les Danes sont venus ici ? demandai-je.

– Oh, oui, seigneur, et plus d'une fois.

– Ont-ils violé ? Volé ?

– Non, seigneur, ils ont acheté du grain et l'ont payé.

Des Danes courtois ! Voilà qui était étrange.

– Que font-ils, alors ?

– Ils sont simplement à Cridianton, seigneur.

– Et Odda est à Exanceaster ?

– Non point, seigneur. Il est à Ocmundtun. Avec le seigneur Harald.

Je crus le prêtre, mais je préférai aller à Cridianton me rendre compte par moi-même. Nous passâmes par les forêts et arrivâmes à la ville au milieu de l'après-midi. Depuis les bois, Steapa et moi pouvions voir les gardes à la porte et d'autres surveillant une cinquantaine de chevaux dans un pré. J'aperçus le château d'Odda l'Ancien, où j'avais retrouvé Mildrith après la bataille de Cynuit, et une bannière dane triangulaire flottant au-dessus du château de l'évêque. La porte ouest était ouverte, mais bien gardée. Malgré les sentinelles et les boucliers aux murailles, l'endroit semblait paisible, et non en guerre. Il devait y avoir des Saxons sur cette colline qui guettaient l'ennemi et se préparaient à attaquer.

– Sommes-nous loin d'Ocmundtun ? demandai-je.

– Nous pouvons y parvenir avant la nuit.

J'hésitai. Odda le Jeune avait juré ma mort. Certes, Alfred m'avait donné un bout de parchemin où il avait griffonné ordre à Odda de m'accueillir en paix. Mais quelle force ont les écrits devant la haine ?

– Il ne te tuera point, dit Steapa, m'étonnant une fois encore en devinant mes pensées.

– Et pourquoi ?

– Parce que je ne le laisserai point faire.

Nous parvînmes à Ocmundtun au crépuscule. C'était une petite ville bâtie le long d'une rivière et protégée par un haut éperon de calcaire où une épaisse palissade offrait un refuge en cas d'attaque. Personne ne s'y trouvait pour l'heure, et la ville, qui n'avait point de murailles, semblait paisible. Il y avait guerre en Wessex, mais Ocmundtun, comme Cridianton, était manifestement en paix. Le château d'Harald se dressait auprès du fort, et nul ne nous empêcha d'entrer dans la cour, où des serviteurs reconnurent Steapa. Un régisseur apparut à la porte du château et, voyant le grand gaillard, frappa dans ses mains, ravi.

– Nous avions ouï dire que tu avais été pris par les païens.

– Je l'étais.

– Ils t'ont libéré ?

– Mon roi m'a délivré, grommela Steapa comme si la question l'agaçait.

– Harald est-il là ? demandai-je au régisseur.

– Mon seigneur est à l'intérieur, répondit l'homme, offensé que je n'aie point appelé le bailli « seigneur ».

– Bien, dis-je en entraînant Steapa.

Le régisseur s'agita parce que coutume et courtoisie exigeaient qu'il aille d'abord s'enquérir auprès du seigneur avant de nous autoriser à entrer, mais je l'ignorai.

Un feu brûlait dans la cheminée, et des dizaines de flambeaux se dressaient sur les plates-formes le long des murs, où étaient posées des lances de chasse et accrochées des peaux de cerfs et de martres. Une vingtaine d'hommes attendaient le dîner tandis que jouait un harpiste. Une meute de chiens se précipita pour nous flairer, Steapa les écarta tandis que nous approchions du feu.

– De l'ale, réclama-t-il au régisseur.

Ayant sans doute entendu les aboiements, Harald apparut à la porte de ses appartements et boitilla vers nous.

– Tu m'as un jour réprimandé d'être entré chez toi avec mes armes, dit-il. Et te voici chez moi avec les tiennes.

– Il n'y avait pas de garde, répondis-je.

– Il était parti pisser, seigneur, expliqua le régisseur.

– Il ne doit point y avoir d'armes en ce château, insista Harald.

C'était la coutume. Les hommes s'y enivrant et se blessant déjà assez avec leurs couteaux à viande, une bande d'ivrognes armés de haches et d'épées aurait pu transformer un banquet en boucherie. Nous confiâmes nos armes au régisseur. J'ôtai ma cotte de mailles et lui demandai de la faire sécher et nettoyer.

Puis Harald nous convia à son banquet comme invités d'honneur.

– Odda est là ? demandai-je.

– Le père, oui-da. Le fils, point.

Je poussai un juron. Nous étions venus ici porter message à Odda le Jeune et nous apprenions que c'était son père blessé, Odda l'Ancien, qui résidait à Ocmundtun.

– Où est le fils, alors ? demandai-je.

Harald fut offensé par ma brusquerie, mais resta courtois.

– L'ealdorman est à Exanceaster.

– Il y est assiégé ?

– Non.

– Et les Danes sont à Cridianton ?

– Oui.

– Et ils sont assiégés ?

Je connaissais la réponse, mais je voulais l'entendre de sa bouche.

– Non, admit-il.

Je lâchai ma chope d'ale.

– Nous venons de la part du roi, commençai-je. (J'étais censé parler à Harald, mais je me mis à arpenter la salle pour que tous les hommes m'entendent.) Nous venons de la part d'Alfred, qui veut savoir pourquoi il reste des Danes en Defnascir. Nous avons brûlé leurs navires, massacré les gardes de leur flotte et nous les avons chassés de Cynuit. Pourtant, vous leur permettez de demeurer ici. Pourquoi ?

Personne ne répondit. Il n'y avait pas de femme au château, car Harald, veuf, ne s'était pas remarié, et tous les convives étaient ses guerriers ou des thanes qui avaient leurs propres hommes. Certains me dévisagèrent avec haine, car mes paroles sous-entendaient qu'ils étaient des couards, et d'autres baissaient la tête. Harald chercha du regard le soutien de Steapa, qui ne broncha point.

– Pourquoi reste-t-il des Danes en Defnascir ? répétai-je.

– Parce qu'ils y sont les bienvenus, dit une voix derrière moi.

Je me retournai et vis un vieillard sur le seuil. Des cheveux blancs dépassaient du bandage enveloppant sa tête, et il était si maigre et si faible qu'il devait s'appuyer au chambranle. Je ne le reconnus pas immédiatement : la dernière fois que je l'avais vu, il était robuste et vigoureux. Mais Odda l'Ancien avait pris un coup de hache sur le crâne à Cynuit et aurait dû en mourir. Il avait pourtant survécu et il était là, bien que décharné, hagard et blême.

– Ils sont ici, dit-il, parce qu'ils sont bienvenus. Tout comme toi, seigneur Uhtred, et toi, Steapa.

Une femme s'occupait de lui. Après avoir vainement essayé de lui faire regagner sa couche, elle me regarda. En me voyant, elle fit comme la première fois que nous nous étions rencontrés. Elle fondit en larmes.

C'était Mildrith.

Elle était vêtue comme les nonnes, d'une robe gris pâle nouée d'une corde, et portait un gros crucifix de bois. De son bonnet gris s'échappaient des mèches blondes. Elle se signa et s'éclipsa. Un instant plus tard, Odda l'Ancien la suivit, trop faible pour rester debout plus longtemps, et la porte se referma.

– Tu es en vérité bienvenu ici, renchérit Harald.

– Mais pourquoi les Danes le sont-ils?

Odda le Jeune avait conclu une trêve, m'expliqua Harald durant le repas. Dans cette partie du Defnascir, personne n'avait entendu parler de l'incendie des vaisseaux de Svein à Cynuit. Odda le Jeune avait mené ses troupes à Exanceaster et Svein avait proposé de parlementer. Soudain, les Danes avaient cessé leurs expéditions et s'étaient installés à Cridianton.

– Nous leur vendons des chevaux, ils paient bien, se vanta Harald. Vingt shillings l'étalon et quinze la jument.

– Vous leur vendez des chevaux, répétai-je, abasourdi.

– Ainsi, ils partiront.

Des serviteurs alimentèrent le feu d'une grosse bûche de bouleau. Des étincelles jaillirent, éparpillant les chiens allongés devant l'âtre.

– Combien d'hommes Svein mène-t-il? demandai-je.

– Beaucoup.

– Huit cents? Neuf cents? (Il haussa les épaules.) Ils sont venus dans vingt-quatre navires seulement. Combien sont-ils? Pas plus d'un millier. Nous en avons tué quelques-uns, et les autres doivent être morts durant l'hiver.

– Nous pensons qu'ils sont huit cents, répondit Harald à contrecœur.

– Et combien d'hommes compte la *fyrd*? Deux mille?

– Dont seulement quatre cents guerriers.

C'était probablement vrai. La plupart des hommes de la *fyrd* étaient des fermiers, alors que tous les Danes sont des guerriers, mais Svein n'aurait jamais lancé ses huit cents hommes contre deux mille. Il avait donc conclu une trêve avec Odda, afin de se remettre de sa défaite à Cynuit. Ses hommes pouvaient se reposer, se nourrir, fabriquer de nouvelles armes et acheter des chevaux.

Je lui annonçai alors qu'Alfred avait échappé à Guthrum et se trouvait dans le grand marais.

– Et peu après Pâques, nous rassemblerons les *fyrds* du comté et nous taillerons Guthrum en pièces. Il n'y aura plus de chevaux vendus à Svein, dis-je d'une voix forte afin que tout le monde m'entende dans la grande salle.

– Mais… commença Harald.

– Quels sont les ordres du roi ? demandai-je à Steapa.

– Plus de chevaux, tonna-t-il.

Il y eut un silence et Harald fit un signe agacé au harpiste, qui entama un air mélancolique. Quelqu'un commença à chanter mais, nul ne se joignant à lui, se tut.

– Je dois aller voir les sentinelles, dit Harald.

Il me jeta un regard interrogateur que je pris pour une invitation à l'accompagner. Je descendis donc avec lui la longue rue d'Ocmundtun, où trois lanciers montaient la garde près d'une cabane de bois. Harald leur parla, puis il m'entraîna plus loin. La lune éclairait la vallée et la route déserte.

– J'ai trente hommes armés, avoua-t-il soudain.

Il me faisait comprendre qu'il était trop faible pour combattre.

– Combien d'hommes possède Odda à Exanceaster ? demandai-je.

– Cent, cent vingt…

– La *fyrd* aurait dû être levée.

– Je n'ai pas eu d'ordres.

– En as-tu demandé ?

– Bien sûr ! s'agaça-t-il. J'ai dit à Odda que nous devions repousser Svein, mais il n'a rien voulu entendre.

– T'a-t-il dit que le roi ordonna la levée de la *fyrd* ?

– Non. Nous n'avons eu nulle nouvelle d'Alfred, hormis qu'il avait été vaincu et se cachait. Nous avons appris que les Danes étaient par tout le Wessex et que d'autres se rassemblaient en Mercie.

– Odda n'a pas songé à attaquer Svein quand il a débarqué ?

– Il a songé à se protéger et m'a envoyé à la Tamur.

La Tamur était la rivière qui séparait le Wessex du Cornwalum.

– Les Bretons se tiennent tranquilles ? demandai-je.

– Leurs prêtres leur disent de ne point nous combattre.

– Mais prêtres ou pas, ils traverseront la rivière si les Danes semblent près de vaincre.

– Ne sont-ils point déjà victorieux ? demanda-t-il amèrement.

– Nous sommes encore hommes libres.

– Svein m'effraie, avoua-t-il brusquement.

– C'est un homme effrayant, concédai-je.

– Il est rusé, puissant et féroce.

– C'est un Dane, ironisai-je.

– Un homme sans scrupule.

– Certes, convins-je. Et penses-tu qu'après l'avoir nourri, abrité et approvisionné en chevaux, il te laissera en paix ?

– Non, mais Odda le croit.

Certes, Odda était un sot. Il nourrissait en son sein un louveteau qui le déchiquetterait une fois devenu assez fort.

– Pourquoi Svein n'a-t-il point marché au nord pour rejoindre Guthrum ? demandai-je.

– Je l'ignore.

Moi, je le savais. Guthrum avait déjà vainement tenté de prendre le Wessex. On l'appelait Guthrum le Malchanceux, et il n'avait point changé. Il était riche, menait maints hommes, mais il était plein de précaution. Svein, originaire des comptoirs norses d'Irlande, était bien différent. Plus jeune et moins riche que Guthrum, il menait moins d'hommes, mais il était sans nul doute un bien meilleur guerrier. À présent, privé de ses navires, il était affaibli. Il avait néanmoins convaincu Odda le Jeune de lui offrir refuge et rassemblait ses forces. Svein était bien plus dangereux que Guthrum, et Odda le Jeune ne faisait que le rendre plus redoutable encore.

– Demain, dis-je, nous commencerons à lever la *fyrd*. Tels sont les ordres du roi.

Harald hocha la tête. Je ne voyais pas son visage dans l'obscurité, mais je ne le sentais point heureux.

– J'enverrai le message, dit-il, mais Odda pourrait bien empêcher la *fyrd* de se rassembler. Il a conclu sa trêve avec Svein et ne la voudra point rompre. On lui obéit avant de m'obéir à moi.

– Et son père ? On lui obéit ?

– Oui, mais il est souffrant. Tu l'as vu. C'est un miracle qu'il soit en vie.

– Peut-être parce que mon épouse le soigne ?

– Oui. (Il se tut. Il y avait quelque chose de bizarre, un malaise inexprimé.) Ton épouse le soigne bien, acheva-t-il gauchement.

– Il est son parrain.

– Oui-da.

– C'est bon de la voir. Et ce sera bon de voir mon fils, ajoutai-je avec plus de sincérité.

– Ton fils…

– Il est là, n'est-ce pas ?

– Oui. (Harald frémit. Il se détourna, puis il rassembla son courage et me regarda.) Ton fils, seigneur Uhtred, est dans le cimetière.

Il me fallut un moment pour comprendre, et je restai interdit. Je touchai mon amulette.

– Dans le cimetière ?

Harald fixa la rivière baignée par la lune, argentée sous les arbres noirs.

– Ton fils est mort. Il s'est étouffé, ajouta-t-il comme je ne répondais point.

– Étouffé ?

– Avec un caillou. Ce n'était qu'un enfant. Il a dû le ramasser et l'avaler.

– Un caillou ?

– Une femme était avec lui, mais… Elle a tenté de le sauver, en vain. Il est mort.

– Le jour de la Saint-Vincent.

259

– Tu le savais ?

– Non, je l'ignorais.

Mais c'était le jour de la Saint-Vincent qu'Iseult avait fait passer le fils d'Alfred, l'Ætheling Edward, dans le tunnel de terre. Et elle m'avait dit que, quelque part, un enfant devait mourir pour que l'héritier royal, l'Ætheling, puisse vivre.

Et cela avait été mon fils. Uhtred le Jeune. Que je connaissais à peine. Edward avait reçu le souffle de vie, et Uhtred s'était étouffé et débattu avant de mourir.

– Je suis désolé, dit Harald. Ce n'était pas à moi de te le dire, mais il fallait que tu le saches avant de revoir Mildrith.

– Elle me hait.

– Oui, elle te hait. Je pensais qu'elle deviendrait folle de chagrin, mais Dieu l'a protégée. Elle aimerait…

– Quoi donc ?

– Rejoindre les nonnes de Cridianton. Quand les Danes partiront. Il y a un petit couvent, là-bas.

Je m'en moquais.

– Et mon fils est enseveli ici ?

– Sous l'if, près de l'église, là-bas.

Qu'il y reste, pensai-je. Qu'il repose dans sa petite tombe et attende le chaos de la fin du monde.

– Demain, nous lèverons la *fyrd*.

Car il y avait un royaume à sauver.

Des prêtres rédigèrent les ordres de levée de la *fyrd*. La plupart des thanes ne savaient point lire, et auraient du mal à déchiffrer ces quelques lignes, mais les messagers leur diraient ce que contenaient les parchemins. Ils devaient armer leurs hommes et les mener à Ocmundtun, et le cachet de cire sur ces ordres en attestait l'autorité : il représentait le cerf des armes d'Odda l'Ancien.

– Il faudra une semaine pour que la plus grande partie de la *fyrd* arrive, m'avertit Harald. Et l'ealdorman tentera de l'en empêcher.

– Que fera-t-il ?

– Il dira sans doute à ses thanes de ne pas en tenir compte.

– Et Svein, que fera-t-il ?

– Il tentera de nous occire.

– Et ses huit cents hommes peuvent être ici demain.

– J'en ai trente, se lamenta-t-il.

– Mais nous avons une forteresse, dis-je en désignant la crête fortifiée.

Je ne doutais pas que les Danes viennent. En mandant la *fyrd*, nous menacions leur sécurité, et Svein n'était pas homme à prendre une menace à la légère. Aussi, les habitants de la ville reçurent ordre d'apporter leurs biens de valeur dans le fort. Certains furent assignés à renforcer la palissade. D'autres emmenèrent le bétail dans la lande pour que les Danes ne s'en emparent point. Steapa visita tous les hameaux voisins et demanda que les hommes en âge de combattre se rendent à Ocmundtun avec leurs armes. À la fin de l'après-midi, il y en avait quatre-vingts dans le fort. Peu étaient des guerriers, la plupart n'avaient qu'une hache, mais du pied de la colline ils semblaient suffisamment redoutables. Les femmes apportèrent des vivres, et presque tout le monde décida d'y dormir, malgré la pluie, de peur que les Danes ne viennent dans la nuit.

Odda l'Ancien refusa de se réfugier au fort. Il était trop souffrant et trop faible, disait-il, et s'il devait mourir, il préférait que ce soit au château d'Harald. Nous tentâmes de le convaincre, en vain.

– Mildrith peut y aller, dit-il.

– Non, répondit-elle.

Elle était au chevet d'Odda, les mains jointes dans les manches de sa robe grise. Du regard, elle me défia de lui ordonner d'abandonner Odda et d'aller à la forteresse.

– Je suis désolé, lui dis-je.

– De quoi ?

– Pour notre fils.

– Tu ne fus point un père pour lui, m'accusa-t-elle, les yeux embués de larmes. Tu voulais qu'il soit un Dane ! Un païen ! Tu ne te souciais nullement de son âme !

– Je l'aimais, dis-je.

Elle ne releva pas. Je n'avais paru guère convaincant, ni à ses oreilles ni aux miennes.

– Son âme est en sécurité, l'apaisa Harald. Il est heureux dans les bras de Jésus.

Mildrith le regarda et je vis que les paroles d'Harald l'avaient réconfortée, même si elle pleurait toujours. Elle caressa son crucifix, puis Odda l'Ancien lui tapota le bras.

– Si les Danes viennent, seigneur, lui dis-je, je vous enverrai chercher. (Je quittai la chambre, ne supportant pas de voir Mildrith en larmes, ni la pensée de mon fils mort. Ce sont choses pénibles, plus encore que de combattre. Je ceignis mes épées, pris mon bouclier et coiffai mon splendide casque, si bien que lorsque Harald vint me rejoindre dans la grande salle, il me vit debout près de l'âtre comme un seigneur.) Si nous faisons un grand feu à l'est de la ville, dis-je, nous verrons les Danes venir. Cela nous donnera le temps de transporter le seigneur Odda au fort.

– Oui, dit-il en levant les yeux vers les lourdes poutres du plafond, songeant peut-être qu'il ne les reverrait jamais si les Danes brûlaient tout.

Il se signa.

– La destinée est inexorable, ajoutai-je.

Que pouvais-je dire d'autre ? Les Danes ne vinrent pas cette nuit-là. Une petite pluie tomba dans la nuit, et au matin nous étions tous trempés, gelés et mécontents. À l'aube, les premiers hommes de la *fyrd* arrivèrent. Il faudrait des jours avant que les régions les plus lointaines du comté reçoivent leurs messages, arment leurs hommes et les dépêchent à Ocmundtun. Les plus proches avaient réagi aussitôt, et en fin de matinée nous étions près de trois cents. Soixante-dix au plus méritaient le titre de guerrier, ayant de vraies armes, des boucliers et au moins une cotte de cuir. Les autres étaient des paysans armés de houes, de faux ou de haches.

Harald envoya chercher des vivres. C'était une chose de rassembler une armée, une tout autre de la nourrir, et nous ignorions combien de temps nous devrions attendre.

La pluie venait de cesser et les prières de sexte avaient été dites quand Odda en personne arriva à Ocmundtun, avec soixante de ses guerriers en cotte de mailles et autant de Danes dans toute leur gloire guerrière. Le soleil scintillait sur tout ce métal alors qu'ils se déployaient en une ligne de part et d'autre de la route, deux bannières flottant au centre. L'une, le cerf noir, était celle de Defnascir ; l'autre, triangulaire, était dane et représentait un cheval blanc.

– Il n'y aura point de combat, annonçai-je à Harald.

– Vraiment ?

– Ils ne sont pas assez. Svein est venu parlementer.

– Je ne veux point les recevoir ici dans le fort. Allons au château.

Il regagna la cité avec ses hommes les mieux armés. Ils se massèrent dans la rue boueuse devant le château, tandis qu'Odda et les Danes entraient. Les cavaliers durent se ranger en une colonne, menée par trois hommes : Odda, flanqué de deux Danes, dont l'un était Svein du *Cheval-Blanc*.

Avec sa cape de laine blanche, sa cotte, son casque et son bouclier à bosse bordé de métal et orné d'un cheval blanc, frottés au sable et brillant comme argent au soleil, Svein était splendide sur sa monture blanche. Il posa sur moi un regard froid. Sa bannière était portée par le deuxième cavalier, au visage tanné comme celui de son maître par le vent, le soleil et la neige. Odda le Jeune dépassa les deux Danes, sa cape noire drapant la croupe de son cheval.

– Harald, dit-il en souriant comme s'il était heureux de cette entrevue, tu as mandé la *fyrd*. Pourquoi ?

– Parce que le roi l'a ordonné.

Odda souriait toujours. Il me jeta un regard, fit celui qui ne me connaissait point, et vit apparaître Steapa à la porte du château.

– Steapa ! Mon fidèle Steapa ! s'écria-t-il. Qu'il m'est bon de te voir !

– À moi aussi, seigneur.

– Mon loyal Steapa, continua Odda, clairement ravi de retrouver son ancien garde du corps. Viens ici ! ordonna-t-il. (Steapa s'agenouilla dans la boue pour embrasser le pied de son maître.) Debout ! Toi à mes côtés, Steapa, qui nous ferait du mal ?

– Personne, seigneur.

– Personne, répéta Odda en souriant à Harald. Tu as dit que le roi ordonnait que soit levée la *fyrd* ? Il y a un roi en Wessex ?

– Il y a un roi en Wessex, répondit Harald d'un ton ferme.

– Il y a un roi qui se morfond dans les marais ! s'écria Odda pour que tous les hommes d'Harald entendent. Il est le roi des grenouilles, peut-être ? Le souverain des anguilles ? Quel genre de roi est-ce là ?

Je répondis pour Harald, mais en danois :

– Un roi qui m'a ordonné de brûler les navires de Svein. Ce que j'ai fait. Tous sauf un, que je détiens encore.

Svein ôta son casque et me considéra d'un œil aussi noir que le serpent de la mort qui s'enroule au pied d'Yggdrasil.

– J'ai brûlé le *Cheval-Blanc*, répétai-je, et je me suis réchauffé à ses flammes. (Pour toute réponse, Svein cracha. Je me tournai vers Odda et continuai en angle.) Et l'homme auprès de toi a brûlé ton église à Cynuit et tué les moines. Cet homme maudit au paradis, en enfer et en ce monde, c'est désormais ton allié ?

— Cet étron de chèvre parle en ton nom ? demanda Odda à Harald.

— Ces hommes parlent pour moi, répliqua Harald en indiquant les soldats.

— De quel droit mandes-tu la *fyrd* ? s'indigna Odda. Je suis un ealdorman !

— Et qui t'a fait ealdorman ? demanda Harald. Le roi des grenouilles ? Le souverain des anguilles ? Si Alfred n'a nulle autorité, tu as perdu la tienne avec la sienne.

Odda fut manifestement surpris qu'Harald se rebiffe. Il s'en irrita sans doute mais ne le montra point et continua de sourire.

— Je crois que tu as mal compris ce qui est arrivé au Defnascir, dit-il.

— En cas, explique-le-moi.

— Je le ferai, mais devant ale et pain. Et nous devrions parler sous un toit avant qu'il pleuve encore.

Il fallait d'abord régler quelques questions. Ce fut rapidement fait. Les cavaliers danes devaient se retirer à l'est de la ville, et les hommes d'Harald dans la forteresse. Chaque partie allait venir au château avec dix hommes, qui laisseraient leurs armes dans la rue où elles seraient gardées par six Danes et autant de Saxons.

Les serviteurs d'Harald apportèrent ale, pain et fromage. Il ne fut point proposé de viande, car c'était le Carême. Des bancs furent disposés de part et d'autre de l'âtre. Svein s'approcha de moi et daigna enfin me reconnaître.

— Est-ce vraiment toi qui as brûlé les navires ? demanda-t-il.

— Le tien y compris.

— Il a fallu un an et un jour pour construire le *Cheval-Blanc*, d'arbres où avaient été accrochés les sacrifices à Odin. C'était un beau navire.

– Il n'est plus que cendres sur la grève.

– Un jour, je t'en ferai rendre gorge, répliqua-t-il d'une voix douce mais menaçante. Et tu t'es trompé, ajouta-t-il.

– En brûlant tes navires ?

– Il n'y avait nul autel d'or à Cynuit.

– Où tu as brûlé les moines.

– Je les ai brûlés vifs, et me suis réchauffé aux flammes, sourit-il. Me rejoindrais-tu à nouveau ? Je te pardonnerais d'avoir brûlé mes navires et nous pourrions nous battre côte à côte. J'ai besoin de braves et je paie bien.

– Je suis l'homme lige d'Alfred.

– Ah ! Qu'il en soit ainsi. Ennemis.

Il retourna auprès d'Odda.

– Désires-tu voir ton père avant que nous parlions ? demanda Harald à Odda.

– Je l'irai voir quand notre amitié sera réparée. Toi et moi devons être amis. Tu as mandé la *fyrd* parce que Uhtred t'a apporté l'ordre d'Alfred ?

– Oui.

– Alors tu as bien agi, et cela doit être loué. Et maintenant, tu vas de nouveau bien agir en la renvoyant chez elle.

– Les ordres du roi sont différents, dit Harald.

– Quel roi ?

– Alfred, qui d'autre ?

– Mais il est d'autres rois en Wessex, dit Odda. Guthrum est roi d'Estanglie, il est en Wessex, et l'on dit qu'Æthelwold sera couronné avant l'été.

– Æthelwold ?

– Ne l'as-tu point ouï ? Wulfhere de Wiltunscir s'est allié à Guthrum, et tous deux ont décidé qu'Æthelwold serait roi de Wessex. Et pourquoi pas ? Æthelwold n'est-il point le fils de feu notre roi ? Ne devrait-il point être roi ?

Harald hésita et me regarda. Il ne savait point la trahison de Wulfhere et la nouvelle l'ébranla. Je hochai la tête.

– Wulfhere est avec Guthrum, indiquai-je.

– Or donc, Æthelwold, fils d'Æthelred, sera roi de
Wessex, conclut Guthrum. Il dispose de milliers d'épées.
Tout le nord du Wessex est aux mains des Danes, qui sont
aussi ici, au Defnascir. Alors dis-moi, de quoi Alfred est-
il roi ?

– Du Wessex, dis-je.

Odda m'ignora et regarda Harald.

– C'est à Alfred que nous avons prêté serment, dit
celui-ci d'un ton buté.

– Et à moi également, lui rappela Odda. Dieu sait,
Harald, soupira-t-il, que nul n'était plus loyal à Alfred
que moi. Pourtant, il nous a abandonnés ! Les Danes sont
ici, et où est Alfred ? Il se cache ! Dans quelques semaines, leurs armées seront en marche ! Ils viendront de
Mercie, de Lundene, de Kent ! Leurs flottes croiseront
devant nos côtes. Des armées de Danes et des flottes de
Vikings ! Que feras-tu alors ?

Harald se dandina, mal à l'aise.

– Et toi, que feras-tu ? rétorqua-t-il.

Odda désigna Svein, qui, la question traduite, prit la
parole pour la première fois. Je traduisis pour Harald : le
Wessex était condamné. À l'été, il grouillerait de Danes
et de renforts venus du Nord, et les seuls Saxons qui survivraient seraient ceux qui s'alliaient maintenant aux
Danes. Ceux qui résisteraient mourraient, leurs femmes
seraient prises comme putains, leurs enfants comme
esclaves, leurs maisons détruites et leurs noms oubliés
comme la fumée d'un feu éteint.

– Et Æthelwold sera roi ? demandai-je, méprisant.
Comptes-tu que nous nous inclinions devant un ivrogne
qui ne songe qu'à trousser ?

– Les Danes sont généreux, déclara Odda en écartant
sa cape et en me montrant ses six bracelets d'or. Pour
ceux qui les aident, il y aura terres, richesses et honneurs
en récompense.

– Et Æthelwold sera roi ? répétai-je.

Odda désigna de nouveau Svein, qui répondit avec lassitude :

– Il est juste que les Saxons soient gouvernés par un des leurs. Nous ferons un roi ici.

Je compris soudain et j'éclatai de rire.

– C'est à toi qu'il a promis le trône ! accusai-je Odda.

– Un pet de cochon serait moins absurde que ces paroles, répliqua Odda.

Mais j'avais raison. Æthelwold était le candidat de Guthrum pour le trône de Wessex, mais Svein voulait son roi saxon à lui : Odda.

– Le roi Odda, ricanai-je avant de cracher dans le feu.

Odda aurait aimé me tuer, mais c'était une entrevue de paix et il se força à ignorer l'insulte.

– Tu as le choix, Harald, proposa-t-il. Tu peux mourir, ou vivre.

Harald se taisait. La nouvelle de la trahison de Wulfhere le consternait. Wulfhere était le plus puissant ealdorman de Wessex : s'il jugeait qu'Alfred était condamné, que devait-il penser, lui ?

– Je... commença-t-il.

– La *fyrd* est levée, dis-je, aux ordres du roi, et ces ordres sont de chasser les Danes de Defnascir. Svein a été vaincu, ses navires sont brûlés. Il est comme un chien abattu et tu lui offres réconfort.

Svein me jeta un regard assassin.

– Tu n'as nulle autorité ici, s'indigna Odda.

– J'ai celle d'Alfred, et un ordre écrit te demandant de chasser Svein de ton comté.

– Les ordres d'Alfred ne signifient rien, et tu peux continuer de croasser comme une grenouille des marais. Steapa, tu as des comptes à régler avec Uhtred.

– Oui, seigneur.

– Alors règle-les maintenant.

– Régler quoi ? demanda Harald.

– Ton roi a ordonné que Steapa et Uhtred se battent à mort. Et pourtant, ils sont en vie tous les deux ! Les ordres de ton roi n'ont donc point été obéis.

– Nous sommes en trêve ! protesta Harald.

– Soit Uhtred cesse de se mêler des affaires de Defnascir, déclara Odda, soit je ferai tuer Uhtred par le Defnascir. Tu veux savoir qui a raison ? Alfred ou moi ? Savoir qui sera roi en Wessex, d'Alfred ou d'Æthelwold ? Alors que ce soit mis à l'ordalie, Harald. Que Steapa et Uhtred terminent leur combat, et nous verrons quel homme Dieu favorise. Si Uhtred vainc, je te soutiendrai. Et s'il perd ? sourit-il, ne doutant pas un instant de qui serait victorieux.

Harald resta silencieux. Je regardai Steapa, aussi impassible que lors de notre première rencontre. Il avait promis de me protéger, mais c'était avant de retrouver son maître. Les Danes semblaient ravis. Deux Saxons qui se battent, qu'auraient-ils trouvé à redire ? Harald hésitait toujours, puis une voix chevrotante s'éleva du fond de la salle.

– Laisse-les combattre, Harald. (C'était Odda l'Ancien, drapé dans une couverture en peau de loup, qui tenait un crucifix.) Et Dieu guidera le bras du vainqueur.

Harald me regarda. Que devais-je faire ? Dire qu'il était absurde de croire que Dieu allait indiquer quoi faire par l'issue d'un duel ? En appeler à Harald ? Prétendre que tout ce qu'avait dit Odda était faux et qu'Alfred serait vainqueur ? Si je refusais de combattre, je déclarais qu'Odda avait raison, et en vérité il m'avait presque convaincu qu'Alfred était condamné. Quant à Harald, j'en suis sûr, il le croyait tout à fait. Pourtant, ce fut plus que l'amour-propre qui me fit combattre ce jour-là. Au fond de moi, je sentais qu'Alfred vaincrait. Je ne l'aimais point, je n'aimais point son Dieu, mais j'étais persuadé que le destin était de son côté.

– Je ne veux point me battre avec toi, dis-je à Steapa, mais j'ai prêté serment à Alfred, et mon épée dit qu'il gagnera et que le sang des Danes sera l'engrais de nos champs.

Steapa ne répondit pas. Il s'étira et attendit que l'un des hommes d'Odda aille rapporter deux épées, prises au hasard dans le tas dehors. Pas de boucliers. Il les proposa à Steapa qui secoua la tête et indiqua qu'il me laissait choisir. Je fermai les yeux et pris la première que je touchai. C'était une lourde épée, faite pour tailler et non estoquer, et je sus que j'avais mal choisi.

Steapa prit l'autre et la fit siffler dans l'air. Svein, qui n'avait jusque-là rien laissé paraître, parut impressionné, tandis qu'Odda le Jeune souriait.

– Tu peux déposer les armes, me proposa-t-il.

Au lieu de quoi je m'avançai devant la cheminée. J'étais las et résigné. Le destin est inexorable.

– Fais-moi la grâce de faire vite, dit Odda l'Ancien derrière moi.

– Oui, seigneur, répondit Steapa.

Il s'avança d'un pas vers moi, et soudain il fit volte-face comme un serpent qui frappe et sa lame trancha la gorge d'Odda le Jeune qui s'écroula en gigotant dans une gerbe de sang.

Steapa planta l'épée dans le sol.

– Alfred m'a sauvé, annonça-t-il à l'assistance. Alfred m'a libéré des Danes. Il est mon roi.

– Et nous lui avons prêté serment, ajouta Odda l'Ancien. Et mon fils n'a nul lieu de faire la paix avec les païens.

Les Danes reculèrent. Svein me jeta un coup d'œil, car je tenais toujours mon épée. Puis il regarda les lances appuyées contre le mur, se demandant s'il pourrait en saisir une avant que je l'attaque.

– Nous sommes en trêve, s'écria Harald.

– Nous sommes en trêve, répétai-je en danois.

Svein cracha sur le sol ensanglanté, puis son porte-bannière et lui reculèrent prudemment.

– Mais demain la trêve ne sera plus et nous viendrons vous tuer, ajouta Harald.

Les Danes quittèrent Ocmundtun. Et le lendemain, ils quittèrent aussi Cridianton. Ils auraient pu y rester, car ils étaient plus qu'assez pour défendre la cité. Mais Svein savait qu'il serait assiégé et que les Danes périraient l'un après l'autre, alors il partit rejoindre Guthrum et j'allai à Oxton. Le pays n'avait jamais été aussi beau : les arbres verdissaient, les bouvreuils se repaissaient des premiers bourgeons, tandis que les anémones et violettes blanches fleurissaient dans les sous-bois. Le soleil éclairait le bras de mer de l'Uisc, et le Ciel était rempli du chant des alouettes. Dans les prairies, les renards prenaient des agneaux, les pies et les geais se volaient leurs œufs, et les paysans empalaient des corbeaux aux bords des champs pour assurer une bonne moisson.

– Il y aura bientôt du beurre, me dit une femme.

Elle pensait que je revenais sur mes terres, mais j'étais juste venu faire mes adieux. Il y avait là des serfs à l'ouvrage et je leur annonçai que Mildrith nommerait bientôt un régisseur. Puis j'allai au château et déterrai mon trésor. Wirken, le rusé prêtre d'Exanmynster, apprit ma venue, et vint sur son âne. Il m'assura qu'il avait bien surveillé la terre, désirant sans doute une récompense.

– Elle appartient désormais à Mildrith, lui dis-je.

– La dame Mildrith ? Elle est en vie ?

– Si fait, mais son fils est mort.

– Dieu ait sa pauvre âme en sa sainte garde, marmonna Wirken en se signant.

J'étais en train de manger un morceau de jambon qu'il regarda d'un air envieux, car j'enfreignais la règle du Carême. Il ne dit rien, mais je vis qu'il me maudissait d'être païen.

– Et la dame Mildrith, repris-je, vivra une chaste existence à présent. Elle dit vouloir rejoindre les sœurs à Cridianton.

– Il n'y a point de sœurs là-bas, dit Wirken. Elles sont mortes. Les Danes s'en sont occupés avant de partir.

– D'autres nonnes s'y installeront.

Je ne m'en souciais guère, car le sort d'un petit couvent n'était point mes affaires. Oxton non plus. Les Danes, eux, l'étaient.

Car telle était ma vie. Ce printemps-là, j'avais vingt et un ans, et la moitié de ma vie je l'avais passée dans des armées. Je n'étais point fermier. J'étais un guerrier, et j'avais été chassé de ma demeure de Bebbanburg jusqu'aux bords de l'Anglie. Et je savais, tandis que Wirken continuait de babiller qu'il avait surveillé nos greniers tout l'hiver, que j'allais retourner au nord. Toujours plus loin. Vers ma terre.

– Tu t'es nourri tout l'hiver de nos réserves, l'accusai-je.

– Je les ai surveillées, seigneur.

– Et cela t'a fort engraissé.

Je remontai en selle. En croupe, je portais deux sacs remplis d'argent que j'emportai à Exanceaster, où je retrouvai Steapa. Le lendemain, avec six autres soldats de la garde de l'ealdorman Odda, nous partîmes vers le nord. Notre route était jalonnée de colonnes de fumée, car Svein incendiait et pillait en chemin, mais nous avions fait ce qu'Alfred nous avait demandé. Nous avions poussé Svein vers Guthrum, afin d'unir les deux plus grandes armées danes. Alfred savait n'avoir qu'une occasion de reprendre son royaume : en remportant une seule bataille. Il devait vaincre tous les Danes et les anéantir d'un seul coup, et son armée n'existait que dans son esprit. Il avait fait mander que la *fyrd* de Wessex soit levée après Pâques et avant la Pentecôte, mais personne ne savait si elle viendrait. Peut-être ne rencontrerions-nous personne lorsque nous quitterions le marais, ou que la *fyrd* serait là, mais trop peu nombreuse. Alfred devait combattre ou perdre son royaume.

Nous allions donc nous battre.

11

– Tu auras de nombreux fils, déclara Iseult. (Il faisait nuit et le croissant de lune était voilé par la brume. Quelque part au nord-est, brûlaient une dizaine de feux : une patrouille de Danes surveillait le marais.) Mais je suis désolée pour Uhtred.

C'est alors que je le pleurai. Je ne sais pourquoi mes larmes avaient attendu si longtemps. Soudain, je fus bouleversé en repensant à ce gâchis. Mon demi-frère et ma demi-sœur étaient morts bébés, et je ne me rappelle pas avoir vu mon père pleurer, même s'il le fit peut-être. Je me rappelle ma marâtre hurlant son chagrin et mon père, écœuré par ce spectacle, partant chasser avec ses faucons et chiens.

– J'ai vu trois martins-pêcheurs hier, poursuivit Iseult. Hild dit que le bleu de leurs plumes représente la Vierge et que le rouge est le sang du Christ.

– Et qu'en dis-tu ?

– Que la mort de ton fils est ma faute.

– *Wyrd bi∂ ful ǣced*, dis-je.

La destinée est la destinée. Elle ne peut être changée ni trompée. Alfred avait tenu à ce que j'épouse Mildrith pour que je sois lié au Wessex et que je m'enracine dans son sol fertile ; mais mes racines étaient en Northumbrie, enfoncées dans le rocher de Bebbanburg. Peut-être la mort de mon fils était-elle un signe des dieux. Le destin voulait que je retourne à ma forteresse du Nord, et peut-être serais-je un errant tant que je n'aurais pas retrouvé Bebbanburg. Les hommes craignent les errants, car ils n'ont nulle loi. Les Danes venaient en étrangers, sans racines, violents : voilà pourquoi, pensai-je, j'étais toujours plus heureux en leur compagnie. Alfred pouvait passer des heures à s'interroger sur la justesse d'une loi, qu'elle traite du sort de l'orphelin ou de la sainteté des bornes dans les champs. Il avait raison de s'en soucier, car les gens ne peuvent vivre ensemble sans loi, sans quoi la moindre vache égarée mènerait à un bain de sang. Mais les Danes taillaient dans les lois avec leurs épées. C'était plus simple ainsi.

– Ce n'était pas ta faute, dis-je. Tu n'as pas commandé au destin.

– Hild dit qu'il n'existe pas de destin.

– Eh bien, elle se trompe.

– Qu'il n'y a que la volonté de Dieu et que, si nous lui obéissons, nous irons au Ciel.

– Et si nous décidons de ne pas y obéir, n'est-ce pas le destin ?

– C'est le Diable, dit-elle. Nous sommes moutons, Uhtred, qui choisissent leur berger, un bon ou un mauvais.

Je crus qu'Hild avait pourri Iseult avec la foi chrétienne, mais je me trompais. C'était un prêtre venu à Æthelingæg pendant que je me trouvais au Defnascir qui lui avait farci le crâne de sa religion. Il était breton de Dyfed et parlait aussi bien la langue d'Iseult que l'angle et le danois. J'étais prêt à le haïr comme j'avais haï le frère Asser, mais le père Pyrlig entra le lendemain matin dans notre cabane en tonnant qu'il avait trouvé cinq œufs d'oie et mourait de faim.

– Je me meurs ! Voilà ce qu'il en est, je meurs de faim ! (Il sembla heureux de me voir.) Tu es le fameux Uhtred,

hein ? Et Iseult me dit que tu détestes le frère Asser ?
Alors, tu es un ami. Pourquoi Abraham n'a pas pris Asser
en son sein, je ne sais ! Peut-être ne voulait-il pas que ce
petit gueux lui grimpe dans le giron. Je ne voudrais, moi.
Ce serait comme allaiter un serpent, oh oui ! T'ai-je dit
que j'avais faim ?

À deux fois mon âge, c'était un grand gaillard pansu et
au grand cœur. Il était hirsute, n'avait que quatre dents, un
grand sourire et le nez cassé.

– Quand j'étais enfant, me raconta-t-il, tout petit, je
mangeais de la boue. Le crois-tu ? Je suis donc devenu
prêtre. Et sais-tu pourquoi ? Parce que je n'ai jamais vu
prêtre affamé ! Jamais ! En as-tu vu ? Pas moi !

Et il me débita tout cela sans plus de façon. Puis il
bavarda gravement avec Iseult dans leur langue et il traduisit :

– Je lui disais que l'on peut préparer un merveilleux
mets avec des œufs d'oie. On les casse, on les bat, et on
ajoute un peu de fromage émietté. Le Defnascir est sûr ?

– Sauf si les Danes envoient une flotte.

– Guthrum y songe, dit Pyrlig. Il veut que les Danes de
Lundene envoient leurs navires sur la côte sud.

– Vous le savez ?

– En vérité, oui ! Il me l'a dit ! Je viens de passer dix
jours à Cippanhamm. Je parle dane, vois-tu, car je suis
malin. J'étais donc ambassadeur de mon roi. Moi, qui
mangeais de la boue, ambassadeur ! Émiette mieux ce
fromage, mon enfant. Voilà. Je devais découvrir, vois-tu,
combien d'argent Guthrum serait disposé à payer pour
embrocher les Saxons sur nos lances. Voilà une belle
ambition pour un Breton que de vouloir embrocher
Saxons, mais les Danes sont païens, et Dieu sait que nous
ne pouvons laisser des païens en liberté de par le monde.

– Et pourquoi ?

– Une idée que j'ai, rien de plus. (Il enfonça le doigt
dans un petit pot de beurre et le lécha.) Il n'est point

vraiment aigre, dit-il à Iseult. Que se passe-t-il quand on met deux taureaux dans un troupeau de vaches ? me demanda-t-il.

– L'un des deux meurt.

– Voilà ! Les dieux sont ainsi, et c'est pourquoi nous ne voulons pas de païens ici. Nous sommes les vaches, et les dieux sont les taureaux.

– Nous nous faisons saillir, alors ?

Il éclata de rire.

– La théologie est difficile. Quoi qu'il en soit, comme Dieu est mon taureau, je suis venu prévenir les Saxons.

– Guthrum vous a offert de l'argent ?

– Il m'a offert tous les royaumes du monde ! Or, argent, ambre et jais ! Et même femmes, ou garçons si j'en avais le goût, ce qui n'est point. Et je n'ai cru nulle de ses promesses. Peu importait, d'ailleurs. Mon ambassade n'était que stratagème. Le frère Asser m'envoyait. Il voulait que j'espionne les Danes, vois-tu ? Que je le raconte à Alfred, et c'est ce que je fais.

– Asser vous a envoyé ?

– Il veut qu'Alfred soit vainqueur. Non qu'il aime les Saxons, mais parce qu'il aime Dieu.

– Et Alfred gagnera-t-il ?

– Si Dieu le veut, oui, répondit Pyrlig d'un ton jovial. Mais les Danes sont puissants. Une grande armée ! Cependant, ils ne sont point heureux, je puis te le dire. Et ils ont tous faim. Ils n'en meurent point, mais ils se serrent la ceinture plus qu'ils ne le voudraient. Et depuis l'arrivée de Svein, ils ont encore moins de vivres. Trop d'hommes à Cippanhamm ! Et trop d'esclaves ! Ils cherchent des civelles, hein ? Cela les engraissera. (Les civelles envahissaient la Sæfern et remontaient dans le marais, où elles étaient capturées en abondance. Nous n'avions pas faim, à Æthelingæg, à condition de nous goinfrer de civelles.) J'en ai pris trois pleins paniers hier, reprit Pyrlig. Et une grenouille. Elle ressemblait tant au frère

Asser que je l'ai bénie. Ne te contente point de remuer les œufs, ma fille, bats-les ! J'ai appris que ton fils était mort ?

– Oui, répondis-je avec raideur.

– J'en suis navré, dit-il. Vraiment, car perdre un enfant est affreux. Parfois, je pense que Dieu doit aimer les enfants. Il en prend tant… Je crois qu'il y a un jardin au Ciel, un jardin de verdure où les enfants jouent tout le temps. Il a avec lui deux des miens, et je te l'assure, le plus jeune doit bien éprouver les anges. Il doit tirer les cheveux des filles et battre les autres enfants comme œufs d'oie.

– Vous avez perdu deux fils ?

– Mais j'en ai encore trois autres, et quatre filles. Pourquoi crois-tu que je ne suis jamais chez moi ? sourit-il. Ils sont bien bruyants, les enfants, et quel appétit ! Seigneur, ils mangeraient un cheval par jour s'ils pouvaient ! Certains disent que les prêtres ne doivent point se marier, et parfois je me dis qu'ils ont raison. As-tu du pain, mon enfant ?

Iseult désigna un filet accroché au toit.

– Ôtes-en le moisi, me dit-elle.

– J'aime à voir un homme obéir à une femme, déclara le père Pyrlig tandis que je prenais la miche.

– Pourquoi cela ?

– Parce que cela signifie que je ne suis point seul en ce pauvre monde. Mon Dieu, mais cette Ælswith a été nourrie au jus de noix de galle, n'est-ce pas ? Elle a une langue pire qu'une fouine affamée ! Pauvre Alfred !

– Il est assez heureux.

– Bon Dieu, mon garçon, il est tout sauf heureux ! Il est de ceux qui attrapent Dieu comme une maladie. On dirait une vache après l'hiver !

– Vraiment ?

– Tu sais, lorsque arrive l'herbe de la fin du printemps, toute verte et grasse ? Et que tu sors la pauvre vache pour

278

paître et qu'elle enfle comme une vessie ? Elle n'est plus rien que merde et vent et titube, et elle tomberait morte si tu ne la retirais pas de l'herbe un moment. Alfred est ainsi. Il a trop mangé de la bonne herbe verte de Dieu, et il en est malade. Mais il est homme de bien, oh oui ! Trop maigre, oui, mais bon. Un saint vivant, pas moins. Ah, ma fille, c'est bien, mangeons. (Il prit un peu d'œufs avec ses doigts et me passa la poêle.) Dieu merci, c'est Pâques la semaine prochaine et nous pourrons manger viande à nouveau. Je maigris de jeûner. Tu sais qu'Iseult sera baptisée à Pâques ?

— Elle me l'a dit, répondis-je sèchement.

— Et tu n'approuves point ? Vois cela comme un bon bain. Ainsi peut-être cela t'ennuiera-t-il moins.

Je n'étais pas à Æthelingæg pour le baptême d'Iseult. Cela ne me manqua point, car je savais que Pâques avec Alfred ne serait que prières, psaumes, prêtres et sermons. Je préférais partir avec Steapa et cinquante hommes dans les collines, car Alfred avait ordonné que les Danes soient harcelés sans pitié pendant les semaines suivantes. Il avait décidé de rassembler la *fyrd* de Wessex vers l'Ascension, à six semaines de là. Comme, durant ce temps, Guthrum chercherait à redonner des forces à ses chevaux affamés en leur laissant paître l'herbe nouvelle, nous embusquions les expéditions danes. Tuer une patrouille, c'était garantir que la suivante serait protégée par cent cavaliers supplémentaires ; cela épuisait d'autant les chevaux et exigeait encore plus d'expéditions. Cela porta un moment ses fruits, mais Guthrum commença à envoyer ses patrouilles en Mercie, où elles ne rencontraient nulle opposition.

Ce fut une période morne. Il y avait à présent deux forgerons à Æthelingæg, et bien que manquant d'outils et de bois, ils nous faisaient de bonnes pointes de lances. Alfred rédigeait des lettres, cherchant à découvrir combien d'hommes les comtés pouvaient lever, et il envoyait des

279

prêtres en Franquie pour ramener les thanes qui y avaient fui. D'autres espions vinrent de Cippanhamm, confirmant que Svein avait rejoint Guthrum, qui faisait venir des hommes de toutes les régions danes d'Anglie.

Leofric nous accompagnait rarement en patrouille ; il restait à Æthelingæg, car il avait été nommé chef de la garde du roi. Il en était fier, et c'était légitime, car étant d'origine paysanne il ne savait ni lire ni écrire, alors qu'Alfred tenait à ce que ses officiers sachent leur alphabet. L'influence d'Eanflæd était derrière cette promotion, car elle était devenue confidente d'Ælswith. L'épouse d'Alfred n'allait nulle part sans elle – pas même à l'église, où l'ancienne putain prenait place juste derrière elle. Et lorsque Alfred tenait cour, Eanflæd était toujours présente.

– La reine ne t'aime point, me dit-elle l'une des rares fois où je la trouvai seule.

– Elle n'est point reine. Le Wessex n'a point de reines.

– Elle le devrait être, s'indigna-t-elle. (Elle portait une brassée de plantes, et ses bras étaient tachés de vert.) De la teinture, expliqua-t-elle en m'entraînant vers une marmite bouillonnante où elle jeta les plantes. Nous faisons du drap vert.

– Pourquoi ?

– Alfred ne peut combattre sans bannière. (Les femmes cousaient deux bannières. L'une était le grand dragon vert du Wessex, l'autre portait la croix chrétienne.) Ton Iseult s'occupe de la croix, me dit-elle.

– Je sais.

– Tu aurais dû assister à son baptême.

– J'étais occupé à occire des Danes.

– Mais je suis heureuse qu'elle soit baptisée. Elle a entrevu la lumière.

En vérité, Iseult avait subi la rancœur des clercs d'Alfred, été accusée de sorcellerie et d'être l'instrument du Diable, et cela l'avait épuisée. Puis était arrivée Hild et sa religion plus douce, et Pyrlig qui parlait de Dieu dans sa langue, et Iseult s'était laissé convaincre. J'étais maintenant le seul païen du marais. Eanflæd jeta un regard accusateur à mon amulette et me demanda si je pensais vraiment que nous pourrions vaincre les Danes.

– Oui, répondis-je avec une assurance que je n'éprouvais pas.

– Combien d'hommes aura Guthrum ?

Je savais que ces questions étaient en réalité celles d'Ælswith. Elle voulait savoir si son mari avait des chances de survivre, ou s'ils devaient s'embarquer sur le navire pris à Svein et fuir en Franquie.

– Guthrum mènera quatre mille hommes, au moins. Tout dépend du nombre qui viendra de Mercie.

– Et Alfred ?

– De même.

Je mentais. Avec beaucoup de chance, nous pourrions rassembler trois mille hommes, mais j'en doutais. Je craignais que personne ne vienne rejoindre la bannière d'Alfred, ou que seules quelques centaines s'y rallient. Nous étions trois cents à Æthelingæg : que pouvions-nous contre la grande armée de Guthrum ?

Alfred se souciait des renforts et m'envoya au Hamptonscir. À Hamtun, où se trouvait la flotte d'Alfred, les navires étaient toujours tirés sur la grève. Burgweard, le commandant de la flotte, avait plus de cent hommes, et ils gardaient les remparts. Il refusait de quitter Hamtun de peur que les Danes attaquent. Mais j'avais le parchemin d'Alfred portant son sceau au dragon, et je m'en servis pour lui ordonner de poster trente hommes à la garde des navires et envoyer les autres à Alfred.

– Quand ? demanda-t-il d'un ton lugubre.

– Quand tu en recevras l'ordre, mais ce sera bientôt.

– Et si les Danes viennent ? S'ils débarquent par la mer ?

– En ce cas, nous perdrons la flotte, et nous en construirons une autre.

Ses craintes étaient fondées. Des navires danes croisaient sur la côte. Pour l'heure, au lieu de tenter une invasion, ils étaient vikings : ils débarquaient, pillaient, violaient, incendiaient et repartaient en mer. Mais ils étaient assez nombreux pour qu'Alfred redoute de voir une armée entière aborder quelque part et marcher sur lui. Cette peur nous tenaillait, comme de savoir que nous étions si peu et l'ennemi si nombreux.

– L'Ascension, annonça Alfred à mon retour d'Hamtun.

C'était le jour où nous devions être prêts à Æthelingæg, et le dimanche suivant, à la Sainte-Monique, nous allions rassembler la *fyrd*, s'il y en avait une. On racontait que les Danes lanceraient leur attaque au sud sur Wintanceaster, capitale de Wessex. Pour protéger celle-ci et barrer la route à Guthrum, la *fyrd* se rassemblerait à la Pierre d'Egbert. Je n'avais jamais entendu parler de cet endroit, mais Leofric m'assura qu'il était important, car c'était là que le roi Egbert, grand-père d'Alfred, rendait ses jugements.

– Ce n'est point une pierre, mais trois. Deux grands piliers surmontés d'une roche. Les géants la bâtirent dans l'ancien temps.

Les messages furent envoyés, ordonnant à chaque homme de prier pour que ce qui restait du Wessex se rassemble à la Pierre d'Egbert et mène bataille contre les Danes. À peine les parchemins furent-ils envoyés qu'un désastre survint, une semaine avant la date prévue.

Huppa, ealdorman de Thornsæta, écrivit que quarante navires danes croisaient devant ses côtes et qu'il n'osait point emmener la *fyrd*. Pire : il suppliait Harald de Defnascir de lui envoyer des hommes.

La missive abattit Alfred. Il s'était accroché à l'espoir de prendre Guthrum par surprise en levant une armée, et tout s'écroulait. Lui qui avait toujours été maigre était hagard et passait des heures à l'église à lutter avec Dieu, incapable de comprendre pourquoi le Tout-Puissant se retournait soudain contre lui. Deux jours après, Svein du *Cheval-Blanc* mena trois cents cavaliers dans les collines bordant le marais. Des hommes de la *fyrd* du Sumorsæte s'étant rassemblés à Æthelingæg, Svein s'en aperçut et vola leurs chevaux. Nous n'avions ni la place ni le fourrage pour les garder sur l'île même, voilà pourquoi ils pâturaient au-delà du canal. C'est sous mes yeux que Svein, drapé dans sa cape blanche, montant son cheval blanc et coiffé de son casque à plumet blanc, emmena les bêtes. Je ne pus rien faire. J'avais vingt hommes au fort, et Svein en menait des centaines.

— Pourquoi les chevaux n'étaient-ils point gardés ? demanda Alfred.

— Ils l'étaient, dit Wiglaf, ealdorman de Sumorsæte, et les gardes ont péri. (Il vit la colère d'Alfred, mais pas son désespoir.) Nous n'avions point vu de Dane ici depuis des semaines, plaida-t-il. Comment pouvions-nous savoir qu'ils viendraient en nombre ?

— Combien d'hommes ont péri ?

— Seulement douze.

— Seulement ? frémit Alfred. Et combien de chevaux avons-nous perdus ?

— Soixante-trois.

À la veille de l'Ascension, Alfred se promena au bord de la rivière. Beocca, fidèle comme un chien, le suivait à quelques pas, voulant le réconforter, mais ce fût moi qu'Alfred manda. Au clair de lune, ses joues étaient encore plus creusées, et ses yeux pâles presque blancs.

— Combien d'hommes aurons-nous ? demanda-t-il.

— Deux mille. Peut-être un peu plus.

Il grommela. Nous étions trois cent cinquante hommes à Æthelingæg et Wiglaf, ealdorman de Sumorsæte, en avait promis mille, mais je doutais de leur venue. La *fyrd* de Wiltunscir avait été affaiblie par la trahison de Wulfhere, mais le sud du comté pourrait envoyer cinq cents hommes, et nous pouvions en attendre quelques-uns d'Hamptonscir. En dehors de cela, nous dépendions des quelques hommes qui parviendraient à franchir les garnisons de Danes. Si le Defnascir et Thornsæta avaient envoyé leurs *fyrds*, nous aurions approché les quatre mille, mais elles n'arrivaient pas.

– Et Guthrum en aura combien ?

– Quatre mille.

– Probablement cinq mille, rectifia Alfred en contemplant la rivière qui bouillonnait autour des nasses. Devrions-nous nous battre ?

– Avons-nous le choix ?

– Nous l'avons, Uhtred, sourit-il. Nous pouvons fuir en Franquie. Je deviendrais roi en exil et prierais que Dieu me ramène.

– Vous croyez que Dieu le fera ?

– Non, avoua-t-il, sachant que s'il fuyait il mourrait en exil.

– Nous combattrons donc.

– Et sur ma conscience, je porterai éternellement le poids de tous ces hommes morts pour une cause sans espoir. Deux mille contre cinq mille ? Comment puis-je justifier cela ?

– Vous le savez.

– Pour être roi ?

– Pour n'être point esclaves sur notre propre terre.

Il songea à cela un moment. Une chouette nous survola soudain dans un froissement de plumes blanches. C'était un présage, bien sûr, mais de quelle nature ?

– Peut-être est-ce notre châtiment, dit Alfred.

– Pour quoi ?

– Pour avoir pris la terre des Bretons.

Pour moi, c'était absurde. Si le dieu d'Alfred voulait le punir que ses ancêtres aient pris la terre des Bretons, pourquoi envoyait-il les Danes et pas les Bretons ? Dieu pouvait ressusciter Arthur et laisser son peuple se venger, mais pourquoi envoyer un nouveau peuple prendre la terre ?

– Vous voulez le Wessex ou pas ? demandai-je brutalement.

– Dans ma conscience, sourit-il tristement, je ne trouve nul espoir pour cette bataille, mais étant chrétien, je dois croire que nous la remporterons. Dieu ne nous laissera point la perdre.

– Ni ceci, dis-je en frappant la poignée de Soufflede-Serpent.

– Est-ce si simple ?

– La vie est simple. Ale, femmes, épée, réputation. Rien d'autre ne compte.

Il hocha la tête, mais il ne discuta point.

– Donc, si tu étais à ma place, Uhtred, tu marcherais ?

– Vous avez déjà pris votre décision, seigneur. Pourquoi me demander ?

Il se tourna vers les cabanes, le château et l'église qu'il avait fait construire, avec sa grande croix.

– Demain, tu prendras cent cavaliers et tu patrouilleras en avant-garde de l'armée.

– Oui, seigneur.

– Et quand nous rencontrerons l'ennemi, tu choisiras cinquante ou soixante hommes de ma garde. Les meilleurs. Et vous garderez mes bannières.

Il n'eut nul besoin d'en dire plus. Je devais prendre les meilleurs guerriers, les plus féroces, et les mener là où la bataille serait la plus dure, car l'ennemi adore capturer les bannières de son adversaire. C'était un honneur de mener cette mission, et si la bataille était perdue, une condamnation à mort presque certaine.

– Je le ferai avec joie, seigneur, mais je vous demanderai une faveur en retour.

– Si je le puis, dit-il prudemment.

– Si vous le pouvez, ne m'enterrez point. Brûlez mon corps sur un bûcher en me laissant en main mon épée.

Il acquiesça en hésitant, car il venait d'accepter des funérailles païennes.

– Je ne t'ai encore point dit que j'étais navré pour ton fils.

– Je le suis aussi, seigneur.

– Mais il est avec Dieu, Uhtred, assurément.

– C'est ce que l'on me dit, seigneur.

Et le lendemain, nous marchâmes. La destinée est inexorable, et même si les chiffres et la raison nous assuraient que nous ne pouvions gagner, nous n'osions point perdre et nous allâmes à la Pierre d'Egbert.

Nous partîmes en procession. Vingt-trois prêtres et dix-huit moines marchaient en chantant un psaume. Comme il était en latin, je n'y comprenais goutte. Le père Pyrlig, juché sur un cheval, revêtu d'une cotte de cuir, une épée au côté et une lance sur l'épaule, me le traduisit au fur et à mesure :

– « Mon Dieu, tu m'as abandonné, tu nous as dispersés dans ton courroux, reviens maintenant vers nous. » Cela semble une bien raisonnable requête, ne crois-tu pas ? Tu nous as donné un coup en pleine face, maintenant cajole-nous.

– C'est vraiment ce qu'il dit ?

– Non, cette histoire de coups et de cajoleries, c'est de moi, sourit-il. La guerre me manque. N'est-ce pas un péché ?

– Vous avez vu la guerre ?

– Si je l'ai vue ? J'étais un guerrier, avant que de rejoindre l'Église ! Pyrlig l'Intrépide, tel était mon nom. J'ai tué un jour quatre Saxons. Tout seul et armé de ma seule lance. Au pays, on composa une chanson sur moi, mais sache que les Bretons font des chansons pour tout. Je puis te la chanter, si tu le veux. Elle raconte que j'ai occis trois cent quatre-vingt-quatorze Saxons en un seul jour. Ce n'est point tout à fait vrai…

– Combien en avez-vous tué, alors ?

– Je te l'ai dit : quatre.

– Comment avez-vous appris l'angle ?

– Ma mère était saxonne, la pauvre. Elle avait été capturée en Mercie et faite esclave.

– Alors pourquoi avez-vous cessé d'être guerrier ?

– Parce que j'ai trouvé Dieu, Uhtred. Ou bien est-ce lui
qui m'a trouvé ? Et je devenais trop orgueilleux. Quand
on compose des chansons sur toi, cela te monte à la tête,
et l'orgueil est chose terrible.

– C'est l'arme du guerrier.

– En vérité, voilà pourquoi c'est terrible et que je prie
Dieu de m'en purger.

Nous avions dépassé les prêtres et gravissions une colline pour voir l'ennemi au nord et à l'est. Les voix des
clercs nous suivaient, hautes et claires dans le matin.

– « Par la grâce de Dieu nous serons braves, me traduisit Pyrlig. Et piétinerons nos ennemis. » Voilà une belle
pensée pour cette matinée, seigneur Uhtred !

– Les Danes disent aussi leurs prières, mon père.

– Mais à quel dieu, hein ? Il ne sert à rien de hurler à
l'oreille d'un sourd, non ? Pas une souris en vue, consta-
ta-t-il en contemplant le nord.

– Les Danes nous observent, dis-je. Nous ne les pouvons voir, mais eux si.

S'ils nous observaient, ils devaient voir les trois cent
cinquante hommes d'Alfred marchant ou chevauchant, et
à quelque distance les cinq ou six cents de la *fyrd* du
Sumorsæte qui avaient campé au sud du marais et
venaient nous rejoindre. La plupart des hommes
d'Æthelingæg étaient de vrais soldats, rompus au mur de
boucliers. J'avais voulu qu'Eofer, le vaillant archer, nous
rejoigne. Mais il ne pouvait combattre sans que sa nièce
le lui ordonne et je dus y renoncer, car il n'était pas question d'emmener une enfant à la guerre. Bon nombre de
femmes et d'enfants suivaient la colonne, mais Alfred

287

avait envoyé Ælswith et les siens au sud, à Scireburnan, sous la garde de quarante hommes dont nous aurions eu bien besoin. Elle devait attendre là-bas et, en cas de victoire des Danes, fuir pour la Franquie, en emportant tous les livres qu'elle pourrait trouver à Scireburnan : Alfred voulait sauver les Évangiles, vies des saints et pères de l'Église, histoires et philosophes, afin d'en éduquer son fils Edward et d'en faire un roi en exil lettré.

Iseult accompagnait l'armée avec Hild et Eanflæd, qui avait tenu à suivre Leofric. Les femmes menaient les chevaux de somme qui transportaient boucliers, vivres et lances. Presque toutes portaient une arme quelconque. La nonne Hild, voulant se venger des Danes qui l'avaient faite putain, avait un long coutelas.

– Dieu aide les Danes, avait remarqué le père Pyrlig en les voyant, si cette bande se jette sur eux.

Nous avancions sous un Ciel printanier et dans une campagne fleurie. Les prêtres chantaient toujours, et parfois les hommes qui suivaient les deux porte-bannières d'Alfred entonnaient un chant guerrier.

– Iseult chante parfois pour toi, n'est-ce pas ? demanda Pyrlig en battant la mesure.

– Oui.

– Nous autres Bretons aimons chanter ! Je dois lui enseigner quelques hymnes. (Puis, voyant mon regard noir :) Point d'inquiétude, Uhtred, elle n'est pas chrétienne.

– Vraiment ? m'étonnai-je.

– Je suis navré que tu ne sois venu à son baptême. Que cette eau était froide ! Elle m'a gelé !

– Elle est baptisée, mais vous dites qu'elle n'est point chrétienne ?

– Elle l'est et ne l'est point, sourit-il. Elle l'est pour l'heure, car elle marche parmi les chrétiens. Mais c'est toujours une reine de l'ombre, et elle ne l'oubliera point.

– Vous croyez aux reines de l'ombre ?

– Bien sûr ! Bon Dieu, mon garçon ! C'en est une ! s'exclama-t-il en se signant.

– Le frère Asser la traitait de sorcière.

– C'est compréhensible, puisqu'il est moine ! Il a grande peur des femmes, le frère Asser, sauf si elles sont fort laides, alors il les rudoie. Mais montre-lui une belle fleur et il en est tout retourné. Il déteste le pouvoir des femmes.

– Leur pouvoir ?

– Non point seulement leur giron, si attirant soit-il, mais le vrai pouvoir. Ma mère le possédait. Elle n'était point reine de l'ombre, mais guérisseuse et devineresse.

– Elle voyait l'avenir ?

– Non, mais elle savait ce qui se passait au loin. Quand mon père mourut, elle poussa un cri à se tuer. Et elle avait raison. Le pauvre homme avait été tranché en deux par un Saxon. Mais elle était surtout une grande guérisseuse. On venait la voir de cent lieues à la ronde. Elle était peut-être née saxonne, mais ils marchaient pendant une semaine pour qu'elle pose sa main sur eux. Moi, j'y avais droit gratis ! Elle me battait, mais je sais que je le méritais, et c'était une grande guérisseuse. Et bien sûr, les prêtres n'aimaient point cela.

– Pourquoi ?

– Parce qu'ils enseignent au peuple que tout pouvoir vient de Dieu. Quand les gens sont malades, l'Église veut qu'ils prient et donnent de l'argent aux prêtres. Ceux-là n'aiment point que le peuple aille se faire guérir par des femmes. Mais pourraient-ils faire autrement ? La main de ma mère, Dieu l'ait en sa sainte garde, était meilleure que toute prière et que tous les sacrements ! Quant à ton Iseult, elle est née avec le pouvoir et ne le perdra point.

– Le baptême ne l'en a point lavée ?

– Pas du tout ! Cela l'aura lavée et fort rafraîchie. Il n'y a rien de mal à prendre un bain une ou deux fois l'an, dit-il en riant. Mais elle avait peur, dans le marais. Comme tu étais parti et que tous ces Saxons crachaient qu'elle était païenne, que croyais-tu qu'elle ferait ? Elle voulait qu'on cesse de cracher sur elle, et a donc annoncé qu'elle se ferait baptiser. Et peut-être est-elle vraiment chrétienne… Je loue Dieu de sa miséricorde, mais je préfère le louer pour qu'il la rende heureuse.

– Vous ne pensez point qu'elle l'est ?

– Bien sûr que non ! Elle t'aime ! rit-il. Et t'aimer signifie vivre avec les Saxons, non ? La pauvre ! Elle est comme une belle biche parmi des porcs.

– Quel don vous avez pour les mots…

Il éclata de rire, ravi de l'insulte.

– Remporte ta guerre, seigneur Uhtred, et emmène-la loin des prêtres et lui donne maints enfants. Elle sera heureuse, et un jour véritablement sage. C'est le vrai don des femmes que d'être sages, et peu d'hommes le sont.

Le mien était d'être un guerrier, mais nous ne combattîmes point ce jour-là. Nous ne vîmes nul Dane, mais j'étais sûr que Guthrum savait désormais qu'Alfred était sorti du marais et marchait vers les terres. Nous lui donnions la possibilité de nous anéantir et achever le Wessex.

Nous passâmes la nuit dans un fort de terre construit par les anciens. Le lendemain matin, nous reprîmes le chemin sur cette terre affamée. J'ouvrais la marche, suivi de neuf hommes, explorant les collines en quête de l'ennemi, mais tout semblait désert. Les freux volaient, les lièvres dansaient et les coucous chantaient dans les bois remplis de campanules bleues, mais il n'y avait nul Dane. Un homme du Wiltunscir nous guida vers la vallée de la Willig, où se trouve la Pierre d'Egbert.

À une demi-lieue de la vallée, nous aperçûmes Alfred et Leofric, escortés de cinq soldats et de quatre prêtres, dont Beocca.

– Es-tu allé à la Pierre ? s'enquit aussitôt Alfred.

– Non, seigneur.

– Sans doute des hommes nous y attendent-ils, répondit-il, déçu que je ne lui apporte pas de nouvelles.

– Je n'ai point vu de Danes non plus, seigneur.

– Il leur faudra deux jours pour s'organiser, dit-il sans s'émouvoir. Mais ils viendront, ils viendront et nous les battrons ! (Il se retourna vers Beocca.) Souffrez-vous, mon père ?

– J'ai grande douleur, seigneur.

– Vous n'êtes point cavalier, Beocca, mais ce n'est plus très loin. Vous pourrez vous reposer, répondit Alfred, d'humeur fébrile. Vous reposer avant le combat, hein ! Repos, prière, mon père, puis prière et combat. Prière et combat !

Il éperonna son cheval, et nous le suivîmes entre les arbres en fleurs jusqu'à une crête.

– Defereal est de l'autre côté, seigneur ! cria mon guide.

C'était le nom du village où se trouvait la Pierre d'Egbert. Alfred galopait si vite que sa cape flottait derrière lui. Le cheval de Beocca trébucha et il fut désarçonné. C'était en effet un mauvais cavalier, mais cela n'avait rien d'étonnant, puisqu'il était infirme.

– Je ne suis point blessé ! cria-t-il. Guère ! Continue, Uhtred, continue !

Je rattrapai son cheval, et Beocca nous rejoignit en boitillant.

– Nous aurions dû prendre les bannières, dit-il en reprenant les rênes.

– Pourquoi ?

– Afin que la *fyrd* sache que le roi est là. Ils devraient voir les bannières flotter sur l'horizon. La croix et le dragon, hein ! *In hoc signo* ! Alfred sera le nouveau Constantin, Uhtred, un guerrier de la croix ! *In hoc signo*, Dieu soit loué, oh, oui, Dieu soit loué de toutes nos forces !

Je ne compris point de quoi il parlait, mais je m'en moquais. Car j'avais atteint le haut de la colline et je contemplais toute la vallée de la Willig. Elle était déserte. Pas un homme en vue. Seulement la rivière, un héron, les saules et les marécages, l'herbe ployant sous le vent et la triple Pierre d'Egbert juste au-dessus de la Willig, où notre armée devait se rassembler. Et il n'y avait personne.

Les hommes d'Æthelingæg descendirent dans la vallée, rejoints par la *fyrd* de Sumorsæte. Ensemble, cela faisait mille hommes, dont la moitié était armée, et les autres tout justes bons à achever les blessés.

Je ne pouvais affronter la déception d'Alfred. Il ne prononça pas un mot, mais son long visage maigre était pâle et pincé, tandis qu'il réfléchissait au lieu où établir notre campement. J'emmenai Leofric, Steapa et Pyrlig en haut d'une abrupte colline où les Anciens avaient érigé leurs étranges tombes.

– C'est rempli de dragons, frissonna Pyrlig.

– Vous en avez vu ?

– Serais-je en vie ? Personne n'y survit !

– Je croyais que des gens étaient enterrés ici, dis-je en contemplant le tumulus.

– Il y en a ! Avec leurs trésors ! Et le dragon le garde. C'est son travail. On enterre l'or et on fait éclore un dragon, vois-tu ?

Les chevaux eurent du mal à gravir la pente, mais du sommet nous dominions toute la région. J'y étais monté pour voir si les Danes arrivaient. Alfred pensait peut-être qu'il leur faudrait deux ou trois jours pour arriver, mais je m'attendais à voir leurs éclaireurs et il était possible qu'une patrouille essaye de harceler le campement auprès de la Willig.

Mais je ne vis personne. Au nord-est s'étendaient des pâtures et des collines, et droit devant une plaine mouchetée par l'ombre des nuages.

– Que faisons-nous ? me demanda Leofric.

– Dis-moi.

– Mille hommes ? Nous ne pouvons combattre les Danes avec si peu. (Je ne répondis pas. Loin au nord, des nuages noirs se massaient sur l'horizon.) Nous ne pouvons même pas rester ici, continua-t-il. Où allons-nous ?

– Nous retournons au marais ? proposa Pyrlig.

– Si les Danes envoient cent bateaux par les rivières, le marais est à eux, protestai-je.

– Allons au Defnascir, grommela Steapa.

Mais ce serait pareil là-bas. Nous serions en sécurité un temps parmi les collines et les forêts, puis les Danes viendraient. De petite bataille en petite bataille, Alfred serait saigné à mort. Voilà pourquoi il souhaitait conclure la guerre d'un seul coup : parce qu'il ne voulait pas que la faiblesse du Wessex se sache.

Nous étions faibles. Un millier. C'était tragique. Nous étions des rêves fracassés, et soudain je me mis à rire.

– Qu'y a-t-il ? demanda Leofric.

– Quand je pense qu'Alfred tenait à ce que j'apprenne à lire !

Leofric sourit à ce souvenir.

– Lire est utile, intervint Pyrlig.

– Pour quoi ?

Il resta songeur dans le vent qui ébouriffait ses cheveux et sa barbe.

– Tu peux lire toutes ces merveilleuses histoires dans les Évangiles et les vies des saints ! Qu'est-ce que tu en dis, hein ? Remplies de belles choses, ces histoires. Et sainte Donwen ! Une bien belle femme, qui donna à son amant un breuvage qui le changea en glace.

– Pourquoi fit-elle cela ? demanda Leofric.

– Elle ne voulait point l'épouser, voyons ! (Comme sa tentative pour détendre l'atmosphère échouait, il contempla le nord.) C'est de là qu'ils viendront, alors ?

– Probablement, dis-je.

À cet instant, je vis quelque chose bouger au loin et je regrettai qu'Iseult ne soit pas avec nous, car elle avait une vue fort perçante. N'ayant pas de cheval, elle n'avait pu venir, car nous réservions nos montures aux soldats. Les Danes, eux, en avaient des milliers, dont celles qu'ils avaient volées à Alfred à Cippanhamm et dans tout le Wessex.

– Peut-être ne viendront-ils pas, repris-je. Peut-être nous contournerons-ils pour prendre Wintanceaster.

Pyrlig tourna bride.

– C'est donc sans espoir ? demanda-t-il.

– Ils sont quatre ou cinq fois plus nombreux que nous.

– En ce cas, nous devrons être plus braves encore !

– Chaque Dane qui débarque en Anglie, mon père, est un guerrier. Les fermiers restent en Danemark, mais les plus sanguinaires sont ici. Et nous ? Nous sommes tous paysans, et il faut trois ou quatre des nôtres pour abattre un guerrier.

– Vous êtes des guerriers, tous ! Vous savez vous battre ! Vous pouvez inspirer et mener les hommes afin d'occire l'ennemi. Et Dieu est à vos côtés ! Alors, qui peut vous vaincre ? Est-ce un signe que tu attends ?

– Donne-m'en un.

– Eh bien, regarde, dit-il en désignant la Willig.

Je me retournai et vis le miracle que nous attendions. Des hommes arrivaient, par centaines. Ils venaient de l'est et du sud, des collines, c'étaient les hommes de la *fyrd* de Wessex venus sur l'ordre du roi sauver leur terre.

– Maintenant, nous ne sommes plus qu'à deux fermiers contre un guerrier ! fit Pyrlig, jovial.

– Jusqu'au cou, soutint Leofric.

Mais nous n'étions plus seuls.

12

Les hommes arrivaient en troupes nombreuses, menés par leurs thanes, d'autres en petites bandes. Ensemble, ils formèrent une armée. Arnulf, ealdorman de Suth Seaxa, amena près de quatre cents hommes, et s'excusa qu'ils ne soient pas davantage, mais des navires danes croisaient sur ses côtes et il avait été forcé de laisser une partie de sa *fyrd* garder le rivage. Les hommes de Wiltunscir avaient été mandés par Wulfhere pour rejoindre l'armée de Guthrum ; mais le bailli, un homme sinistre nommé Osric, avait parcouru le sud du comté et plus de huit cents hommes avaient ignoré les ordres de leur ealdorman pour rejoindre Alfred. D'autres étaient venus des confins du Sumorsæte pour se joindre à la *fyrd* de Wiglaf, qui comptait désormais mille hommes, et moitié moins venaient d'Hamptonscir, dont la garnison de Burgweard, avec Eadric et Cenwulf, de l'équipage de l'*Heahengel*, qui m'étreignirent, ainsi que le père Willibald, aussi impatient qu'angoissé. Presque tous étaient venus à pied : ils étaient las et affamés, leurs bottes se décousaient, mais ils avaient épées, haches, lances et boucliers, et à la moitié de l'après-midi, nous étions près de trois mille dans la vallée de la Willig. Et d'autres arrivaient encore…

Alfred m'envoya en éclaireur vers la colline d'où je les avais vu arriver. Le père Pyrlig proposa de m'accompagner. Le roi parut surpris, mais il y consentit.

– Ramenez-nous Uhtred sain et sauf, mon père, lâcha-t-il avec raideur.

Je me tus tandis que nous traversions le camp. Une fois seuls, je lui jetai un regard noir.

– C'était arrangé, dis-je. Il avait fait seller votre cheval ! Que veut Alfred, alors ?

– Que je te convainque de devenir chrétien, bien sûr, sourit Pyrlig. Le roi a grande foi en mes talents d'orateur.

– Je suis chrétien, dis-je.

– Allons bon, vraiment ?

– J'ai été baptisé, n'est-ce pas ? Et par deux fois, il se trouve.

– Par deux fois ? Doublement saint, alors ? Comment se fait-il ?

– Parce que mon nom a été changé quand j'étais enfant et que ma marâtre croyait que Dieu ne me reconnaîtrait point sous mon ancien nom.

– Alors ils ont chassé de toi le Diable la première fois et te l'ont refait boire à la seconde ? dit-il en riant. (Je ne répondis rien.) Alfred veut que je fasse de toi un bon chrétien, reprit-il après un silence, parce qu'il espère la bénédiction de Dieu.

– Il croit que Dieu nous maudira parce que je me bats pour lui ?

– Non, il sait que l'ennemi est païen, Uhtred. Si les Danes sont victorieux, cela signifiera que le Christ est vaincu. Ce n'est pas qu'une guerre pour de la terre, mais pour Dieu. Et Alfred, le pauvre, étant le serviteur du Christ, veut faire tout son possible pour son maître. Voilà pourquoi il tente de faire de toi un pieux exemple d'humilité chrétienne. S'il peut te faire mettre à genoux, il n'aura aucun mal à faire ramper les Danes.

Il avait voulu me faire rire et il y parvint.

– Si cela encourage Alfred, dis-lui que je suis un bon chrétien.

– J'en avais l'intention, pour lui faire plaisir, mais en vérité je voulais venir avec toi.

– Pourquoi ?

– Parce que la bataille me manque. Mon Dieu, qu'elle me manque ! J'aimais être un guerrier. Toute cette inconséquence me ravissait. Tuer et faire des veuves, effrayer les enfants ! Je savais m'y prendre et cela me manque. Et j'ai toujours été un bon éclaireur. Nous vous voyions, vous autres Saxons, arriver aussi discrètement que porcs. Vous n'avez jamais su que nous vous repérions. Ne te fais nul souci, je ne chercherai pas à te faire aimer le Christ.

Alfred ayant grand besoin d'informations sur l'ennemi, Pyrlig et moi remontâmes la vallée jusqu'à une petite rivière. Nous la suivîmes et traversâmes un petit village réduit en cendres. Elle traversait de bonnes terres, mais il n'y avait ni moutons ni bétail et les champs étaient envahis de mauvaises herbes. Nous avancions lentement, car les chevaux étaient fatigués et nous nous trouvions loin de l'armée. Nous arrivâmes dans un verger, Pyrlig me montra des traces de sabots dans la boue. Elles étaient fraîches et nombreuses.

– Ces gueux sont passés par ici, dit-il, il n'y a guère longtemps. (Je scrutai la vallée. Des collines boisées s'élevaient de part et d'autre. J'eus soudain la désagréable sensation d'être épié.) Si j'étais un Dane, je serais par là, reprit-il en montrant les arbres.

Nous allâmes dans cette direction, lentement, comme si nous ne nous soucions de rien. Arrivés dans les bois, nous cherchâmes vainement d'autres traces. Seul le vent soufflait dans les branches. Pourtant, je savais que les Danes n'étaient point loin, comme un chien sent la présence de loups dans l'obscurité.

En arrivant à la limite des arbres, nous les vîmes enfin. Une quarantaine de Danes se trouvaient sur le versant opposé. C'étaient des éclaireurs revenant du Sud.

– Ils nous ont vus, constata Pyrlig.

– Je crois.

– Mais pourquoi ne nous attaquent-ils pas ?

– Regarde-moi.

– J'ai ce plaisir chaque jour.

– Ils m'ont pris pour un Dane. (Comme je ne portais ni cotte ni casque, mes longs cheveux flottaient et l'on voyait mes bracelets.) Ils ont dû vous prendre pour l'ours que je montre dans les foires.

Il éclata de rire.

– Nous les suivons ? proposa-t-il.

Nous nous aventurâmes donc en terrain découvert et gagnâmes le bois d'en face. Nous entendîmes les Danes avant de les voir. Ils riaient et bavardaient sans se soucier que des Saxons soient tout près. Pyrlig cacha son crucifix sous sa cotte de cuir. Nous attendîmes que le dernier soit passé pour les suivre. Les ombres qui s'allongeaient me firent penser que l'armée dane devait être proche pour que les éclaireurs veuillent la rejoindre avant la nuit. Mais lorsque nous atteignîmes un terrain plat, nous vîmes qu'ils n'avaient nulle intention de retrouver les forces de Guthrum le soir venu. Ces Danes avaient leur propre camp ; en approchant, nous manquâmes nous faire surprendre par une autre patrouille à cheval. Nous sautâmes de selle et nous faufilâmes au milieu des arbres pour compter les ennemis dans le camp.

Ils étaient environ cent cinquante dans un petit pré. Des feux étaient allumés, indiquant qu'ils prévoyaient de passer la nuit sur place.

– Rien que des patrouilles, fit Pyrlig.

– Ces bâtards, sifflai-je.

Ils se sentaient suffisamment à l'abri pour camper à découvert, certains qu'aucun Saxon ne les attaquerait. Et ils avaient raison. L'armée saxonne était bien loin au sud, et comme nous n'avions pas de troupes dans les environs, les Danes pourraient passer une nuit tranquille et, au matin, aller épier les mouvements d'Alfred.

– Nous devrions nous en retourner, dit Pyrlig. Il va bientôt faire nuit.

Ayant entendu des voix, je levai la main pour le faire taire et me glissai sur ma droite, toujours dans les taillis. J'eus la confirmation de ce qu'il m'avait semblé entendre : on parlait angle.

– Ils ont des Saxons avec eux, murmurai-je.

– Des hommes de Wulfhere ?

C'était logique. Les hommes de Wulfhere connaissant la région, qui mieux qu'eux pouvait guider les Danes ?

Les Saxons entraient dans la forêt et nous restâmes dissimulés derrières des aubépines. Ils coupaient du bois et semblaient être une douzaine. Wulfhere n'aurait envoyé que des hommes en qui il avait confiance, craignant que d'autres moins loyaux désertent pour rejoindre Alfred ou s'enfuient. Ces hommes devaient donc être sa garde personnelle.

– Rentrons, chuchota Pyrlig.

Au même instant, une voix indignée s'éleva :

– J'irai demain.

– Vous n'irez point, seigneur, répondit un homme à la voix grave.

Deux hommes s'étaient écartés pour pisser dans les buissons.

– Je veux les voir ! plaida la voix.

– Vous les verrez bien assez tôt. Mais pas demain. Vous resterez ici avec les gardes.

Très lentement, pour ne point faire de bruit, je dégainai Souffle-de-Serpent. Pyrlig me regarda faire, étonné.

– Éloignez-vous et faites du bruit, lui chuchotai-je.

Il fronça les sourcils sans comprendre, puis il se leva et retourna vers nos chevaux en sifflotant doucement. Aussitôt, les deux hommes le suivirent. L'homme à la voix grave était un vieux guerrier massif, au visage balafré.

– Toi ! cria-t-il. Halte-là !

Au même instant, je surgis du buisson et d'un seul coup d'épée lui tranchai la gorge, le décapitant presque. L'homme tomba comme une pierre. Le second fut si étonné et effrayé qu'il resta pétrifié. Je l'empoignai par le bras pour l'entraîner dans les taillis.

– Tu ne peux… commença-t-il.

Je plaquai la lame sanglante de Souffle-de-Serpent sur sa bouche et il se tut dans un geignement.

– Pas un mot, ou tu es mort.

Pyrlig revenait, épée au poing. Il regarda l'homme gisant à terre, s'agenouilla et esquissa un signe de croix sur son front. Aucun des autres n'avait semblé rien remarquer.

– Nous allons ramener celui-ci à Alfred, dis-je. Toi, pas un mot, sinon je te fends en deux du gosier au cul. Tu as compris ? (Il hocha la tête.) Parce que je te rends la faveur que je te dois, souris-je.

Car mon captif était Æthelwold, neveu d'Alfred et roi présomptif des Saxons de l'Ouest.

L'homme que j'avais tué se nommait Osbergh et commandait la garde personnelle de Wulfhere. Il avait pour tâche ce jour-là de protéger Æthelwold. Légitimement, le neveu d'Alfred aurait dû être roi de Wessex. Mais il aurait été le dernier tant il était impétueux et imprudent, et il se consolait d'avoir perdu le trône auprès de l'ale et des femmes. Pourtant, il voulait devenir guerrier. Mais Alfred l'en avait empêché, redoutant qu'il se taille une réputation sur le champ de bataille. Æthelwold, roi légitime, devait rester un écervelé pour que nul ne voie en lui un rival d'Alfred pour le trône. Il aurait été bien plus simple de l'occire, mais Alfred était sentimental, ou bien c'était sa conscience chrétienne. Quoi qu'il en soit, Æthelwold avait récompensé la miséricorde de son oncle en se ridiculisant constamment.

Ces derniers mois il avait été libéré de la tutelle d'Alfred. Il portait une cotte de mailles et des épées. C'était un homme impressionnant, grand et séduisant ; il jouait bien le rôle du guerrier, même s'il n'en avait point l'âme. Il s'était pissé dessus quand j'avais posé mon épée sur sa gorge, et maintenant qu'il était mon prisonnier il ne relevait point la tête. Soumis et effrayé, il était content de s'en remettre à quelqu'un.

Il nous raconta qu'il avait harcelé Wulfhere pour obtenir le droit de se battre.

— Wulfhere m'avait nommé chef, mais je devais toujours obéir à Osbergh, maugréa-t-il.

— Wulfhere a été bien sot de te laisser t'éloigner ainsi, répondis-je.

— Je crois qu'il était las de moi, avoua Æthelwold.

— Las de toi ? Tu troussais son épouse ?

— Ce n'est qu'une servante ! Mais je voulais me joindre aux patrouilles d'éclaireurs, et Wulfhere disait que j'apprendrais beaucoup d'Osbergh.

— Tu viens d'apprendre comment pisser dans un buisson d'aubépines, c'est déjà beaucoup.

Les mains liées, Æthelwold chevauchait la bête de Pyrlig, que le prêtre gallois tenait par les rênes. J'expliquai à Pyrlig qui était notre prisonnier et le prêtre sourit.

— Alors tu es prince de Wessex ?

— Je devrais être roi, bougonna Æthelwold.

— Que non, dis-je.

— Mon père l'était ! Et Guthrum m'a promis de me couronner.

— Si tu l'as cru, tu es un fichu sot. Tu aurais été roi le temps qu'il aurait eu besoin de toi, ensuite tu aurais été mort.

— Maintenant, c'est Alfred qui va me tuer, geignit-il.

— Je lui parlerai. Tu t'agenouilleras devant lui et diras que tu désirais échapper aux Danes, et qu'ayant réussi tu nous as trouvés et es venu lui offrir ton épée. (Il me dévisagea sans comprendre.) Je te dois une faveur, je te donne donc la vie. Comprends-tu ?

– Mais Alfred me déteste !

– Bien sûr, mais si tu t'agenouilles et jures que tu n'as jamais rompu ton serment d'allégeance envers lui, que pourra-t-il faire ? Il t'étreindra, te récompensera et sera fier de toi.

– Vraiment ?

– Du moment que tu lui dis où sont les Danes, ajouta Pyrlig.

– Je puis le faire. Ils sont partis ce matin de Cippanhamm pour le Sud.

– Combien sont-ils ?

– Cinq mille.

– Ils viennent ici ?

– Ils iront où se trouve Alfred. Ils pensent pouvoir l'anéantir. Ensuite, ce sera un été d'argent et de femmes… conclut-il plaintivement, me laissant entendre qu'il aurait été ravi de piller le Wessex. Combien d'hommes a Alfred ?

– Trois mille.

– Mon Dieu !

– Tu as toujours voulu être un guerrier. Quelle réputation pourrais-tu te faire si tu combattais contre une petite armée ?

La nuit tomba. Il n'y avait point de lune, mais en suivant la rivière nous ne pouvions nous perdre. Peu après, nous aperçûmes les lueurs des feux du campement d'Alfred. Je me retournai et distinguai au loin une autre lueur, celle de l'armée de Guthrum.

– Si tu me laisses aller, fit Æthelwold d'un ton boudeur, qu'est-ce qui m'empêche de retourner auprès de Guthrum ?

– Absolument rien, hormis la certitude que je te traquerai et t'occirai.

– Tu es sûr que mon oncle sera heureux de me voir ?

– Il t'accueillera à bras ouverts ! dit Pyrlig. Comme le fils prodigue. On abattra des veaux pour fêter ton retour et on chantera des psaumes. Répète simplement à Alfred ce que tu nous as dit concernant Guthrum.

Je libérai Æthelwold puis lui rendis ses armes, une longue épée et une spathe.

– Eh bien, mon prince, le moment est venu de ramper, hein ? lui dis-je.

Nous trouvâmes Alfred au centre du camp. N'ayant point de bêtes pour tirer des chariots chargés de tentes et meubles, il était assis sur une cape étendue entre deux feux. Il semblait abattu. J'appris plus tard qu'il avait rassemblé l'armée au crépuscule pour prononcer un discours que même Beocca avait trouvé peu convaincant.

– Plus un sermon qu'une harangue, remarqua-t-il tristement.

Alfred avait invoqué Dieu, parlé de la juste guerre de saint Augustin, de Boèce et du roi David. Rien de tout cela n'avait rassuré les soldats fatigués et affamés. À présent, le roi était assis avec les chefs de l'armée, mangeant du pain dur et moisi et de l'anguille fumée. Le père Adelbert, prêtre qui nous avait accompagnés à Cippanhamm, jouait un air mélancolique sur sa harpe. Un choix malheureux, à mon avis. En me voyant, Alfred lui fit signe de cesser.

– As-tu des nouvelles ? demanda-t-il.

Pour toute réponse, je m'effaçai et m'inclinai vers Æthelwold.

– Seigneur, je vous amène votre neveu.

Alfred se leva. Il était décontenancé, d'autant plus qu'Æthelwold n'était point prisonnier puisqu'il portait ses deux épées. Il avait fière allure, en vérité, et paraissait plus royal qu'Alfred. Il était bien fait et bel homme, alors qu'Alfred était beaucoup trop maigre et si hagard qu'il paraissait plus que ses vingt-neuf ans. Des deux, ce fut Æthelwold qui sut comment se conduire en cet instant. Il déboucla son ceinturon et jeta ses épées dans un grand fracas aux pieds d'Alfred. Puis il s'agenouilla, joignit les mains et leva les yeux vers le roi.

– Je t'ai trouvé ! s'exclama-t-il, comme submergé par la joie.

Médusé, Alfred ne sut que dire. Je m'avançai alors.

– Nous l'avons découvert dans les collines, seigneur. Il vous cherchait.

– J'ai échappé à Guthrum, mentit Æthelwold. Dieu soit loué ! J'ai échappé à ce païen. Mes lames sont tiennes, seigneur, dit-il en poussant ses épées à ses pieds.

Devant cet extravagant déploiement de loyauté, Alfred n'eut d'autre choix que de relever son neveu et de l'étreindre. Les hommes rassemblés autour des feux applaudirent. Puis Æthelwold informa utilement Alfred que Guthrum était en route, accompagné de Svein du *Cheval-Blanc*. Ils savaient où était Alfred et menaient leurs cinq mille hommes pour lui livrer bataille dans les collines de Wiltunscir.

– Quand seront-ils ici ? demanda Alfred.

– Ils devraient atteindre ces collines demain, seigneur.

Æthelwold fut donc assis à côté du roi et on lui donna de l'eau. Ce n'était guère généreux pour fêter le retour du prince prodigue, et il me jeta un regard désolé. J'aperçus alors Harald, bailli de Defnascir, parmi les compagnons du roi.

– Tu es ici ? demandai-je, surpris.

– Avec cinq cents hommes, répondit-il fièrement.

Nous ne comptions point sur les hommes de Defnascir ou Thornsæta, mais Harald, le bailli, en avait amené quatre cents de sa propre *fyrd* et cent de Thornsæta.

– Il en reste assez pour protéger la côte de la flotte des païens, précisa-t-il, et Odda a tenu à ce que nous aidions à vaincre Guthrum.

– Comment va Mildrith ?

– Elle prie pour son fils et pour nous tous.

Nous en fîmes autant après le repas. Il y avait toujours des prières avec Alfred. J'essayai de m'y soustraire, mais Pyrlig me retint.

– Le roi veut te parler, souffla-t-il.

J'attendis donc qu'Alfred vienne me demander si Æthelwold s'était vraiment enfui.

– C'est ce qu'il m'a déclaré, seigneur. Je ne puis que vous dire que je l'ai trouvé.

– Il ne s'est pas enfui en nous voyant, et il l'aurait pu, ajouta Pyrlig.

– Il y a donc quelque chose de bon chez ce garçon, remarqua le roi.

– Dieu en soit remercié, dit Pyrlig.

– J'ai parlé à l'armée ce soir, lâcha Alfred en contemplant les braises.

– On me l'a dit, seigneur, répondis-je.

– Que t'a-t-on dit? demanda-t-il vivement.

– Que vous aviez prêché aux soldats, seigneur.

Il se raidit, puis accepta la critique.

– Que veulent-ils entendre? demanda-t-il.

– Ils veulent savoir que vous êtes prêt à mourir pour eux.

– Mourir?

– Les hommes suivent, le roi mène, expliqua Pyrlig. Peu leur chaut saint Augustin, ils tiennent seulement à ce que leurs femmes et enfants soient à l'abri, leurs terres protégées et leur avenir assuré. Ils veulent savoir qu'ils vont vaincre et que les Danes vont trépasser. Ils veulent entendre qu'ils seront riches en butin.

– Cupidité, vengeance et égoïsme? demanda Alfred.

– Si vous aviez une armée d'anges, seigneur, continua Pyrlig, un discours exalté sur Dieu et les saints enflammerait sans doute leur ardeur. Mais vous devez combattre avec de simples mortels, et il n'y a rien que cupidité, vengeance et égoïsme pour les inspirer.

Alfred fronça les sourcils devant ce conseil, mais ne discuta point.

– Je puis donc avoir foi en mon neveu ? demanda-t-il.

– Je ne peux l'affirmer, dis-je, mais Guthrum ne le peut pas davantage. Et puisque Æthelwold vous cherchait, seigneur, soyez-en heureux.

– Je le serai.

Il prit congé tandis que les feux se mouraient.

– Pourquoi n'avez-vous pas dit la vérité sur Æthelwold ? demandai-je à Pyrlig.

– J'ai préféré faire confiance à ton jugement.

– Vous êtes un homme de bien.

– Et cela ne laisse jamais de m'étonner.

J'allai retrouver Iseult qui dormait.

Le lendemain, au nord, le Ciel était gonflé de nuages noirs tandis que le soleil resplendissait au-dessus des collines et baignait notre armée.

Les trois mille cinq cents hommes longèrent la Willig, puis le petit affluent que Pyrlig et moi avions exploré la veille. Nous aperçûmes des éclaireurs danes qui allaient sans nul doute prévenir Guthrum.

Je menai cinquante hommes en haut d'une colline. Nous étions tous à cheval et armés, prêts à combattre. La dizaine de Danes céda le terrain avant que nous arrivions. Une nuée de papillons bleus voletaient au-dessus de l'herbe verte. Je contemplai le Ciel noir et sinistre où planait un épervier. L'oiseau plongea et je vis soudain, sous ses ailes repliées et ses serres, notre ennemi.

L'armée de Guthrum arrivait au sud.

La peur me saisit alors. Le mur de boucliers est un endroit terrible. Là, le guerrier se fait la réputation qui lui est si chère. La réputation est l'honneur, mais pour le gagner un homme doit vaincre le mur de boucliers où la mort guette. Je l'avais connu à Cynuit et j'avais flairé l'odeur de la mort, sa puanteur, l'incertitude de la survie, l'horreur des haches, lances et épées, et je le redoutais. Et cela n'allait plus tarder. Car dans les vertes plaines au nord des collines, avançait une armée. La grande armée, comme disait les Danes, les guerriers païens de Guthrum et Svein, la horde sauvage des soldats sanguinaires venus d'au-delà des mers.

Les troupes de cavaliers se répandaient en une tache sombre sur les champs, et la horde semblait surgir des ténèbres. Le métal scintillait dans la lumière en myriades d'éclats qui se multipliaient à mesure qu'ils apparaissaient, presque tous à cheval.

– Jésus, Marie, Joseph ! s'exclama Leofric.

Steapa se contenta de leur jeter un regard noir.

– Quelqu'un doit prévenir Alfred, dit Osric, bailli de Wiltunscir, en faisant le signe de croix.

– J'irai, proposa Pyrlig.

– Dites-lui que les païens ont traversé l'Afen et se dirigent vers Ethandun. Rappelez-lui qu'il y a là-bas un fort construit par les Anciens. (C'était son comté, sa région, et il en connaissait collines et forêts. Il semblait inquiet, se demandant sans doute ce qui se passerait si les Danes occupaient l'ancienne forteresse.) Dieu nous aide ! Ils seront dans les collines demain. Dites-le-lui.

– Demain matin à Ethandun, résuma Pyrlig avant de tourner bride et éperonner son cheval.

– Où est le fort ? demandai-je.

– Vois, là-bas.

Par tout le Wessex, se trouvaient de tels forts avec d'énormes murailles de terre. Celui-ci était bâti au sommet de l'escarpement dominant les plaines qu'il gardait.

– Certains de ces bâtards y monteront ce soir, dit Osric, mais la plupart n'y seront que demain. Espérons qu'ils ne s'y intéressent point.

Nous avions tous pensé qu'Alfred trouverait un flanc de colline fait pour la défense, où nos moindres effectifs seraient aidés par un terrain difficile. La vue de ce fort lointain nous rappela que Guthrum pouvait très bien adopter la même tactique et ne laisser à Alfred qu'un choix désagréable. Attaquer serait inviter le désastre, et battre en retraite y courir. En deux jours, nos vivres seraient épuisés. Si nous tentions de nous retirer au sud par les collines, Guthrum lancerait une horde de cavaliers sur nous. Si Alfred se retirait devant l'ennemi, tout le monde y verrait une défaite et commencerait à fuir pour protéger son foyer. Nous devions nous battre, car refuser le combat revenait à s'avouer vaincu.

Ce soir-là, l'armée campa au nord des bois où nous avions trouvé Æthelwold. Il faisait désormais partie de l'entourage royal et il monta avec Alfred et ses lieutenants au sommet de la colline observer l'armée dane.

– À combien sont-ils ? demanda Alfred.

– D'ici, répondit Osric, à une lieue et demie. Et à deux de notre armée.

– Demain, alors, conclut Alfred en se signant.

Dans le crépuscule, entre les nuages, un rayon de soleil faisait briller les lances et les haches dans l'ancienne forteresse. Apparemment, Guthrum l'avait occupée.

En retournant au campement, nous trouvâmes d'autres hommes qui nous rejoignaient. De petits groupes, à présent, mais il en venait toujours. Seize hommes, épuisés et couverts de poussière, arrivaient à cheval, revêtus de cottes de mailles et casqués. Ils arrivaient de Mercie après avoir traversé la Temes et le Wessex en évitant les Danes. Leur chef était un jeune homme de petite taille, large d'épaules, au visage rond et à l'expression pugnace. Il s'agenouilla devant Alfred et me sourit : je reconnus mon cousin Æthelred.

Ma mère, que je n'avais point connue, était mercienne, et son frère Æthelred était un seigneur du sud de cette région, où j'avais passé un bref laps de temps enfant, lorsque j'avais fui la Northumbrie. À l'époque, je me querellais avec mon cousin, qui se nommait comme son père, mais il semblait avoir oublié notre inimitié et m'étreignit. Il m'arrivait juste à l'épaule.

– Nous sommes venus nous battre, annonça-t-il.

– Tu auras ta bataille, lui promis-je.

– Seigneur, dit-il à Alfred, mon père aurait bien envoyé d'autres hommes, mais il doit protéger sa terre.

– Il le doit.

– Mais il vous a envoyé ses meilleurs. (Il avait l'outre-cuidance de la jeunesse, mais son assurance plut à Alfred, tout comme le crucifix d'argent qui pendait à son cou.) Permettez-moi de vous présenter Tatwine, chef des gardes de mon père.

Je me rappelais le robuste Tatwine, un guerrier dont les bras portaient des marques noires faites avec une aiguille et de l'encre et représentant chacune un homme tué au combat. Il me fit un sourire.

– Toujours vivant, seigneur ?

– Toujours, Tatwine.

– Il sera bon de combattre de nouveau à tes côtés.

– Il est bon de t'avoir avec nous.

J'étais sincère. Peu d'hommes sont des guerriers nés, et Tatwine en valait bien douze.

Alfred avait ordonné que l'armée se rassemble à nouveau. Il fit cela pour que les hommes prennent confiance en voyant leur nombre, et parce qu'il savait que son discours de la veille n'avait point convaincu. Il voulait donc recommencer.

– Il vaudrait mieux qu'il n'en fasse rien, grommela Leofric. L'homme sait faire des sermons, mais point de harangues.

Nous nous massâmes au pied d'une petite colline dans la lumière déclinante. Alfred y avait planté ses deux bannières, la croix et le dragon, mais la faible brise les agitait à peine. Il se plaça entre les deux, seul, vêtu de sa cotte de mailles et de la cape bleue délavée. Un groupe de prêtres voulut le rejoindre, mais il les congédia d'un geste. Il fixa alors la foule sans un mot, et je perçus un malaise dans les rangs. Les hommes voulaient qu'il enflamme leur cœur et craignaient qu'il les asperge encore d'eau bénite.

– Demain ! s'écria-t-il soudain d'une voix un peu haut perchée, mais qui portait loin. Demain, nous nous battrons ! Demain, fête de saint Jean l'Apôtre.

– Oh, seigneur, grommela Leofric, nous revoilà dans les saints jusqu'au cou.

– Jean fut condamné à mort, continua Alfred. Il fut condamné à être jeté dans l'huile bouillante ! Pourtant, il survécut à l'épreuve et en ressortit renforcé ! Nous en ferons autant. (Il se tut et parcourut l'assistance du regard. Nul ne répondit. Nous le regardions tous. Il dut deviner que cette homélie sur saint Jean ne le servait point, car il fit un geste sec de la main comme pour balayer toute cette sainteté.) Et demain, reprit-il, est aussi un jour pour les guerriers, celui où nous occirons nos ennemis. Un jour où les païens regretteront d'avoir jamais connu le Wessex ! (Il marqua une nouvelle pause. Cette fois, un murmure d'approbation parcourut la foule.) Ici est notre terre ! Nous combattons pour nos foyers ! Nos épouses et nos enfants ! Nous combattons pour le Wessex !

– En vérité ! cria un homme.

– Et non seulement le Wessex, continua-t-il, enflant la voix. Nous avons hommes de Mercie, Northumbrie et Estanglie ! (Je n'avais vu personne d'Estanglie, et de Northumbrie, il n'y avait que moi et Beocca, mais nul ne releva.) Nous sommes les hommes d'Anglie, et nous nous battons pour tous les Saxons.

Le silence se fit de nouveau. Les hommes appréciaient, mais l'idée d'Anglie était celle d'Alfred, non la leur.

– Et pourquoi les Danes sont-ils ici ? reprit-il. Ils veulent nos épouses pour leur plaisir, nos enfants pour en faire des esclaves et nos demeures pour s'y installer. Ils ne nous connaissent point ! martela-t-il. Ils ne connaissent point nos épées, nos haches, nos lances et notre bravoure ! Demain, nous la leur enseignerons ! Demain, nous les tuerons, nous les déchiquetterons ! Demain, le sol rougira de leur sang et retentira de leurs gémissements ! Demain, nous leur ferons implorer notre merci !

– Pas de quartier ! cria un homme.

– Nulle merci ! répondit Alfred. (Je savais qu'il n'en pensait pas un mot. Il aurait volontiers offert sa merci aux Danes avec l'amour de Dieu, mais il avait enfin appris comment parler aux guerriers.) Demain, cria-t-il, vous ne vous battrez point pour moi ! Je me battrai pour vous ! Pour le Wessex ! Pour vos épouses, vos enfants, et vos demeures ! Demain nous combattrons, et je vous le jure sur la tombe de mon père et la vie de mes enfants, demain nous vaincrons !

Les vivats commencèrent à fuser. En toute honnêteté, ce ne fut pas une grande harangue, mais Alfred avait fait de son mieux. Les hommes frappèrent du pied et cognèrent leurs épées contre leurs boucliers, et le crépuscule enfla d'une clameur qui résonna jusque dans les collines.

– Nulle merci ! scandaient les voix. Nulle merci !

Nous étions prêts. Les Danes aussi.

Les nuages s'amoncelèrent dans la nuit. Les étoiles disparurent l'une après l'autre, et le mince quartier de lune fut englouti dans les ténèbres. Le sommeil fut long à venir. Je veillai avec Iseult qui nettoyait ma cotte tandis que j'affûtais mes armes.

– Tu vaincras demain, dit-elle à mi-voix.

– Tu l'as rêvé ?

– Non, je ne rêve plus depuis que je suis baptisée.

– Alors tu viens de l'inventer ?

– Je dois le croire.

La pierre crissait sur les lames. Tout autour, les hommes aiguisaient leurs armes.

– Quand tout sera terminé, dis-je, nous partirons toi et moi. Je nous bâtirai une maison.

– Quand tout sera terminé, tu partiras dans le Nord. Tu retrouveras ton foyer.

– Alors tu viendras.

– Peut-être. Je ne puis voir mon propre avenir. Tout est noir.

– Tu seras la dame de Bebbanburg, et je te vêtirai de fourrures et te couronnerai d'argent.

Elle sourit, mais des larmes embuaient ses yeux. Nous dormîmes peu, et bien avant l'aube nous nous préparâmes à la guerre.

Nous partîmes dans la lumière grisâtre. La pluie venait par rafales dans notre dos. La plupart marchaient, nos rares chevaux portant les boucliers. Osric et ses hommes ouvraient la route, car ils connaissaient la région. Alfred suivait, à la tête de sa garde composée de tous ceux qui l'accompagnaient à Æthelingæg, ainsi que Harald et les hommes de Defnascir et Thornsæta. Burgweard et les hommes d'Hamptonscir l'accompagnaient eux aussi, tout comme mon cousin Æthelred de Mercie, tandis qu'au flanc gauche se tenait le gros de la *fyrd* de Sumorsæte commandée par Wiglaf. Trois mille cinq cents hommes. Les femmes étaient venues, portant les armes de leurs époux ou les leurs.

Il faisait froid et la pluie rendait l'herbe glissante. Nous avions faim, nous étions las et nous avions tous peur. Alfred m'avait demandé de rassembler en tête une cinquantaine d'hommes, mais Leofric rechignant à en céder autant dans ses rangs, je les pris à Burgweard. Je choisis ceux qui avaient combattu avec moi sur l'*Heahengel* lorsqu'il était devenu le *Fyrdraca*, et dont vingt-six étaient venus d'Hamtun. Steapa nous accompagnait ainsi que le père Pyrlig, vêtu en guerrier et non en prêtre. Nous étions moins de trente mais, alors que nous dépassions un tumulus de l'ancien peuple, Æthelwold nous rejoignit.

– Alfred dit que je puis combattre avec toi.

– Vraiment ?

– Que je dois rester à tes côtés.

Cela me fit sourire. Si j'avais eu besoin de quelqu'un, j'aurais choisi Eadric ou Cenwulf, Steapa ou Pyrlig, des hommes dont le bouclier ne tremblerait point.

– Tu resteras derrière moi dans le mur de boucliers, prêt à prendre ma place.

– Je veux être devant, insista-t-il, vexé.

– As-tu déjà combattu dans le mur ?

– Tu sais que non.

– Alors tu n'as pas à être devant. Par ailleurs, si Alfred périt, qui sera roi ?

– Ah, sourit-il à demi. Donc je reste derrière toi ?

– C'est cela.

Iseult et Hild menaient mon cheval.

– Si nous perdons, leur enjoignis-je, sautez en selle et fuyez.

– Où ?

– Fuis, Iseult. En emportant l'argent. (Toute ma fortune était dans les fontes.) Prends tout et pars avec Hild.

La nonne sourit. Elle était pâle, ses cheveux mouillés par la pluie collaient à son crâne et elle portait une simple robe blanche nouée d'une corde. J'étais surpris qu'elle soit venue avec l'armée, pensant qu'elle aurait préféré trouver un couvent, mais elle avait insisté.

– Je veux les voir morts, dit-elle sans émotion. Et celui qui se nomme Érik, je le veux occire moi-même, ajouta-t-elle en tapotant le long coutelas pendu à sa ceinture.

– Érik est celui qui…

– Celui qui m'a faite putain, acheva-t-elle.

– Ce n'était donc point celui que j'ai tué cette nuit-là ?

– Non, lui était le barreur du navire d'Érik. Et je ne retournerai point au couvent avant de l'avoir vu baigner dans son sang.

Les éclaireurs rapportèrent à Alfred qu'ils avaient vu l'ennemi attendre au bord de l'escarpement, à l'emplacement de l'ancienne forteresse. Leurs bannières étaient innombrables.

Nous continuâmes de gravir la colline. La pluie cessa, mais le soleil resta caché dans un Ciel noir et tourmenté. Un vent violent soufflait de l'ouest. Nous passâmes devant d'anciennes tombes, et je me demandai si elles abritaient des guerriers partis comme nous au combat et si, dans les millénaires à venir, d'autres hommes graviraient ces mêmes pentes armés d'épées et de boucliers. La guerre ne connaît point de fin. Je levai les yeux vers le Ciel, cherchant un signe de Thor ou d'Odin, espérant voir un corbeau passer, mais je ne vis que nuages.

Lorsque nous eûmes contourné une colline, j'aperçus devant nous l'ennemi. J'aime les Danes. Pour se battre, boire, rire ou vivre, ils ne connaissent point de rival. Pourtant, ce jour-là, ils étaient l'ennemi et m'attendaient dans un gigantesque mur de boucliers déployé sur la plaine. Des milliers de Danes, armés d'épées et de lances, venus pour faire leur cette terre que nous habitions.

– Dieu nous accorde la force, pria Pyrlig en entendant leur clameur quand nous apparûmes.

Tous cognaient de leurs armes leurs boucliers dans un fracas de tonnerre. L'ancien fort constituait l'aile droite de leur armée et les murailles de terre étaient remplies de soldats. Beaucoup portaient des boucliers noirs et une bannière de même couleur flottait au-dessus d'eux : voilà donc où se trouvait Guthrum, tandis que sur l'aile gauche qui s'étirait sur la plaine flottait la bannière au cheval blanc de Svein. L'escarpement tombait presque à pic vers la plaine : nous ne pouvions espérer débusquer les Danes de ce côté, car personne ne pouvait combattre sur une telle pente. Nous devions donc attaquer droit devant, directement dans le mur de boucliers et contre les remparts de terre, nous précipiter sur les épées, les lances et les haches de cet ennemi très supérieur en nombre.

Il me sembla reconnaître la bannière à l'aile d'aigle de Ragnar sur le fort, mais c'était difficile d'être sûr, car tous les équipages danes avaient leur étendard flottant côte à côt. Devant le fort, non loin de la bannière blanche, je vis néanmoins un drapeau saxon, vert, orné de l'aigle et de la croix : Wulfhere était là avec la partie de la *fyrd* de Wiltunscir qui l'avait suivi. Une vingtaine d'autres bannières saxonnes flottaient dans la horde ennemie, en dehors du fort : les Danes avaient donc fait venir des hommes de Mercie.

Nous étions encore loin, au-delà d'un jet de flèche, et nous n'entendions pas ce que criaient les Danes. Les hommes d'Osric composaient notre aile droite et ceux de Wyglaf, la gauche. Nous nous déployâmes en ligne face à la leur, mais la nôtre était bien sûr moins étendue. Nous étions presque à un contre deux.

– Dieu nous aide, répéta Pyrlig en touchant son crucifix.

Alfred appela ses officiers qui se rassemblèrent sous la bannière au dragon trempée, tandis que continuait de s'élever la clameur des Danes. Il leur demanda conseil.

Arnulf de Suth Seaxa, un homme maigre à la barbe courte et au visage renfrogné, conseilla l'attaque.

– Nous perdrons des hommes sur les murailles, dit-il en désignant le fort, mais quoi qu'il arrive nous en perdrons.

– Nous en perdrons beaucoup, déclara mon cousin Æthelred.

Il menait un petit groupe, mais son statut de fils d'ealdorman mercien lui valait de figurer dans le conseil de guerre d'Alfred.

– Nous ferions mieux de nous défendre, grommela Osric. Laissons ces gueux venir à nous.

Harald opina.

Alfred jeta un regard interrogateur à Wiglaf de Sumorsæte. Il fut surpris qu'on le consulte.

– Nous ferons notre devoir, seigneur, quoi que vous décidiez.

Leofric et moi étions conviés mais, le roi ne nous demandant pas notre avis, nous restâmes cois.

315

Alfred regarda l'ennemi puis se tourna vers nous.

– D'après mon expérience, l'ennemi attend quelque chose de nous, dit-il de ce ton pédant dont il usait dans ses discussions théologiques avec les prêtres. Il veut que nous fassions quelque chose. Mais quoi ?

Wiglaf haussa les épaules, Arnulf et Osric restèrent médusés. Ils s'attendaient à un discours plus véhément de la part d'Alfred. Le combat, pour la plupart d'entre nous, était un déchaînement de fureur sanglante nullement réfléchi. Alfred, lui, voyait cela comme une partie de ce *tæfl* qu'il fallait être fort rusé pour remporter. Pour lui, nos deux armées étaient des pièces à déplacer sur un échiquier.

– Alors ? interrogea-t-il.

– Ils attendent de nous que nous attaquions, avança Osric.

– Ils attendent de nous que nous attaquions Wulfhere, dis-je.

– Pourquoi Wulfhere ? demanda Alfred en me récompensant d'un sourire.

– Parce qu'il est un traître, un bâtard et un résidu d'étron de chèvre.

– Parce que nous ne pensons pas, corrigea Alfred, que les hommes de Wulfhere se battront avec la même passion que les Danes. Et nous avons raison, car ses hommes répugneront à tuer d'autres Saxons.

– Mais il y a Svein, objectai-je.

– Ce qui signifie ?

Les autres le regardèrent, perplexes. Alfred connaissait la réponse, mais il ne résistait jamais au plaisir de jouer les professeurs.

– Cela signifie, dis-je, qu'ils veulent que nous attaquions leur aile gauche, mais qu'ils ne veulent pas qu'elle rompe. Voilà pourquoi Svein s'y trouve. Il nous retiendra pendant qu'ils lancent un assaut depuis le fort pour nous frapper au flanc. Cela brisera notre aile droite, ils pourront alors s'engouffrer pour nous occire tous.

Alfred ne répondit point, mais son air inquiet suggérait qu'il était d'accord avec moi. Les autres se tournèrent vers les Danes, comme si quelque réponse magique pourrait leur parvenir.

– Faisons donc comme le propose le seigneur Arnulf, dit Harald. Attaquons le fort.

– Les murailles sont abruptes, l'avertit Wiglaf.

L'ealdorman de Sumorsæte, d'ordinaire jovial et rieur, était abattu à la perspective de devoir opposer ses hommes à de tels remparts.

– Que nous attaquions le fort est le vœu le plus cher de Guthrum, fit observer le roi.

Tout le monde resta perplexe. Pendant ce temps, l'ennemi nous huait parce que nous ne bougions pas. Un ou deux guerriers coururent vers nos lignes en hurlant des insultes, tandis que les autres frappaient en cadence leurs boucliers que la pluie faisait paraître encore plus sombres.

– Que faisons-nous ? demanda Alfred d'un ton plaintif.

Dans le silence qui accueillit ses paroles, je compris : il n'avait aucune solution à proposer. Guthrum voulait que nous attaquions et se souciait comme d'une guigne que ce soit les soldats aguerris de Svein sur l'aile gauche ou les versants glissants des fossés qui entouraient les murailles du fort. En outre, Guthrum devait savoir que nous n'osions pas battre en retraite parce que ses hommes nous poursuivraient et nous déchiquetteraient comme une horde de loups massacrant un troupeau affolé.

– Attaquons l'aile gauche, dis-je.

Alfred hocha la tête comme s'il était lui aussi arrivé à cette conclusion.

– Et… ? demanda-t-il.

– Attaquons avec tous nos hommes.

Ils étaient probablement deux mille devant le fort, et la moitié au moins étaient saxons. À mon avis, nous devions les assaillir d'un seul coup, violemment, et les faire succomber sous le nombre. Ainsi, la faiblesse de la position dane serait révélée. Ils étaient au bord de l'escarpement : une fois acculés, ils n'auraient d'autre choix que de descendre cette paroi abrupte. Nous pourrions ainsi anéantir ces deux mille hommes, puis reformer nos rangs pour une tâche plus ardue : attaquer les trois mille se trouvant dans le fort.

– User de tous nos hommes ? demanda Alfred. Mais alors, Guthrum nous attaquera sur nos flancs avec tous les siens.

– Il ne le fera point. Il enverra des hommes sur notre flanc, mais il conservera la plupart dans la forteresse. Il est prudent. Il ne risquera guère pour sauver Svein, car ils ne s'aiment point.

Alfred réfléchit à ma suggestion. Je vis qu'un tel pari ne lui plaisait guère. Il aurait dû suivre mon conseil, mais le destin est inexorable… Alfred décida de suivre l'exemple de prudence de Guthrum.

– Nous attaquerons par notre droite pour déborder les hommes de Wulfhere. Mais, pour nous préparer à leur contre-attaque, notre aile gauche ne bougera point.

Il en fut donc décidé ainsi. Osric et Arnulf, avec les hommes de Wiltunscir et de Suth Seaxa, allaient s'en prendre à Svein et Wulfhere sur la plaine à l'est du fort. Comme nous soupçonnions que des Danes quitteraient les remparts pour attaquer le flanc d'Osric, Alfred y conduirait sa garde, afin qu'elle le protège de cet assaut. Pendant ce temps, Wigulf resterait en place : cela signifiait qu'un tiers de nos hommes ne ferait rien.

– Si nous pouvons les vaincre, dit Alfred, les survivants se réfugieront dans le fort et nous le pourrons assiéger. Ils n'ont point d'eau à l'intérieur, n'est-ce pas ?

– Non, confirma Osric.

– Ils sont donc pris au piège, dit le roi, comme si le problème était résolu et la bataille quasiment gagnée. Veuillez nous dire une prière, l'évêque, ajouta-t-il pour Alewold.

Alewold pria, la pluie tomba, les Danes continuèrent de nous huer. Alors, je sentis qu'approchait le moment affreux où s'entrechoqueraient les deux murs de boucliers. Je touchai le marteau de Thor puis la poignée de Souffle-de-Serpent, car la mort nous guettait. Dieu me vienne en aide, et Thor aussi... me dis-je, car je ne pensais point que nous serions victorieux.

13

Les Danes faisaient retentir le tonnerre de la bataille et nous, nous priions. Alewold invoqua longuement Dieu, le suppliant de nous envoyer des anges armés d'épées de feu, et de tels anges nous auraient été fort utiles, mais aucun ne vint.

Je pris mon casque et mon bouclier sur le cheval que tenait Iseult. Auparavant, je coupai une tresse de ses épais cheveux noirs que j'attachai à la garde de Souffle-de-Serpent.

– Pourquoi fais-tu cela ? me demanda-t-elle.

– Je nouerai la tresse autour de mon poignet pour ne point lâcher ma lame. Et tes cheveux me porteront chance.

L'évêque Alewold exigeait sèchement que les femmes partent à l'arrière. Iseult se haussa sur la pointe des pieds pour m'attacher mon casque, puis elle me baissa la tête et m'embrassa par le trou de la visière.

– Je prierai pour toi, dit-elle.

– Et moi de même, ajouta Hild.

– Priez Odin et Thor, surtout.

Elles s'éloignèrent. Sur ordre d'Alfred, les femmes devaient garder nos chevaux à deux cents toises derrière nos lignes, afin que nul ne soit tenté de s'emparer d'une monture pour fuir au galop.

Le moment vint de former le mur de boucliers, ce n'est point chose facile. Certains hommes se proposent pour le front, mais la plupart tentent de rester en arrière. Osric et ses lieutenants poussaient et criaient pour mettre leurs hommes en place.

– Dieu est avec nous ! leur cria Alfred en parcourant à cheval les rangs de la *fyrd*.

Les prêtres bénissaient les hommes en aspergeant d'eau bénite les boucliers déjà trempés par la pluie qui redoublait. La *fyrd* d'Osric se déployait sur cinq rangs, suivis d'hommes armés de lances. Leur tâche, lorsque les deux armées se rencontreraient, était de les jeter par-dessus la tête de leurs camarades, tout comme le feraient les Danes.

– Dieu est avec nous ! répéta Alfred d'une voix déjà éraillée. Le Ciel nous protège !

Les hommes touchèrent leurs amulettes et fermèrent les yeux pour une prière silencieuse. Au premier rang, les boucliers se resserrèrent en se recouvrant partiellement, afin de présenter à l'ennemi une muraille de bois gainé de fer. Les Danes allaient en faire autant, mais pour l'heure ils continuaient de déverser leurs quolibets et nous défier.

Le père Beocca priait auprès des bannières d'Alfred. J'étais devant, encadré de Steapa et Pyrlig.

– Déverse sur eux le feu, ô seigneur, geignait le prêtre, et que ce feu les décime et les châtie pour leurs péchés !

Les yeux fermés et le visage levé vers le Ciel, il ne vit point Alfred revenir vers nous et traverser nos rangs. Le roi restait à cheval, afin de mieux voir. Leofric, accompagné d'une douzaine d'autres cavaliers, était là pour le protéger.

– En avant ! cria Alfred.

Personne ne bougea. C'était à Osric et ses soldats de s'élancer, mais les hommes rechignent toujours à marcher sur le mur de boucliers de l'ennemi. Cela aide d'être ivre. J'ai connu des batailles où les deux armées s'affrontaient dans les relents aigres de l'ale et du vin de bouleau. N'en ayant point, nous dûmes rassembler notre courage dans nos cœurs, et il n'y en avait guère en cette froide et humide matinée.

– En avant ! hurla Leofric.

Cette fois, Osric et ses hommes obéirent et l'armée du Wiltunscir avança de quelques pas. Les boucliers danes se resserrèrent et la vue de ce « *skjaldborg* » arrêta les nôtres. *Skjalborg*, ainsi les Danes appellent-ils leur formation : un fort de boucliers. Deux jeunes guerriers sortirent des rangs et vinrent nous narguer.

– Restez en position ! cria Leofric.

– Ignorez-les ! renchérit Osric.

Une centaine de cavaliers sortirent du fort et trottèrent derrière le *skjaldborg* formé par les guerriers de Svein et les Saxons de Wulfhere. Je voyais son cheval, sa cape et son plumet blancs. La présence de cavaliers m'indiqua que Svein s'attendait à ce que notre ligne rompe. Les Danes débordaient d'assurance, et il y avait de quoi : ils nous dépassaient en nombre et étaient tous des guerriers, tandis que nos rangs étaient remplis d'hommes plus habitués à la charrue qu'à l'épée.

– En avant ! cria Osric.

Ses hommes s'ébrouèrent, mais avancèrent d'à peine un pied.

La pluie dégouttait de mon casque et s'insinuait sous ma cotte de mailles, me faisant frissonner.

– Frappe-les de ta vigueur, Seigneur ! braillait Beocca. Massacre-les sans merci et taille-les en pièces !

Pyrlig priait, du moins me semblait-il, car il parlait dans sa langue, mais je l'entendis répéter maintes fois le mot *duw*, et je savais par Iseult que cela signifiait « dieu » en breton. Æthelwold était derrière lui, alors qu'il devait être derrière moi : Eadric avait insisté pour prendre sa place, afin qu'Æthelwold protège Pyrlig. Il ne cessait de babiller pour tromper son angoisse, et je m'en pris à lui.

– Garde ton bouclier levé.

– Je sais, je sais.

– Tu protèges la tête de Pyrlig, entends-tu?

– Je sais! s'irrita-t-il.

– En avant! En avant! encouragea Osric.

Alfred continuait de parcourir nos lignes à l'arrière, épée tirée, et je crus qu'il allait les pousser de la pointe. Les hommes avancèrent de quelques pas, et les boucliers danes se dressèrent de nouveau. Svein et ses cavaliers étaient à présent sur l'aile, mais Osric y avait placé un groupe de guerriers choisis pour la défendre.

– Pour Dieu! Pour le Wiltunscir! hurla-t-il. En avant!

Les hommes d'Alfred étaient sur la gauche de la *fyrd* d'Osric, légèrement en arrière, afin d'accueillir l'attaque attendue depuis le fort. Nous avancions régulièrement, mais nous étions presque tous des guerriers et savions que nous ne pouvions trop devancer les soldats d'Osric, moins téméraires.

– Criez! appela Osric. Traitez-les de bâtards et d'enfants de putains! Dites-leur qu'ils sont la lie du Nord!

Il le savait, c'était là un moyen de faire bouger les hommes. Les Danes nous traitaient de femmelettes sans courage, et personne dans nos rangs ne répondait, mais quelques-uns commencèrent. Dans le Ciel s'élevèrent alors le fracas des armes et la clameur des insultes.

Souffle-de-Serpent était accrochée dans mon dos. Dans la mêlée, il est plus facile de dégainer par-dessus l'épaule qu'à la hanche, et le premier coup peut être une méchante taille assenée de haut. Je tenais Dard-de-Guêpe dans la main droite. Sa lame courte et épaisse était idéale pour l'estoc, et dans la cohue une telle lame est parfois plus redoutable qu'une longue épée. À mon bras gauche, soutenu par deux poignées de cuir, mon bouclier bordé de fer était muni d'une bosse ronde grosse comme une tête et faisant une arme tout aussi redoutable. Sur ma droite, Steapa portait une longue épée à épaisse lame: elle semblait pourtant toute petite dans sa poigne énorme. Pyrlig, armé d'une courte lance de chasse à large et épaisse lame, répétait la même phrase : « *Ein tad, yr hywn wyt yn y nefoedd, sancteiddier dy enw.* » J'appris plus tard que c'était la prière que Jésus enseigna à ses disciples. De son côté, Steapa répétait en marmonnant : «Bâtards, Dieu me garde, bâtards.» J'eus soudain la bouche sèche et mon estomac se noua.

– En avant ! En avant ! s'écria Osric.

Nous voyions les visages de nos ennemis, à présent. Des barbes hirsutes et des dents jaunes, des joues balafrées et vérolées, des nez cassés. À cause de ma visière, je ne pouvais voir que droit devant moi. Mon heaume était doublé de cuir. Je suais. Des flèches volèrent depuis les lignes danes. Ils n'avaient guère d'archers et leurs traits étaient peu nombreux. Nous levâmes néanmoins nos boucliers pour nous protéger le visage. Aucune flèche n'atterrit près de moi, mais nous étions en retrait de la ligne afin de surveiller les murailles vertes du fort où se tenaient des soldats. J'y aperçus la bannière à l'aigle de Ragnar et me demandai ce qui adviendrait si je me retrouvais face à lui. Toutes ces haches, épées et lances cherchaient à transpercer nos âmes, et la pluie tambourinait sur les casques et les boucliers.

Nous nous immobilisâmes de nouveau. Le mur de boucliers d'Osric et le *skjaldborg* de Svein n'étaient plus séparés que de vingt pas. Nous pouvions désormais voir le visage de celui que nous allions tuer ou qui nous tuerait. Les deux armées hurlaient et crachaient leur fureur et leurs insultes, tandis que les lances se dressaient.

– Restez groupés ! cria une voix.

– Boucliers serrés !

– Dieu est avec nous ! clama Beocca.

– En avant !

Deux autres pas, hésitants.

– Bâtards, Dieu me garde, bâtards ! répéta Steapa.

– Maintenant ! hurla Osric. En avant, tuez-les ! Allez !
Allez !

Et les hommes de Wiltunscir allèrent. Ils laissèrent
échapper un grand cri de guerre, autant pour se donner
courage que pour effrayer l'ennemi. Soudain, après cette
longue attente, le mur de boucliers s'avança d'un pas
rapide dans les cris, les lances jaillirent de part et d'autre
et dans un bruit de tonnerre, les boucliers se cognèrent.
Sous le choc, toute notre ligne fut ébranlée, tous les hommes vacillèrent. J'entendis les premiers hurlements, le
fracas du métal et du bois, les grognements des hommes.
Je vis un flot de Danes surgir des remparts et nous charger, prêts à déchiqueter notre flanc, mais c'était pour cela
qu'Alfred nous avait placés à la gauche des hommes
d'Osric.

– Boucliers ! rugit Leofric.

Je hissai le mien, encadré par ceux de Steapa et de
Pyrlig, puis je m'arc-boutai pour amortir l'impact. Tête
baissée, le corps protégé par le bois, les jambes bien plantées, Dard-de-Guêpe prêt. Derrière nous et à droite, les
hommes d'Osric luttaient. Je sentais l'odeur du sang et de
la merde, l'odeur de la bataille. La pluie me fouettait le
visage. Les Danes se précipitaient sur nous, en désordre,
décidés à remporter la bataille dans une charge enragée.
Ils étaient des centaines et nos fantassins décochèrent
leurs lances.

– Maintenant ! criai-je.

Nous avançâmes d'un pas pour résister à l'assaut et
j'eus le bras droit écrasé sur la poitrine sous le choc des
boucliers. Un Dane abattit sa hache sur le bouclier
d'Eadric ; je ripostai d'un coup de spathe, puis d'un autre.
Son haleine empestait l'ale.

– Ta mère est un étron de porc, lui dis-je.

Le Dane voulut me fracasser le crâne. J'esquivai, protégé par le bouclier d'Eadric. Ma lame était rouge et
gluante de sang.

Steapa poussait des hurlements en faisant tournoyer son épée, et les Danes s'écartaient. Mon adversaire trébucha, tomba à genoux, je le frappai de la bosse de mon bouclier puis enfonçai mon épée dans sa gorge. Un autre prit aussitôt sa place, mais Pyrlig l'embrocha sur sa lance.

– Boucliers ! criai-je.

Instinctivement, Steapa et Pyrlig alignèrent les leurs avec le mien. J'ignorais ce qui se passait ailleurs : je ne voyais pas plus loin que le bout de mon épée.

– En arrière ! En arrière ! cria Pyrlig.

Nous reculâmes d'un pas, afin que les Danes qui remplaçaient leurs hommes tombés trébuchent sur les cadavres. Puis nous nous ruâmes en avant pour profiter de leur déséquilibre. C'était ainsi que procédaient les meilleurs guerriers, et nous étions l'élite de l'armée d'Alfred. Les Danes nous avaient chargés sans prendre la peine de souder leurs boucliers, convaincus que nous céderions sous la violence de l'assaut. En outre, ils avaient été attirés par la vue des bannières jumelles d'Alfred, considérant la bataille gagnée d'avance s'ils s'en emparaient, mais leur assaut s'était heurté à notre mur comme une vague contre une falaise.

Nous, soldats de la garde d'Alfred, nous étions les meilleurs. Nous tenions bon et nous étions en train de vaincre les Danes. Derrière nous cependant, dans les troupes plus nombreuses d'Osric, le Wessex agonisait. Car le mur de boucliers d'Osric s'était effrité.

Ce fut à cause des hommes de Wulfhere : ils ne brisèrent pas le mur en le combattant, mais en cherchant à le rejoindre. Peu d'entre eux voulaient se battre pour les Danes. Lorsque les deux armées se retrouvèrent face à face, ils crièrent à leurs compatriotes qu'ils n'étaient point ennemis et voulurent passer de leur côté. Les rangs s'ouvrirent pour les accueillir, les hommes de Svein en profitèrent pour s'y précipiter comme chats sauvages. Au beau milieu des paysans saxons, les guerriers vikings furent comme faucons parmi des pigeons : toute l'aile droite d'Alfred fut fracassée. Arnulf sauva les hommes de Suth Seaxa en les entraînant à l'arrière, mais la *fyrd* d'Osric fut dispersée de part et d'autre.

La pluie avait cessé, un vent glacial balayait la plaine jonchée de cadavres. Nous luttions contre les hommes de Guthrum déferlant du fort ; bien qu'ayant le dessus, nous ne pouvions leur tourner le dos pour voler au secours de nos compagnons. Nous continuâmes donc d'avancer et les forçâmes à battre en retraite vers le fort, laissant derrière eux plus de soixante cadavres. Je pris sur les dépouilles une chaîne d'argent, deux bracelets et un beau couteau à manche d'os à la poignée ornée d'une boule d'ambre.

— En arrière ! cria Alfred.

Alors seulement j'entrevis l'ampleur du désastre. Notre aile droite dispersée nous laissait à découvert. Les deux cents rescapés, menés par Osric, avaient reculé jusqu'aux femmes et aux chevaux, où ils formèrent un mur de boucliers pour les protéger. Svein reforma ses lignes et nous harangua.

— Ils viennent sur nous, dis-je.

— Dieu nous protégera, rétorqua Pyrlig, le visage ensanglanté.

Une hache avait fendu son casque et entamé le cuir chevelu.

— Où est ton bouclier ? demandai-je à Æthelwold.

— Je l'ai, répondit-il, blême et terrorisé.

— Tu devais protéger la tête de Pyrlig, grondai-je.

— Ce n'est rien, m'apaisa celui-ci.

Durant l'assaut, j'avais cherché Ragnar, craignant de devoir affronter mon ami. Lorsque les Danes avaient regagné le fort, je l'avais aperçu plus loin sur le front. À présent, il nous observait depuis les remparts, tandis que Svein galopait vers la forteresse, probablement pour demander des renforts à Guthrum.

La bataille n'avait commencé que depuis une heure, et marquait déjà un temps d'arrêt. Des femmes nous apportèrent de l'eau, du pain rassis et moisi. J'enveloppai d'un linge le bras blessé d'Eadric.

– Le coup vous était destiné, seigneur, me dit-il avec son sourire édenté.

– Tu souffres ?

– Un peu.

Il remua le bras sans trop de peine et ramassa son bouclier. Les hommes de Svein ne semblaient guère pressés de reprendre l'attaque. Ils étaient près de huit cents, sur l'aile gauche de l'armée de Guthrum, désormais diminuée en raison de la défection des hommes de Wulfhere.

– Seigneur ! appelai-je Alfred. Attaquez ces hommes !

Les troupes de Svein étaient à deux bonnes centaines de pas du fort, et pour le moment privées de leur chef qui avait déjà regagné les remparts. Du haut de son cheval, Alfred contempla la scène et secoua la tête. À ses genoux, bras écartés, Beocca priait avec ferveur.

– Nous pouvons les tailler en pièces, insistai-je.

– D'autres viendront en renfort des remparts, répondit-il.

– Mais nous voulons justement leur faire quitter la forteresse ! Il est plus facile de les tuer à découvert.

Alfred s'obstina. Je crois que, paralysé par la crainte de prendre la mauvaise décision, il préférait laisser à l'ennemi le choix de l'offensive.

Svein se lança alors en entraînant trois ou quatre cents hommes hors du fort. La plupart des soldats de Guthrum restèrent aux remparts, mais les Danes qui avaient combattu la garde d'Alfred rejoignaient les troupes de Svein et montaient le mur de boucliers. Je vis flotter parmi eux la bannière de Ragnar.

– Ils vont attaquer, n'est-ce pas ? s'enquit Pyrlig. (Puis, voyant que je regardais sa joue ensanglantée :) Ce n'est rien. J'ai connu pire en me querellant avec mon épouse. Mais ces bâtards arrivent et veulent nous attaquer par la droite ?

– Nous pouvons les vaincre, seigneur ! criai-je à Alfred. Lancez tous vos hommes au-devant d'eux, tous ! (Il fit la sourde oreille.) Appelez la *fyrd* de Wiglaf, seigneur !

– Nous ne le pouvons ! s'indigna-t-il.

Il craignait qu'en ôtant la *fyrd* de Sumorsæte de devant la forteresse, cela permît à Guthrum de lancer tous ses hommes à l'assaut de notre flanc gauche. Je savais Guthrum bien trop prudent pour agir ainsi : il se sentait à l'abri derrière les remparts pendant que Svein gagnait la bataille pour lui. Il ne bougerait point tant que notre armée ne serait pas dispersée.

Alfred était un homme habile, peut-être, mais n'entendant rien à la guerre. Il ne comprenait pas qu'il ne s'agit point de nombres ni de pions sur un échiquier, mais de passion, de cris et d'irrépressible fureur.

Jusqu'à présent, je n'avais encore rien éprouvé de tel. Nous nous étions bien battus, mais en nous contentant de nous défendre. Nous n'étions point allés porter le carnage chez l'ennemi, alors qu'on ne vainc qu'en attaquant. Et nous allions devoir à nouveau nous défendre. Alfred m'ordonna de me placer à droite de ses lignes.

– Laisse-moi les bannières et assure-toi que notre aile est protégée.

C'était un honneur. L'aile droite était celle que l'ennemi risquait de tenter d'envelopper, Alfred avait besoin de braves pour la tenir. Au loin, j'aperçus les rescapés de la *fyrd* d'Osric qui nous regardaient. Certains reviendraient sans doute s'ils nous croyaient vainqueurs, mais pour l'heure ils étaient trop effrayés pour rejoindre l'armée d'Alfred.

Sur son cheval blanc, Svein passait en revue son mur de boucliers en haranguant ses hommes : il leur disait que nous n'étions que fétus faciles à balayer d'un geste.

– « Et je vis : c'était un cheval blême. Celui qui le montait, le quatrième cavalier, on le nomme la mort », me dit Pyrlig. C'est dans l'Évangile, expliqua-t-il en voyant mon incompréhension. Cela m'est passé par la tête.

– Alors sors-le-toi de la tête, répondis-je durement, car notre tâche est de le tuer et non de le craindre.

Je me retournai pour recommander à Æthelwold de garder son bouclier levé, mais je vis qu'il s'était déplacé au dernier rang. Après tout, c'était mieux ainsi. Pendant ce temps, Svein braillait que nous étions agneaux bons à massacrer, et ses hommes commençaient à cogner leurs armes sur leurs boucliers. Ils étaient près d'un millier et nous tout autant, mais moins aguerris. Au nord arrivaient les premiers corbeaux, ailes noires sur Ciel gris. Les oiseaux d'Odin.

– Venez mourir ! hurla soudain Steapa. Allez, bâtards, venez !

Svein se retourna, surpris. Ses hommes s'arrêtèrent, je me rendis compte qu'ils avaient tout aussi peur que nous. Dans un moment d'abattement, Alfred m'avait dit qu'il fallait quatre Saxons pour terrasser un Dane. Mais ce n'était pas une vérité immuable, et certainement pas en ce jour, car il n'y avait nulle passion chez les hommes de Svein. Peut-être Guthrum et lui s'étaient-ils querellés, ou alors le vent froid éteignait toute ardeur.

– Nous allons remporter cette bataille ! me surpris-je à crier. (Les hommes me regardèrent comme si j'avais été en proie à une vision envoyée par mes dieux.) Nous allons vaincre ! repris-je. Ils ont peur ! La plupart se terrent dans le fort, car ils craignent d'affronter les lames saxonnes ! Et ceux-là savent qu'ils vont mourir ! Ils vont mourir ! (Je m'avançai et écartai les bras en hurlant à pleins poumons en danois, puis en angle :) Vous allez mourir !

Tous les hommes d'Alfred reprirent ce cri en chœur, alors il se passa quelque chose d'étrange. Beocca et

Pyrlig prétendirent que l'Esprit de Dieu flottait sur nous. Peut-être était-ce vrai. En tout cas, nous commençâmes à avoir foi en nous-mêmes. Et tout en scandant notre nouveau cri de guerre, nous nous mîmes en marche, en frappant nos épées sur nos boucliers.

– Bâtards ! criais-je. Étrons de chèvres ! Vous vous battez comme fillettes !

J'ignore quelles insultes je hurlai ce jour-là, mais je continuai de défier l'ennemi. Alfred n'aimait guère ces duels entre murs de boucliers. Peut-être parce qu'il se savait incapable d'une telle audace, mais aussi parce qu'il jugeait cela dangereux. Quand un homme invite un champion ennemi à se battre, d'homme à homme, il invite la mort. S'il périt, il ôte tout courage aux siens pour le donner à l'ennemi. Le roi nous interdisait de relever les défis de l'ennemi, mais en ce jour glacial et pluvieux l'un des Danes releva le mien.

C'était Svein en personne, Svein du *Cheval-Blanc*. Il tourna bride et se précipita sur moi, épée brandie. Dans les quolibets des Danes, je vis flotter la crinière de l'étalon, les mottes de terre voler sous les sabots et le casque à mufle de sanglier au-dessus du bouclier. Au même instant, Pyrlig hurla :

– Uhtred ! Uhtred !

Je ne me retournai point, trop occupé à rengainer Dard-de-Guêpe pour prendre Souffle-de-Serpent. Soudain, la lance de chasse du Breton se planta à côté de moi dans l'herbe et je compris. Je laissai Souffle-de-Serpent dans son fourreau et m'emparai de la lance alors que Svein était presque sur moi. Dans un tonnerre de sabots, je vis la cape blanche et la lame scintillante, le panache du casque et les yeux blancs du cheval qui découvrait les dents. Svein fit un écart et abattit son épée. Ses yeux n'étaient que deux fentes brillantes sous la visière. Au même instant, je me jetai sur l'étalon et lui enfonçai la lance dans le ventre. L'épée se Svein heurta mon bouclier, et son genou droit mon casque, si bien que je fus projeté en arrière et dus lâcher la lance. Mais elle était bien plantée dans la bête, qui se cabra en hennissant et en découvrant son ventre ruisselant de sang. Svein réussit à rester en selle. Je ne l'avais point blessé, je ne l'avais pas même touché, et pourtant il fuyait, ou plutôt son cheval détalait au galop vers les rangs des Danes. D'ordinaire, un cheval évite instinctivement un mur de boucliers, mais la bête aveuglée par la douleur poursuivit sur sa lancée et s'effondra en glissant dans l'herbe, ouvrant une brèche dans le *skjaldborg*. Pendant ce temps, nous lancions notre charge, épée au poing, et les Danes reculèrent.

Svein se relevait à peine quand les hommes d'Alfred arrivèrent. Je ne le vis point, mais on me raconta que Steapa décapita Svein d'un seul coup d'épée, si brutal que la tête et le casque volèrent dans les airs. Peut-être était-ce vrai... Une chose est certaine : la passion nous avait gagnés. La soif du sang, la fureur de tuer et le cheval brisèrent les rangs du mur de boucliers des Danes, où nous n'eûmes plus qu'à nous engouffrer pour tuer.

Et nous tuâmes. Ce n'était pas l'intention d'Alfred. Pour lui, nous attendrions l'attaque des Danes en espérant y résister, mais nous lui avions échappé comme chien à son maître. Mon cousin était là avec ses Merciens, et c'était un rude guerrier. Je le vis parer, estoquer, abattre un homme puis un autre, et cela sans relâche. Nous abreuvions de sang dane la colline, car nous avions la fureur et point eux.

Les poètes chantent souvent cette bataille : pour une fois, ils disent la vérité quand ils parlent de la joie de l'épée, du chant de la lame, de l'habileté et de la sauvagerie. Le calme de la bataille me gagna enfin, et je devins invincible. Souffle-de-Serpent était animée d'une vie propre et volait celle des Danes qui m'affrontaient, et tous fuyaient.

Soudain, il ne se trouva plus d'ennemi auprès de moi que les morts et les blessés. Le neveu d'Alfred,

Æthelwold, piquait de la pointe de son épée un homme à la jambe brisée et à l'œil arraché qui n'était plus péril pour personne.

– Soit tu le tues, soit tu le laisses vivre, grondai-je.

– Il faut que je tue un païen, déclara Æthelwold.

Il essaya de lui planter son épée, et j'écartai la lame. Je l'aurais bien aidé si je n'avais vu à ce moment-là Haesten s'enfuyant vers la colline. Je l'appelai. Il se tourna et me vit, du moins vit-il un guerrier en cotte de mailles ruisselante de sang. Il me regarda. Peut-être reconnut-il mon casque, car il reprit sa fuite.

– Couard ! criai-je. Traître de couard ! Tu m'as prêté serment ! J'ai sauvé ta pauvre vie !

Il se retourna, sourit et leva ce qui lui restait de son bouclier, puis il courut vers l'aile droite du mur de boucliers de Svein qui s'était solidement reformée. Ils étaient cinq ou six cents, reculant vers le fort. Les hommes d'Alfred, n'ayant plus personne à affronter, s'en prirent à eux. Haesten gagna leurs rangs et, voyant la bannière à l'aigle flotter au-dessus d'eux, je sus que Ragnar, mon ami, se trouvait parmi les survivants.

Je m'interrompis. Leofric criait aux hommes de former le mur. Je sentis que cette attaque avait perdu son élan, mais nous avions bien abîmé l'ennemi. Nous avions tué Svein et bon nombre de ses hommes. Les Danes étaient maintenant acculés contre le fort. J'allai au bord de la colline en suivant une trace de sang dans l'herbe mouillée : je vis que le cheval blanc s'était élancé dans le vide et gisait un peu plus bas, ses jambes grotesquement tordues et sa robe blanche couverte de sang.

– C'était une bonne bête, dit Pyrlig, qui m'avait rejoint. Tu sais ce que nous disons, au pays ? Qu'un bon cheval vaut deux bonnes femmes, une bonne femme deux bons chiens et un bon chien deux bons chevaux.

– Quoi ?

– Rien. Pour un Saxon, Uhtred, tu te bats bien. Comme un Breton.

Je me retournai et vis Ragnar qui battait en retraite vers le fort. C'était le moment d'attaquer, de continuer de nourrir la fureur de la bataille, mais nos hommes étaient en train de piller les cadavres et aucun n'avait la force de renouveler l'assaut. Nous devrions donc tuer des Danes protégés par un rempart. Je songeai à mon père, tué lors de l'attaque sur une muraille. Il ne m'avait guère témoigné d'affection, sans doute parce que j'étais tout enfant quand il était mort. À présent, j'allais devoir le suivre dans le piège mortel d'une muraille bien défendue. Le destin est inexorable.

Les murailles décrivaient un demi-cercle en surplomb de la plaine, au bord de l'escarpement. Elles étaient hautes et protégées par un fossé.

– Ce sera un enfer pour les franchir, dis-je.

– Peut-être n'aurons-nous point à le faire, avança Pyrlig.

– Bien sûr que si.

– À moins qu'Alfred ne les convainque de sortir. (Il me désigna le roi qui s'avançait vers le fort, accompagné de deux prêtres, et d'Osric et Harald.) Il va leur demander de se rendre.

Je ne pouvais croire qu'Alfred tente de parlementer. C'était le temps du massacre, et non des négociations.

– Alfred va leur offrir une trêve, m'emportai-je. Il va proposer de prendre des otages, et encore prêcher. Il ne sait faire que cela !

J'eus envie de le rejoindre, au moins pour durcir le ton envers les Danes, mais je n'en avais point le courage. Trois Danes étaient sortis parlementer, mais je savais qu'ils n'accepteraient point son offre. Ils étaient loin d'être vaincus. Ils étaient encore plus nombreux que nous, et, grâce à leurs murailles, la victoire restait à leur portée.

J'entendis alors des cris de douleur et de colère. Je me retournai et vis que des cavaliers danes avaient rejoint nos femmes : elles hurlaient et nous ne pouvions rien faire.

Pourtant, elles avaient des armes, des blessés étaient avec elles. Ensemble, ils résistèrent. Il y eut une brève échauffourée, puis les cavaliers reprirent leur route vers l'ouest. Cela avait à peine duré, mais Hild s'était emparée d'une lance et avait couru vers l'un d'eux en hurlant sa haine pour les horreurs qu'elle avait subies à Cippanhamm. Eanflæd, qui avait tout vu, raconta qu'elle enfonça la lance dans la jambe d'un Dane, que l'homme avait coupé l'arme de son épée. Iseult, venue à sa rescousse, avait paré le coup, mais un deuxième Dane avait abattu sa hache. Hild avait survécu, mais Iseult était morte, le crâne fendu en deux.

— Elle a rejoint Dieu, me dit Pyrlig lorsque Leofric nous annonça la nouvelle. (Je pleurais, sans savoir si c'était de chagrin ou de colère.) Elle est avec Lui, Uhtred.

— Alors ceux qui l'y ont envoyée doivent finir en enfer, criai-je. Le tien ou un autre. Qu'ils y grillent ou qu'ils y gèlent, ces gueux !

Je plantai là Pyrlig et marchai à grandes enjambées vers Alfred.

Alfred se raidit quand j'arrivai. Osric, Harald, Beocca et Alewold qui l'accompagnaient ne parlaient point danois, mais l'un des Danes parlait l'angle. Beocca m'apprit que le porte-parole était Hrothgar Ericson, que je savais être l'un des lieutenants de Guthrum.

— Ils ont attaqué les femmes, dis-je à Alfred. (Le roi me fixa, apparemment sans comprendre.) Ils ont attaqué les femmes !

— Il est en train de geindre que les femmes ont été attaquées, traduisit le Dane pour ses compagnons.

— Si moi je geins, lui rétorquai-je en danois, furieux, toi, tu vas crier. Je te tirerai les tripes par le trou de ton cul et je te les enroulerai autour du cou avant de donner tes yeux à manger à mes chiens. Maintenant, traduis, bâtard racorni, et traduis bien !

L'homme se tut. Hrothgar, resplendissant dans sa cotte de mailles et son heaume argenté, sourit à demi.

– Dis ceci à ton roi : nous acceptons de nous retirer de Cippanhamm, mais nous exigeons des otages.

– Combien d'hommes a encore Guthrum ? demandai-je à Alfred.

Il était mécontent que je m'en mêle, mais il prit ma question au sérieux.

– Suffisamment, dit-il.

– Suffisamment pour tenir Cippanhamm et une demi-douzaine d'autres cités. Nous devons les briser maintenant.

– Tu es le bienvenu si tu désires t'y essayer, répondit Hrothgar.

– J'ai occis Ubba, clamai-je. Et abattu Svein. Ensuite, j'égorgerai Guthrum et l'enverrai retrouver sa putain de mère. Oui, nous nous y essaierons.

– Uhtred... tenta Alfred.

– Nous avons une tâche à accomplir, seigneur.

La colère parlait en moi, la rage contre les Danes, égale à celle que j'éprouvais envers Alfred qui de nouveau offrait la paix à l'ennemi. Il l'avait déjà si souvent fait : il remportait une bataille et proposait aussitôt une trêve, croyant qu'ils deviendraient chrétiens et que nous pourrions vivre dans une paix fraternelle. Tel était son désir : vivre dans une Anglie chrétienne consacrée à la piété. En ce jour, pourtant, j'avais raison. Guthrum n'était point battu, il nous dépassait encore en nombre. Il fallait l'anéantir.

– Dis-leur, répondit Alfred, qu'ils peuvent capituler maintenant, rendre les armes et sortir du fort.

Hrothgar traita cette proposition avec le mépris qu'elle méritait. La plupart des hommes de Guthrum n'avaient point encore combattu. Les murailles vertes étaient hautes, les fossés profonds, et c'était la vue de ces remparts qui avait amené Alfred à vouloir parlementer. Il savait que de nombreux hommes devraient mourir. Il avait déjà rechigné à payer un tel prix l'année précédente, quand Guthrum avait été pris au piège à Exanceaster. Mais ce prix à payer, c'était celui du Wessex.

– Dis au comte Ragnar que je suis toujours son frère, criai-je à Hrothgar qui avait tourné les talons.

– Il te retrouvera sans doute au Walhalla un jour, répondit-il avec un geste désinvolte.

Selon moi, les Danes n'avaient jamais eu l'intention de négocier une trêve, encore moins de se rendre. Ils avaient accepté de parlementer, afin d'avoir le temps d'organiser leur défense.

Alfred me faisait la tête, agacé que je sois intervenu, mais Beocca prit la parole le premier :

– Qu'est-il advenu des femmes ? demanda-t-il.

– Elles ont combattu ces bâtards, dis-je, mais Iseult a péri.

– Iseult, répéta Alfred. (Voyant mes yeux embués de larmes, il ne sut que dire, vacilla, bégaya et ferma les yeux comme pour prier.) Je suis heureux qu'elle soit morte en chrétienne.

– J'aurais préféré qu'elle vive en païenne ! rétorquai-je.

Alfred manda de nouveau ses officiers. Il n'y avait nul choix. Nous devions attaquer le fort. Alfred envisagea un temps d'en faire le siège, mais ce n'était guère faisable. Nous aurions à nourrir une armée au sommet des collines et, même si Osric assurait qu'il n'y avait nulle source dans la forteresse, nous n'en avions aucune aux environs non plus. Les deux armées seraient assoiffées, et nous n'avions pas assez d'hommes pour empêcher les Danes de sortir la nuit chercher de l'eau. Si le siège excédait une semaine, les hommes de la *fyrd* commenceraient à fuir chez eux pour entretenir leurs champs.

Nous pressâmes donc Alfred de donner l'assaut. Des murs de boucliers devaient être lancés contre les remparts, et Alfred savait que tous les hommes jusqu'au dernier devaient se joindre à l'attaque. Wiglaf et ceux de Sumorsæte attaqueraient la gauche, ceux d'Alfred le centre et ceux d'Osric, de nouveau réunis et renforcés des déserteurs de Guthrum, prendraient la droite.

– Vous savez vous y prendre, dit Alfred sans enthousiasme, car il savait qu'il nous donnait ordre de préparer le banquet de la mort. Mettez les meilleurs au centre, qu'ils mènent, et que les autres poussent derrière et de part et d'autre. Dieu nous a souri jusqu'alors. Il ne nous désertera point.

Pourtant, il avait déserté Iseult, la pauvre et fragile reine de l'ombre et âme perdue. Je me plaçai au premier rang, car je brûlais de la venger. Steapa, aussi ruisselant de sang que moi, se plaça à mon côté, Leofric à ma gauche et Pyrlig derrière.

– Lances et longues épées, nous conseilla le prêtre, et non point les courtes.

– Pourquoi ? demanda Leofric.

– Vous gravissez cette abrupte paroi et ne pourrez que viser leurs chevilles et les abattre. Ce n'est point mon premier assaut. Il faut porter loin le coup et se bien protéger.

– Dieu nous aide, dit Leofric.

Nous étions remplis de peur, car il n'y a rien de plus redoutable dans la guerre qu'attaquer une forteresse. Si j'avais eu ma raison, j'aurais rechigné à le faire, mais j'étais rongé par mon chagrin et ma soif de vengeance.

– Allons, dis-je. Allons.

Mais nous ne le pouvions. Les hommes continuaient de ramasser les piques lancées lors de la bataille, et les archers étaient mis en avant. Pour l'attaque, un déluge de lances et de flèches devait nous précéder, mais il fallait le temps de mettre chaque homme en position.

Puis, mauvais présage pour nos archers, la pluie reprit. Leurs cordes en seraient affaiblies. Les lourdes gouttes tambourinaient sur nos casques, et les Danes alignés aux remparts nous huaient en frappant leurs boucliers de leurs épées. C'était la bataille de Guthrum, à présent. Désormais, ses hommes allaient livrer la bataille qu'il attendait depuis toujours.

– En avant ! Au nom de Dieu ! s'écria Alfred.

Au même instant, un roulement de tonnerre gronda, si fort que nous en frémîmes tous, et un éclair blanc frappa la forteresse. Peut-être pensâmes-nous que ce fracas et cette foudre soudaine étaient un message de Dieu, car l'armée tout entière s'ébranla en hurlant, boucliers serrés. Je vis alors le fossé déjà débordant, les cordes chantèrent et les lances sifflèrent, et tandis que les Danes nous criblaient de leurs piques, nous traversâmes.

Certains renoncèrent, mais une dizaine de groupes se lança dans l'attaque. Nous étions ce que les Danes appellent les « *svinfylkjas* », les mufles de sanglier, les guerriers d'élite qui tentent de percer le *skjaldborg* comme un sanglier tente d'éventrer un chasseur de ses défenses. Mais cette fois, nous devions aussi traverser un fossé inondé et en escalader la rive opposée.

Boucliers sur nos têtes, nous pataugeâmes, puis nous gravîmes le talus glissant. Quelqu'un me poussa et je réussis à monter à genoux, protégé par le bouclier de Pyrlig. Un Dane s'acharna de sa hache sur mon bouclier, je pointai Souffle-de-Serpent, sentis un coup à ma jambe et retombai. J'entendis Leofric pousser un cri perçant et vis du sang ruisseler dans l'herbe, aussitôt emporté par la pluie. Nous n'y arriverions jamais. J'avais de la boue dans la bouche, j'entendais le fracas de l'acier et les cris des hommes. L'herbe du talus arrachée sous nos pas avait mis à nu la craie blanche. Je grimpai de nouveau à l'aveuglette derrière mon bouclier, sous les coups de l'ennemi. Une hache s'abattit sur mon casque et m'étourdit. N'eût été la tresse d'Iseult, j'aurais perdu Souffle-de-Serpent. En rugissant, Steapa arracha la lance d'un Dane puis le projeta dans l'eau qui bouillonnait de sang. Je vis alors Alfred, à pied, tentant de traverser le fossé, et je criai à mes hommes de le protéger.

Pyrlig et moi parvînmes à nous placer devant le roi, et nous essayâmes de gravir le talus ensanglanté pour la troisième fois, Pyrlig hurlant en breton, moi jurant en danois et criant le nom d'Iseult. À plusieurs reprises, je crus y parvenir, mais j'étais repoussé par les lances des Danes. Un coup d'épée à ma visière m'assomma à demi. Je glissai, quelqu'un me tira de l'autre côté du fossé. J'essayai de me relever, mais je retombai.

Le roi. Il fallait protéger le roi, je l'avais laissé dans le fossé et il n'était point un guerrier. Il était brave, mais il n'aimait point le carnage comme l'aime le guerrier. Je me relevai péniblementet vis du sang sortir du haut de ma botte. Le fossé était rempli de cadavres et de mourants, et les Danes nous raillaient.

– À moi ! criai-je. (Steapa et Pyrlig me rejoignirent avec Eadric, mais j'étais étourdi, ma tête bourdonnait et mon bras me semblait faible. Nous devions faire un dernier effort…) Où est le roi ? demandai-je.

– Je l'ai sorti du fossé, dit Pyrlig.

– Est-il sauf ?

– J'ai dit aux prêtres de le retenir et de l'assommer s'il tentait de revenir.

– Attaquons ! criai-je.

Pourtant, je ne voulais plus trébucher sur tous ces corps, ni tenter d'escalader cette impossible muraille. C'était de la folie et j'y laisserais sans doute la vie, mais nous étions des guerriers et les guerriers ne se laissent point abattre. C'est une question de réputation, d'orgueil, de folie de la bataille. Je frappai Souffle-de-Serpent sur mon bouclier cassé. D'autres hommes se joignirent à moi et, tandis que les Danes nous défiaient de revenir, je leur criai que nous arrivions.

– Dieu nous aide ! hurla Steapa.

– Dieu nous aide ! répéta Pyrlig.

J'avais peur d'affronter ces remparts, mais je craignais bien plus d'être traité de couard. Je criai à mes hommes de massacrer ces bâtards et m'élançai. Je sautai par-dessus les cadavres dans le fossé, trébuchai, tombai, me relevai, mon heaume de travers, et je repris mon ascension. Steapa et Pyrlig étaient avec moi, et j'attendis le premier coup des Danes.

Mais il ne vint point. Je gravis le talus, sortis ma tête de sous mon bouclier, pensant que j'étais mort, car je ne voyais que le Ciel noyé de pluie. Les Danes étaient partis. Un instant plus tôt, ils nous huaient et nous traitaient de femmes et de lâches, criant qu'ils allaient nous éventrer et jeter nos tripes aux corbeaux. Je montai au sommet de la muraille et vis un deuxième fossé et un deuxième mur, et les Danes qui se réfugiaient derrière.

– Ils fuient ! cria Pyrlig en me saisissant le bras. Par Dieu, ces bâtards s'enfuient !

Nous traversâmes le deuxième fossé et gravîmes le talus opposé que ne défendait personne.

Et les Danes fuyaient. S'ils étaient restés, ils auraient été massacrés jusqu'au dernier. Certains tardèrent et furent pris au piège. Voulant tuer pour venger Iseult, j'en abattis deux avec une telle furie que Souffle-de-Serpent trancha maille, cuir et chair comme l'aurait fait une hache. La pluie et le tonnerre continuaient sans relâche, tandis que je cherchais d'autres victimes. Je vis un petit groupe dos à dos qui résistait à l'assaut de Saxons et je courais à eux quand, soudain, je vis leur bannière. L'aile d'aigle. C'était Ragnar.

Succombant sous le nombre, ses hommes tombaient.

– Épargnez-le ! criai-je.

Trois Saxons se retournèrent. Voyant mes longs cheveux et mes bracelets, ils me prirent sans doute pour un Dane, car ils coururent à moi et je dus les repousser de mon épée en leur criant vainement que j'étais des leurs. Steapa les dispersa et Pyrlig voulut retenir mon bras. Je courus vers Ragnar qui défiait encore les Saxons. Sa bannière était tombée et ses hommes aussi, mais il semblait un dieu de la guerre, avec sa cotte scintillante, son bouclier fendu, sa longue épée et son expression de défi. Il se tourna vers moi, croyant que je voulais le tuer, et leva son épée. Je l'esquivai avec mon bouclier, l'enserrai de mes bras et le fis tomber.

Steapa et Pyrlig nous protégeaient, repoussant les Saxons et leur disant de chercher d'autres victimes. Ragnar se redressa et me considéra avec des yeux étonnés. Sa main gauche fendue saignait.

– Il faut panser cela, lui dis-je.

– Uhtred... répondit-il comme s'il n'en croyait pas ses yeux.

– Je te cherchais, parce que je ne voulais pas me battre contre toi.

Il frémit en ôtant les restes de son bouclier de sa main blessée. Je vis l'évêque Alewold qui courait dans le fort en agitant les bras et en criant que Dieu nous avait livré les païens.

– J'ai dit à Guthrum de combattre devant le fort, dit Ragnar. Nous vous aurions tous occis.

– En vérité, souris-je.

En restant derrière les murailles, Guthrum nous avait laissé défaire son armée pièce par pièce, mais cette victoire restait un miracle.

– Tu saignes, remarqua Ragnar.

Une lance m'avait atteint à la cuisse droite. J'en porte aujourd'hui encore la cicatrice.

Pyrlig déchira un morceau de linge pris sur un cadavre et pansa la main de Ragnar. Il voulut soigner ma cuisse, mais je saignais moins et parvins à me lever. La douleur, que je n'avais point sentie jusque-là, m'assaillit soudain. Je portai la main au marteau de Thor. Nous avions vaincu.

– Ils ont tué ma femme, dis-je à Ragnar. (Debout à côté de moi, il ne répondit pas. La douleur me fit soudain défaillir, et je me retins à son épaule.) Iseult, ainsi s'appelait-elle, continuai-je. Et mon fils aussi est mort. (J'étais heureux que la pluie dissimule mes larmes.) Où est Brida ?

– Je l'ai envoyée au bas de la colline, dit Ragnar tandis que nous boitions vers le rempart nord.

– Et tu es resté ?

– Quelqu'un devait demeurer en arrière-garde, répondit-il faiblement.

Je crois qu'il pleurait lui aussi, de la honte de la défaite.

Pyrlig et Steapa étaient avec nous, et je voyais Eadric dépouiller un Dane de sa cotte de mailles, mais je ne vis nul signe de Leofric. Pyrlig prit un air peiné quand je l'interrogeai.

– Mort ? demandai-je.

– D'un coup de hache dans le dos.

Je fus trop abasourdi pour répondre, tant il me semblait impossible que l'invincible Leofric soit mort. Mais il l'était, et j'aurais aimé lui offrir des funérailles danes, un bûcher pour que la fumée de son cadavre monte jusqu'à la demeure des dieux.

– Je suis navré, dit Pyrlig.

– Le prix du Wessex, répondis-je alors que nous gravissions le rempart qui fourmillait des soldats d'Alfred.

Nous avions l'impression d'être sur le bord du monde, devant une immensité de nuages et de pluie, tandis qu'en dessous de nous les Danes descendaient sur le flanc de la colline où étaient restés leurs chevaux.

– Guthrum… dit Ragnar d'un ton amer.

– Il vit ?

– Il a été le premier à fuir. Svein lui disait que nous devions nous battre devant les murailles, mais Guthrum craignait la défaite plus qu'il ne désirait la victoire.

Des vivats s'élevèrent tandis que les bannières d'Alfred étaient hissées sur les remparts. Alfred, remonté sur son cheval, un cercle de bronze autour de son casque, arriva, un sourire ébloui et incrédule aux lèvres, tandis que Beocca agenouillé remerciait le Ciel. Je jure qu'il pleura quand les piques des bannières furent plantées au bord du monde. Le dragon et la croix flottaient au-dessus d'un royaume qu'il avait failli perdre, et sauvé pour qu'il y ait un seul roi saxon en Anglie.

Mais Leofric était mort, et Iseult n'était plus... Une pluie âpre tombait sur la terre que nous avions sauvée.

Le Wessex.

NOTE HISTORIQUE

Un cheval blanc est gravé dans la craie de Westbury, en bordure des plaines du Wiltshire. Ce splendide animal, qui mesure trente mètres de long et presque soixante de haut, a été gravé dans les années 1770. Selon les légendes locales, il aurait remplacé un cheval bien plus ancien, gravé après la bataille d'Ethandun, en 878.

J'aimerais croire à la véracité de cette légende, mais aucun historien n'est certain du lieu de la bataille d'Ethandun où Alfred vainquit les Danois de Guthrum, même si Bratton Camp en est le lieu le plus probable. Bratton Camp est une forteresse de l'âge de Fer qui se dresse juste au-dessus du cheval blanc de Westbury. Dans son remarquable ouvrage, *Alfred, roi guerrier*, John Peddie place Ethandun à Bratton Camp et la Pierre d'Egbert à Kingston Deverill, dans la vallée de la Wyly – cela me semble convaincant.

Il n'y a nulle controverse sur la situation d'Æthelingæg. C'est aujourd'hui Athelney, dans les Somerset Levels, près de Taunton. Bratton Camp est resté relativement intact depuis 878, les marais ont considérablement changé. De nos jours, grâce aux moines médiévaux qui ont bâti des digues et asséché la région, c'est une vaste et fertile plaine. Au IXe siècle, c'était un immense marécage et un dédale de chenaux marins presque impénétrable, où Alfred se réfugia après le désastre de Chippenham.

Ce désastre fut la conséquence de sa générosité : il accepta une trêve qui permit à Guthrum de se retirer à Gloucester, dans la Mercie alors détenue par les Danois. Guthrum, tout comme il avait brisé la trêve conclue à Wareham en 876, se révéla une fois encore aussi peu fiable. Juste après la Douzième Nuit, il attaqua Chippenham dont il s'empara, précipitant ainsi la plus grande crise du long règne d'Alfred. Le roi fut défait, et presque tout le pays livré aux mains des Danes. Certains grands nobles, tel Wulfhere, ealdorman de Wiltshire, s'allièrent à l'ennemi, et le royaume d'Alfred fut réduit aux marais des Somerset Levels. Pourtant, au printemps, quatre mois après le désastre de Chippenham, Alfred rassembla une armée et la mena à Ethandun où il vainquit Guthrum. Tout cela est arrivé. Ce qui, hélas, n'est probablement pas arrivé, c'est l'histoire de la villageoise giflant Alfred pour avoir laissé brûler ses galettes. Cette anecdote, la plus célèbre concernant Alfred, est d'une source très tardive, donc peu fiable.

Alfred, Ælswith, Wulfhere, Æthelwold et le frère Asser (qui devint plus tard évêque) ont tous existé, tout comme Guthrum. Svein est un personnage fictif.

Les deux sources principales d'information concernant le règne d'Alfred sont la *Chronique anglo-saxonne* et la vie du roi rédigée par l'évêque Asser. Malheureusement, aucune ne nous explique en détail comment Alfred vainquit Guthrum à Ethandun. Les deux armées, selon les critères contemporains, étaient petites, et il est presque certain que Guthrum dépassait largement en nombre Alfred. Cela ne fait que confirmer la remarquable victoire remportée par Alfred.

Les Saxons étaient en Angleterre depuis le Ve siècle. Au IXe, ils gouvernaient presque toute l'Angleterre actuelle, mais à l'arrivée des Danois, les royaumes saxons s'effondrèrent. *Le Dernier Royaume* conte la défaite de la Northumbrie, de la Mercie et de l'Estanglie, tandis que *Le Quatrième Cavalier* raconte comment le Wessex faillit suivre ses voisins du Nord dans les oubliettes de l'histoire. Pendant les premiers mois de 878, l'idée d'Angleterre, sa culture et sa langue furent réduites à quelques hectares de marais. Il aurait suffi d'une seule défaite pour que n'existe jamais cette entité politique appelée Angleterre. Nous aurions été un Daneland, et ce roman aurait probablement été rédigé en danois. Pourtant, Alfred survécut et vainquit. C'est pourquoi l'histoire lui a accordé l'honneur de le baptiser le « Grand ». Ses successeurs achevèrent son œuvre en unissant pour la première fois les terres saxonnes en un unique royaume appelé Angleterre,... mais cette tâche fut entreprise par Alfred le Grand.

Pourtant, en 878, même après la victoire d'Ethandun, ce rêve devait sembler impossible. Il y a loin du cheval blanc d'Ethandun aux mornes landes du nord du Mur d'Hadrien, et Uhtred et ses compagnons devront poursuivre leur campagne.

Composition : Compo-Méca s.a.r.l.
64990 Mouguerre

Impression réalisée sur CAMERON par

BRODARD & TAUPIN

GROUPE CPI

La Flèche

*pour le compte des Éditions Michel Lafon
en décembre 2006*

Imprimé en France
Dépôt légal : décembre 2006
N° d'impression : 39285
ISBN : 978-27499-0576-1
LAF 886